# *Pic - Nic*
# *El triciclo*
# *El laberinto*

Letras Hispánicas

Fernando Arrabal

# *Pic - Nic*
# *El triciclo*
# *El laberinto*

Edición de Ángel Berenguer

SEXTA EDICION

CATEDRA

LETRAS HISPANICAS

Ilustración de cubierta: Topor


Ediciones Cátedra, S. A., 1983
Don Ramón de la Cruz, 67. Madrid-1
Depósito legal: M. 39.511.—1983
ISBN: 84-376-0100-2
*Printed in Spain*
Impreso en Artes Gráficas Benzal, S. A.
Virtudes, 7. Madrid-3
Papel: Torras Hostench, S. A.

# Índice

*A la memoria de Lucien Goldmann, maestro y amigo.*

# *Introducción*

## Crono-biografía de Fernando Arrabal

Hemos querido estructurar nuestra biografía de Fernando Arrabal en forma de una cronología, por ser ésta la primera vez que se publica en español, de una forma extensa y ordenada, la vida del autor.

Esta fórmula nos parece, al mismo tiempo, satisfacer las necesidades del lector que, por primera vez, se asoma a la producción de nuestro dramaturgo, así como servirá de referencia a los estudiosos de la obra de este autor melillense. No conocemos otra biografía de Arrabal en español, completa y reciente, que pueda resolver problemas de cronología organizando los datos manejados en forma clara y tan precisa, como lo es nuestra división por años.

Bien es verdad que esta *crono-biografía* puede, por su forma, simplificar demasiado la evolución del autor. Para evitar tal escollo, hemos señalado todo lo que, a nuestro juicio, tiene un carácter significativo en la vida de Fernando Arrabal.

Finalmente, diremos que esta *crono-biografía* es el resultado de nuestro trabajo durante los últimos nueve años sobre Arrabal y su producción dramática. Algunos de los datos que proponemos aquí están también y, en algunos casos, provienen de la excelente cronología que Bernard Gille incluye en su libro *Arrabal* (París, Seghers, 1970, págs. 175-191), que concluye, como se ha podido adivinar por la fecha del libro, en 1970.

Debemos agradecer, finalmente, a Fernando Arrabal y a su esposa, Luce, los datos que nos han proporcionado para esta biografía, y, en general, para la realización de esta edición crítica que hoy ve luz en una España bien distinta a la que encarceló al autor, un año antes de que nosotros iniciásemos nuestra investigación sobre su obra, en París, y bajo la dirección de Lucien Goldmann, maestro cuyo recuerdo no queremos olvidar en esta nuestra primera aportación, en castellano, al conocimiento del autor español del exilio que es Fernando Arrabal.

1932 Nace Fernando Arrabal Terán, el día 11 de agosto, en Melilla. Sus padres son Fernando Arrabal Ruiz, oficial del Ejército español, y Carmen Terán González.

El matrimonio había tenido ya una hija, Carmen (Ciudad Rodrigo, 16 de septiembre de 1931), y el 17 de agosto de 1934 verá nacer su tercer y último hijo, Julio. Carmen es hoy médico pediatra y Julio oficial del Ejército del Aire. Ambos viven, así como su madre, en España.

1936 El padre de Arrabal es arrestado el 17 de julio por no querer unirse al golpe de Estado militar y permanecer fiel a la República. Es condenado a muerte. Pasa a la prisión militar del monte Hacho, en Ceuta, donde intenta suicidarse. Más tarde será trasladado a las cárceles de Ciudad Rodrigo y Burgos.

Su esposa vuelve con los niños a Ciudad Rodrigo (la «Villa Ramiro» de *Baal Babilonia* y *El árbol de Guernica),* lugar donde habita toda la familia materna.

1937 En el mes de marzo de este año, la pena de muerte a que había sido condenado el padre de Arrabal es conmutada por treinta años de prisión.

Arrabal empieza a frecuentar la escuela de las Teresianas en Ciudad Rodrigo, donde su madre ha dejado a los hermanos. Allí viven con la familia materna, mientras Carmen Terán trabaja como secretaria en Burgos, por entonces capital de la España nacionalista y residencia oficial del Gobierno del general Franco.

En Ciudad Rodrigo, Arrabal empieza a jugar con un teatrito de cartón piedra semejante al que aparece en *Viva la muerte.*

1940 Acabada la guerra, la madre de Arrabal sigue trabajando de secretaria en organismos oficiales y se traslada —esta vez con los tres niños— al Madrid (capital de España recién conquistada) de la postguerra. La familia vive en el número 17 de la calle de la Madera Baja.

1941 Después de ganar un concurso de «niños superdotados» (sic) consigue una beca para estudiar en el Colegio de los Escolapios de San Antón.

El 4 de diciembre de este mismo año, su padre es trasladado desde la Prisión al Hospital de Burgos. Se le considera enfermo mental. Pesquisas posteriores del autor apoyan su creencia de que se «hizo el loco» para ser colocado en un régimen menos rígido de vigilancia y poder escapar.

1942 El día 21 de enero, cuando acaba de caer un metro de nieve sobre los campos burgaleses, Fernando Arrabal Ruiz se escapa, en pijama, del Hospital de Burgos. Nunca más se ha sabido de él. A pesar de la búsqueda minuciosa del autor nadie ha podido darle razón de su huida.

Arrabal deja el Colegio de San Antón y pasa a los Escolapios de Getafe.

1943 En éste y en los años que van a seguir, Arrabal inicia sus experiencias de «golfillo» madrileño: hace creer a su madre que su padre se entrevista con él y le da dinero, aprende a «colarse» en los cines y el circo, etc. Desarrolla toda una «picaresca» callejera que, según él mismo admite, le será muy útil, después, en la vida. Inicia sus «escapadas» de casa.

1947 Empujado por su madre, empieza la preparación para el ingreso en la Academia General Militar. En vez de asistir a los cursos, se dedica a ir al cine. En los cines de barrio descubre el joven

Arrabal las películas de los grandes cómicos, especialmente los americanos (los hermanos Marx, etcétera).

1949 Enterada su madre de que Arrabal no muestra ningún interés por la Academia Militar, decide enviarle a Tolosa (Guipúzcoa) para estudiar en la Escuela Teórico-Práctica de la Industria y Comercio del Papel. Antes de partir, Arrabal descubre fotografías familiares en las que la cabeza del padre ha sido cuidadosamente recortada, cartas del desaparecido y algunos recuerdos personales. Las relaciones familiares se hacen muy tensas y su salida para Tolosa (el 1 de septiembre) le parece una liberación.

1950 En Tolosa se dedica a estudiar, y participa, a su manera, en los conflictos sociales y políticos de Euzkadi.

Al mismo tiempo escribe «Vidas de músicos célebres» (copiados de enciclopedias) para impresionar a una chica. Empieza a componer obras de teatro, hoy inéditas.

1951 Va destinado a la Papelera de Valencia. Allí termina el Bachillerato y tiene un conato de vocación religiosa: decide hacerse jesuita, pero pronto cambia de opinión.

1952 Siempre empleado en Papelera Española, es destinado a Madrid. Empieza a estudiar Derecho.

Lee a William Saroyan, Mihura, Kafka, Dostoievski, etc. Frecuenta el Ateneo de Madrid. Funda una academia con Fernández Arroyo, Fernández Molina, José Luis Mayoral, Eduardo Sáinz Rubio y Luis Arnáiz. En ella lee sus primeras obras: *La techumbre, El carro de heno, La herida perenne,* etc. Por entonces debió escribir la primera versión de *Pic-Nic,* cuyo primer manuscrito conservado (posterior a 1955), muy diferente de la versión definitiva (casi un esbozo), se llamó en español *Los soldados.*

La versión definitiva de esta obra debió de realizarse hacia 1957 cuando prepara su edición en *Les Lettres Nouvelles* (marzo 1958).

Termina su primer año de Derecho.

1953 Sigue frecuentando a los poetas postistas —con los que está muy unido— y escribe (entre 1952 y 1953) *El triciclo (Los hombres del triciclo* es su primer título). Envía esta obra al Premio Ciudad de Barcelona.

En Madrid asiste a las representaciones de *Dido, Pequeño Teatro* que coordina Josefina Sánchez Pedreño ayudada por Trino Martínez Trives. Este *Teatro Experimental* presenta obras de los autores de vanguardia.

Termina en un año segundo y tercero de Derecho.

1954 Enterado de que el Berliner Ensemble presentará *Madre Coraje* en París, Arrabal se va en autostop a la capital francesa y, utilizando artilugios de golfillo madrileño, entra sin pagar en el teatro Sarah Bernhardt.

Conoce a una estudiante francesa, Luce Moreau, que después será su esposa.

Termina cuarto y algunas asignaturas de quinto año de Derecho.

1955 Consigue una beca de tres meses para estudiar en París. Vive en la *Maison de l'Espagne* de la *Cité Universitaire.*

Gravemente enfermo de tuberculosis ingresa en el Hospital de la Cité Universitaire. Arrabal suele considerar esta enfermedad —contraída muy probablemente durante los años de hambre de la postguerra— como un golpe de suerte que le permitió quedarse ya, definitivamente, en París.

Su primer exilio es, pues, un exilio fisiológico debido a las consecuencias de la guerra civil que, poco a poco, irá convirtiéndose en exilio moral, después de ser exilio estético (reacción contra la literatura «maniatada» que se hace por entonces en España).

1956 Es trasladado, en febrero, al sanatorio de Bouffémont (en el Departamento de Seine et Oise). En el sanatorio escribe *Fando y Lis* y *Ceremonia por un negro asesinado.*

En noviembre es operado en el hospital Foch de Suresnes y durante los primeros meses de convalecencia escribe *Los dos verdugos* y *El laberinto* (obra que supone ya un buen conocimiento de Kafka).

1957 Continúa su convalecencia en el sanatorio de Bouffémont donde ha sido trasladado y sigue escribiendo teatro.

La obra corta, *Oración,* pertenece a este período en el que continúa retocando obras anteriores.

Luce Moreau envía *El triciclo* a un concurso de «aide à la première pièce».

A su vuelta a París, en el mes de abril, y como consecuencia del envío de su obra a que acababos de referirnos, Jean Marie Serrau viene a conocerle a la ciudad universitaria y allí encuentra un montón de originales que lee y hace leer a Geneviève Serrau.

Vuelve a escribir una obra de la que ya existían versiones anteriores y que, en este año, recibe su forma definitiva: *El cementerio de automóviles,* su más importante obra durante la primera época de su teatro.

Durante el verano (que pasa en Lanzahita, Ávila) escribe *Orquestación teatral* (cambiará, en 1967, este título y llamará a la obra *Dios tentado por las matemáticas).*

A su vuelta a París escribe *Los amores imposibles* (obra que se llamará más tarde *La Princesa)* y *Los cuatro cubos.*

En octubre de este año Arrabal firma un contrato con el editor Julliard.

1958 Por primera vez se estrena una obra de Arrabal. En Madrid (primera y última vez), en el Teatro Bellas Artes, el grupo *Dido,* dirigido por Josefina Sánchez Pedreño estrena en sesión única de cámara y ensayo *Los hombres del triciclo,* el día 29 de enero. Arrabal llega a Madrid el mismo día del estreno y regresa a la mañana siguiente a París, de donde había venido con billete de ida y vuelta.

Unos días más tarde, el 1 de febrero, se casa con Luce Moreau, hoy profesor agregado en la Sorbona, donde enseña Literatura Española. Ella es, además, la extraordinaria traductora de esta obra de un autor español que ya forma parte de la Literatura Francesa actual, merced a tan excelente labor.

En esos días termina *Concierto en un huevo.*

El 25 de junio de este año, la compañía de Jean Marie Serrau estrena en el Festival des Images d'Épinal, *La vida es sueño,* adaptada por Fernando Arrabal. El mismo autor acompañará a la compañía y llega, incluso, a intervenir como actor en una obra de Kafka.

Vuelve a España ese verano y ve a su madre en Madrid. Termina *Baal Babilonia,* novela que había comenzado en Valencia hacia 1951.

Aparece la primera edición de su primer volumen de teatro editado por Julliard.

En noviembre de este mismo año se publica en *Les Lèttres Nouvelles* un artículo de Geneviève Serrau: «Arrabal, un nouveau style comique».

Escribe *La primera comunión.*

1959 En el mes de enero aparece la primera edición de *Baal Babilonia* siempre en las Ediciones Julliard.

Escribe *Guernica* (la obra de teatro que se difundiría en España como *Ciugrena,* cambiando el orden de las letras que forman el título original, en la edición de Taurus).

El 25 de abril Jean Marie Serrau estrena, por primera vez, una obra de Arrabal en Francia. Se trata de *Pique-Nique en Campagne.*

Obtiene una beca y se va a los Estados Unidos (con Italo Calvino, Claude Ollier, Robert Pinget, etc.), el día 4 de noviembre. Viaja por todo el país y queda fascinado por la ciudad de Nueva

York, donde reside en la misma habitación, en Columbia University, que había tenido Federico García Lorca muchos años antes.

1960 Vuelve de su viaje americano a París durante el mes de abril y empieza a escribir *El entierro de la sardina,* novela que aparecerá en 1961 (Ed. Julliard).

En el mes de octubre se estrena *Orquestación teatral* en el Teatro de la Alliance Francaise, dirigida por Jacques Polien.

Termina (había empezado en 1959) *La bicicleta del condenado.*

1961 El 24 de noviembre aparece su segundo volumen de teatro *(Guernica, El laberinto, El triciclo, Pic-Nic* —en lugar de *El Quijote,* anunciado en las guardas de *Baal Babilonia,* y que debía ser, en realidad, *Concierto en un huevo*— y *La bicicleta del condenado).*

Ese mismo mes, Jodorowski monta *Fando y Lis* en Méjico.

1962 En el mes de febrero, y como resultado de una tertulia que lo reúne en el café de la Paix con Topor, Jodorowski, Sternberg, etc., crea el *Movimiento Pánico* cuyo nombre alude al dios Pan.

Conoce a André Breton a través de Jean Benoit y empieza a asistir a las reuniones de los surrealistas, aunque nunca llega a formar parte del movimiento. Sus textos pánicos (recogidos más tarde en *La piedra de la locura)* aparecen en el número 1 de la revista surrealista *La Brèche.*

1963 Su obra, *La primera comunión,* aparece en el número 4 de la revista *La Brèche (La communion solemnelle).*

Aparecen sus *Textos Pánicos* en la revista *Índice* (Madrid, febrero). Un mes más tarde la misma revista publica sus «Relatos pánicos» en el número 170.

El día 2 de mayo de este mismo año, recibe ejemplares de *La pierre de la folie.*

Durante las semanas que siguen escribe *El gran ceremonial* y una pieza pánica para Rita Renoir: *Strip-tease de la jalousie*. Empieza la redacción de *Fiestas y ritos de la confusión*.

Es invitado a Sydney para asistir a la representación de dos obras suyas *(Fando y Lis* y *Los dos verdugos)*. En Australia pronuncia la célebre conferencia «El hombre pánico», que llegará al público español en *Papeles de Son Armadans* (número CXIII, agosto de 1965). A su vuelta de Australia, Arrabal hace escala en México donde le esperan un día más tarde y se encuentra solo en el aeropuerto. No consigue arreglar las formalidades aduaneras a causa de su pasaporte español y tiene que seguir en el avión siguiente su vuelo de regreso a París.

La editorial Gallimard crea una colección *Pánico* cuyo primer volumen es *L'Etau* de Edward Atiyah.

En este año Arrabal inicia su colaboración con tres pintores españoles figurativos para «crear» una serie de pinturas. Arnáiz, Crespo y Felez, los pintores, recibirán descripciones detalladas del cuadro e incluso esbozos de Arrabal. En general, estos cuadros tienden a dar una visión onírica del escritor y su entorno basada en aspectos muy precisos de la vida cotidiana. A veces copia un diseño publicitario («La vache qui rit» en *El nacimiento de Arrabal,* etc.), dibujos de enciclopedias o/y obras de pintores famosos. Durante 1963 se realiza la pintura de Arnáiz *Arrabal combatiendo su megalomanía* mezclando la ilustración de una página de diccionario y *El entierro de la sardina* de Goya.

Escribe *La coronación*.

1964 Se estrenan varias obras durante el año * *(Fando*

---

* Debido a la extraordinaria cantidad de estrenos y representaciones de obras de Arrabal en todo el mundo, nos limitaremos aquí a señalar los más importantes o significativos. Para dar una idea de esos estrenos podemos asegurar que desde 1958 se ha

*y Lis, El gran ceremonial, Strip-tease de la jalousie)* en Francia con una crítica a veces hostil.

Una de dichas obras, *Strip-tease de la jalousie,* es estrenada en el I Festival de la Expresión Libre, festival en el que también se presenta una obra —*Mysteries*— del grupo americano de teatro *Living Theatre.*

Durante el mes de junio conoce a Víctor García.

Se realizan dos nuevas pinturas: *Arrabal decapitando a Narciso* y *Arrabal celebrando la ceremonia de la confusión.*

1965 A pesar de ser recibido por la crítica de una manera hostil, el estreno parisino de *La coronación,* dura tres meses en el Teatro Mouffétard.

El 13 de enero aparece el volumen III de su teatro en Julliard. Contiene las siguientes obras: *La coronación, El gran ceremonial, Concierto en un huevo* y *Ceremonia por un negro asesinado.*

El 24 de mayo, espectáculo pánico presentado en el Centre Américain de París y dirigido por Jodorowski: *Le Groupe Panique International présente sa troupe d'éléphants.* Parte del espectáculo (que dura cuatro horas) es el estreno de *Les amours impossibles* (más tarde *La princesa)* de Arrabal.

Por primera vez Arrabal se acerca al cine para escribir los guiones de dos películas de Fernández

---

estrenado una obra —al menos— cada año en París. Sus obras han estado en cartel año tras año en capitales europeas y americanas. En Nueva York, dos piezas suyas *(El cementerio...* y *Y le pusieron esposas a las flores...)* han conseguido el premio O. B. Y.; en Londres, The National Theatre, ha programado durante dos temporadas dos direcciones diferentes de *El arquitecto y el emperador de Asiria;* en Praga, cuando llegaron los tanques rusos, había en cartel tres obras de Arrabal (una de ellas, *El arquitecto...,* montada por el Teatro de la Balaustrada); Peter Brook, así como Lavelli, Víctor García, Tom O'Horgan, etc., han montado el teatro de Arrabal, que también ha sido representado en Tokio por el Teatro No (recibiendo el premio teatral del año) y conseguido los premios más prestigiosos en Brasil...

Para terminar de una vez esta tediosa enumeración, diremos que, según la Sociedad de Autores Franceses, es raro el mes en estos últimos años en que su teatro no es representado diez ve-

Arroyo: *Los mecanismos de la memoria* y *El ladrón de sueños* (en esta última película interviene con su mujer, Luce).

El 18 de noviembre publica «Teatro pánico» en *Última hora.*

Arnáiz pinta dos «encargos» de Arrabal *(Nacimiento de Arrabal* y *Arrabal roca),* y Crespo, *Arrabal adorado por las gigantas* y *Arrabal amenazado de inmortalidad.*

La revista *Yorick* (núm. 8) publica, en Barcelona, *El triciclo.* Aparece un volumen de teatro *(El cementerio..., Los 2 verdugos* y *Ciugrena —Guernica—*), Madrid, Taurus.

1966 Escribe *La juventud ilustrada* y *¿Se ha vuelto loco Dios?,* después de visitar la exposición de Ipoustéguy en la Galería Claude Bernard.

Aparece en Madrid un número de la revista *Índice* (núm. 205) dedicado al movimiento pánico. *Ínsula* publica (núm. 232, marzo de 1966) «Siete relatos pánicos de Fernando Arrabal».

También en Madrid, ve luz la edición española de *Arrabal celebrando la ceremonia de la confusión* (Alfaguara).

Durante el mes de junio se estrena en Dijon un montaje hecho por Víctor García a partir de cuatro obras de Arrabal: *El cementerio..., Oración, Los dos verdugos* y *La primera comunión.* El espectáculo que resulta se llamará *El cementerio de automóviles* y recibirá gran atención de la crítica, consiguiendo pasar a París donde es estrenado en el Théâtre des Arts en 1967 y, más tarde, en Sao Paulo en 1969.

Jorge Lavelli monta en París *Ceremonia para una cabra sobre una nube* en el teatro Bilboquet formando parte del espectáculo que titula *Saint Benoît dans la baignoire.*

---

ces en todo el mundo, siendo en los años 1981 y 1982 el autor «francés» más representado en el mundo.

Durante el verano, en Madrid y en la Casa de Campo, termina una de sus obras más importantes: *El arquitecto y el emperador de Asiria*. La obra estaba ya terminada en febrero de 1966 (véase el núm. 15, pág. 9, I, de la revista *Yorick)*.

En este año se realiza la pintura *Arrabal salvado por el Fénix*.

1967 Aparece, el 10 de enero, *Fêtes et rites de la confusion*. Ya en las ediciones Christian Bourgois (que será en adelante su editor habitual en Francia), Arrabal publica el volumen IV de su teatro: Théatre Panique que contiene una serie de obras cortas *(La communion solemnelle, Les amours impossibles, Une chèvre sur un nuage, La jeunesse illustrèe, Dieu est-il devenu fou?, Strip-tease de la jalousie* y *Les quatre cubes)* y, sobre todo, *El arquitecto y el emperador de Asiria*, seguido de un comentario del autor a su cuarto volumen de teatro titulado «Le théatre comme cérémonie panique'».

Empieza a escribir una ópera pánica: *Ars Amandi*.

El día 15 de marzo, en el Teatro Montparnasse-Gaston-Baty, Jorge Lavelli estrena *El arquitecto...*

Comienza la redacción de *El jardín de las delicias*.

Durante el mes de junio, en Madrid, es invitado por Galerías Preciados para firmar su libro *Arrabal celebrando la ceremonia de la confusión*. Un joven le pide una dedicatoria pánica «blasfematoria, muy fuerte». Arrabal la escribe. Sale con su esposa para La Manga del Mar Menor y, en la noche del 20 al 21 de julio es detenido y conducido a Murcia. Más tarde pasa a Madrid (las Salesas y cárcel de Carabanchel) donde es liberado el 14 de agosto tras una gran protesta internacional y gracias a la ayuda de algunos amigos y otras personas —escritores o no— que toman su defensa.

Ya en Francia termina *El jardín de las delicias* (que será una obra clave en la evolución posterior de su teatro) y cambia *Orquestación teatral* que se convierte en una ópera: *Dios tentado por las matemáticas.*

Aparece en la película de Baratier *Piège* y el pintor Felez termina el cuadro *Arrabal niño rehusando el festín.*

En octubre, el 31, aparece (Albin Michel) su presentación de dibujos de Topor. La revista *Los Esteros* publica su texto «Imágenes de la confusión».

1968 Aparece la segunda edición de su primer volumen de teatro, siempre en las Ediciones Christian Bourgois.

En el mes de abril, se publica el primer número de la revista *Le théâtre,* que en adelante dirigirá Arrabal. El primer volumen (1968) está dedicado al *Barroco,* el segundo (1969-1) es *La contestation* y el tercero (1969-2), *Le grand guignol.* En 1970 surge el volumen de la revista dedicado al *Théâtre en Marge,* y su quinto volumen, *Les monstres,* es de 1971. Después de varios años en los que Arrabal ha intentado sacar un número dedicado al teatro español, está a punto de aparecer un número de su revista dedicado al *Teatro homosexual.* El teatro español respondió con sus habituales contradicciones en 1972 e impidió prácticamente la realización de dicho número.

Acaba la redacción de *Ars Amandi.*

Durante los acontecimientos del mes de mayo, participa activamente y consigue, con otros amigos, la ocupación del colegio de España en la Ciudad Universitaria.

J. Yves Bosseur escribe la partitura de la ópera *Dios tentado por las matemáticas.*

Escribe Arrabal dos obras que se estrenarán en seguida: *Bestialidad erótica* y *Una tortuga llamada Dostoiewski.*

Redacta, en relación con el movimiento del mes

de mayo una obra de trasfondo anarquista, *La Aurora roja y negra,* que se estrenará este mismo año en Bruselas.

Dos nuevas pinturas de Felez: *Arrabal Prometeo* y *El laberinto.*

Aparece la segunda edición del volumen de Taurus (Col. Primer Acto) contra la voluntad de Arrabal.

1969 Es este un año de intensa actividad editorial para Fernando Arrabal que ve aparecer los siguientes volúmenes de su teatro:

— Volumen III *(Le grand cérémonial* y *Cérémonie pour un Noir assassiné);* presentado como «segunda edición» del vol. III aparecido en Julliard, en realidad contiene sólo dos obras. Las otras dos aparecerán en el volumen IV.
— Volumen IV *(Théâtre 4,* Bourgois, tercer trimestre), que contiene: *Le lai de Barabbas* (muy importante transformación de *La coronación* que aparecía en la primera edición del volumen III) y *Concert dans un oeuf.*
  (El volumen V es *Théâtre Panique* y había aparecido ya en 1967.)
— Volumen VI (primer trimestre de este mismo año) en el que aparece *Le jardin des délices, Bestialité érotique* y *Une tortue nommée Dostoievsky.*
— Volumen VII *(Théâtre de Guerilla),* durante el cuarto trimestre de este mismo año, donde se incluyen *Et ils passèrent des menottes aux fleurs* y *L'Aurore rouge et noir* (obra compuesta por una serie de piezas cortas: *Groupuscule de mon coeur, Tous les parfums d'Arabie, Sous les pavés, la plage* y *Les Fillettes).*

En Madrid, el 11 de febrero, la policía ocupa el teatro donde Víctor García debía estrenar un espectáculo compuesto por *Los dos verdugos,* de Arrabal, y *Las criadas,* de Genet. El espectáculo será autorizado más tarde, pero sin *Los dos verdugos.*

Durante el mes de abril termina *Dios tentado por las matemáticas,* y, el día 15, sale para los Estados Unidos. En Nueva York, entre julio y agosto, escribe *Y le pusieron esposas a las flores.*

Esta obra será estrenada en el teatro de L'Epèe de Bois (hoy desaparecido), dirigida por el autor, el 20 de septiembre. En octubre, recibe Arrabal el premio del humor negro. El 30 de octubre llega a París *El jardín de las delicias* dirigido por Claude Régy e interpretado por Delphine Seyrig y Marpessa Dawn.

Las ediciones Pierre Belfond, París, publican el libro de Alain Schifres *Entretiens avec Arrabal.*

1970 El 14 de enero, nace su primera hija Lelia Paloma Ofelia.

Aparece el volumen VIII de su teatro: *Ars Amandi* y *Dieu tenté par les mathématiques.* El título del libro es *Deux opéras paniques.*

Prepara con Lavelli *La guerra de mil años* para el Festival de Avignon, pero la obra será suprimida del programa de dicho festival.

Durante el verano rueda en Túnez su primera película, *Viva la muerte,* en la que recoge esencialmente, aunque muy transformada, la historia de *Baal Babilonia.*

Vuelve a Estados Unidos invitado por el Antioch College y se queda en Nueva York donde monta otra vez *Y le pusieron esposas...*

Aparece el libro de Bernard Gille *Arrabal* en la colección *Théatre de tous les temps* de Seghers.

La colección *10/18,* publica, el 15 de junio, la segunda edición de *L'enterrement de la sardine.*

1971 Aparece su primer volumen de teatro en español editado en París por Christian Bourgois. Se publican en él *Oración, Los dos verdugos, Fando y Lis* y *El cementerio de automóviles.*

Durante el mes de noviembre, importante estreno de *El arquitecto y el emperador de Asiria,* en Nuremberg, dirigido por Jorge Lavelli.

El 18 de octubre se publica en la colección de libros de bolsillo *10/18* un volumen de teatro de Arrabal bajo el título de *L'architecte et l'empereur d'Assyrie,* que contiene, además de esta obra, todo el teatro de guerrilla *(Y le pusieron esposas...* y *La aurora roja y negra).*

1972 Enviada a su destinatario en marzo de 1971 y sin recibir respuesta alguna, Arrabal publica, en edición bilingüe y en la colección *10/18,* su *Carta al general Franco* el día 28 de enero.

Definitivamente terminada durante los ensayos, Arrabal reconoce cierto carácter colectivo en la creación de *Bella Ciao;* se estrena esta obra (cuyo segundo título es *La guerra de mil años)* en la Gran Sala del T.N.P. (Théatre National Populaire) en París, dirigida por Jorge Lavelli. El mismo día del estreno, 25 de febrero, aparece su edición en Christian Bourgois.

El 15 de julio nace su segundo hijo, llamado Samuel, en recuerdo de Beckett.

El 18 de mayo aparece el volumen IX de Teatro de Fernando Arrabal con dos obras: *Le ciel et la merde* y *La grande revue du XXe. siècle.*

El 15 de noviembre se publica la tercera edición de su primer volumen de teatro en la colección *10/18.*

Entre el 20 y el 25 de noviembre, participa activamente en *La mesa de Blumenthal* (Primeras Jornadas Universitarias sobre el Teatro Español Contemporáneo) organizada por la Universidad de París III (Sorbonne Nouvelle). Por primera vez se encuentra Arrabal entre los autores españoles en una empresa de reflexión sobre el teatro y la sociedad españolas.

François Raymond-Mundschau publica en la colección *Classiques du XXe. Siècle,* de Editions Universitaires, París, su libro *Arrabal.*

1973 Durante el verano rueda en Túnez y Francia su

segunda película, *J'irai comme un cheval fou (Iré como un caballo loco).*

El 15 de noviembre de este mismo año, la censura francesa prohibe la película, al mismo tiempo que el jurado encargado de seleccionar las películas que representarán a Francia en los Festivales Internacionales de Cine, la elige por una gran mayoría.

Finalmente, la película conseguirá el permiso de censura y será estrenada en ese mismo mes.

Arrabal publica el 26 de agosto su libro de fotografías y textos *Le New York d'Arrabal* (Editions Balland), especie de homenaje sorprendido y amoroso a la ciudad sucia y deslumbrante que, años antes, impresionara a otro poeta español que sin atreverse a colocar su nombre, dio el mismo título *(Poeta en Nueva York)* a uno de sus libros más importantes, Federico García Lorca.

1974 Durante el mes de abril, cuando daba una serie de conferencias en los Estados Unidos, visita la ciudad de Madrid en el Estado de México. Es una ciudad fantasma, abandonada súbitamente al agotarse sus minas de carbón. Impresionado por esa visión escribe durante el mes de mayo en París *La balada del tren fantasma* o *En la cuerda floja*, obra en la que aborda el tema de su «estar afuera», de autor exiliado.

La obra aparecerá en edición bilingüe el 30 de mayo, publicada por su editor habitual.

En noviembre va a Japón para asistir al estreno de una obra suya por el Teatro No.

A su paso por los Estados Unidos da una conferencia en la Universidad de Nueva York en Albany, donde, por primera vez, reconoce públicamente el carácter español de su obra escrita en español y traducida al francés por su esposa Luce Arrabal.

En las Ediciones du Rocher, publica Arrabal su libro *Sur Fischer (initiation aux échecs).*

Participa muy activamente en la organización de una protesta, a nivel internacional, contra la detención de Alfonso Sastre, Eva Forest y sus amigos en España.

Escribe *Jóvenes bárbaros de hoy,* haciendo alusión a la célebre frase de Alejandro Lerroux.

1975 El 23 de mayo estrena *Jóvenes bárbaros de hoy* en el teatro Mouffétard, y ese mismo día aparece en su editor (Bourgois) la edición de la obra *Jeunes barbaress d'aujourd'hui.*

Durante el verano rueda en Matera (una ciudad del sur de Italia) su tercera película, *Guernica* (o *El árbol de Guernica).* Este film no tiene nada que ver con la obra de teatro que había escrito ya en 1959, y es más bien el resultado de su quehacer como autor cada vez más preocupado y envuelto en los acontecimientos de su país natal en lucha contra una dictadura fascista. La película será presentada durante el otoño en París.

En esa misma época, Lavelli estrena *La balada del tren fantasma* en París, en octubre y en el teatro de l'Atelier.

Participa también en la protesta internacional contra las ejecuciones de cinco presos políticos durante el mes de septiembre en España.

Escribe a principios del año *Oye Patria mi aflicción,* que se llamará más tarde, *La torre de Babel.*

J. J. Daetwyler publica su *Arrabal* en Ed. L'Âge d'Homme, Lausanne.

1976 En Bruselas, el 20 de marzo de este año, el entonces ministro de Asuntos Exteriores, José María de Areilza, declara a Arrabal uno de los seis españoles que no podrán volver a España (los otros cinco son Rafael Alberti, La Pasionaria, Líster, Santiago Carrillo y el Campesino).

Aparece un número de la revista *Estreno* (Universidad de Cincinnati) dedicado a Fernando Arrabal, en el que se publica una primera versión de *El arquitecto y el emperador de Asiria.*

Durante el mes de mayo va a Nueva York para

asistir a los estrenos de su nueva película *(Guernica)* y *El arquitecto...*, dirigida por Tom O'Horgan en el teatro La Mama-Annexe. Señalamos estos estrenos porque constituyen un éxito extraordinario de crítica en la ciudad fotografiada por el autor, en su libro de 1973.

Durante el verano empieza a colaborar con textos y de una manera esporádica en la revista española *Cambio 16*.

También durante el verano, una librería que exponía sus obras en Perpignan sufre un atentado de los que habitualmente perpetraba la extrema derecha española contra centros y librerías «izquierdistas» en el sur de Francia.

Piensa estrenar en España. Presenta a censura los textos de *La balada del tren fantasma* y *Oye Patria mi aflicción*, que no reciben el permiso correspondiente.

1977 Durante el mes de enero estrena en París su obra *Róbame un billoncito (Vole-moi un petit millard)* y, el 15 de este mismo mes, Tom O'Horgan y la Compañía Nelly Vivas vuelven a representar *El arquitecto y el emperador de Asiria* èn Nueva York, a causa del enorme éxito obtenido por el espectáculo, que ya habían estrenado en mayo de 1976.

Invitado por varias universidades americanas vuelve a Estados Unidos durante el mes de febrero. La universidad canadiense de Toronto organiza ese mes —del 7 al 11— un homenaje a Arrabal al que asiste el autor y en el que participan especialistas de todo el mundo.

En febrero inicia, en São Paulo, la dirección de *La torre de Babel* con la compañía de Ruth Escobar.

Se estrena en Barcelona *El arquitecto y el emperador de Asiria*, dirigida por Klaus Gruber para la compañía de Adolfo Marsillach. Es el primer estreno «normal» de Arrabal en España y se convierte en una pesadilla para todos al utilizarse como texto-base el publicado por la revista *Estreno* de Estados Unidos, que no correspondía a la versión definitiva de la obra.

Este mismo año, en Madrid, se pone en escena la versión de Víctor García de *El cementerio de automóviles,* ya histórica desde su estreno en Dijon en 1966.

Más adelante, primero en Barcelona y luego en Madrid, la compañía de Aurora Bautista estrena *Oye patria mi aflicción.*

1979 Durante el verano empieza el rodaje de la película *The adventure of the Pacific (El emperador del Perú)* en Canadá con Mickey Rooney como actor principal.

Asiste al estreno de su obra *Guernica* en el Matadero de Sitges, dirigida por Ángel Berenguer, que obtiene el premio Cau Ferrat del Festival.

Escribe *El rey de Sodoma* y empieza la redacción de *Inquisición.*

Estreno de *La torre de Babel* en el Teatro Odeón como producción del repertorio de la Comédie Française, dirigida por Jorge Lavelli.

1980 Estreno de *Inquisición* en Barcelona dirigida por un equipo colectivo compuesto de A. Alonso, Jesús de Haro y Ángel Berenguer.

1981 Durante el verano rueda su quinta película: *El cementerio de automóviles,* versión actualizada de su obra dramática, en París.

Por primera vez es invitado por una Universidad española, participando en el curso «El teatro de los años 80» de la Universidad Internacional Menéndez Pelayo.

Empieza la redacción de *La torre herida por el rayo.*

Aparece, siempre en las ediciones de Christian Bourgois, el volumen XIII de su teatro, en el que se incluyen tres obras: *Mon doux royaume saccagé, Le Roi de Sodome* y *Le Ciel et la Merde II.*

1982 Semana-homenaje a Fernando Arrabal de la Universidad de Granada.

Estreno en Nueva York de su obra *El extravagante triunfo de Jesucristo, Carlos Marx y Shakespeare* en el teatro Intar.

Publicación del volumen XIV de su teatro, que contiene las obras *El extravagante triunfo de Jesucristo, Carlos Marx y William Shakespeare* y *Levántate y sueña.*

Vuelve a Sitges y a la Universidad Internacional Menéndez Pelayo para intervenir en el Seminario «40 años de Teatro en Francia» junto a Jack Lang, Bernard Dort, Antoine Vitez, etcétera, en el mes de septiembre.

Durante el verano escribe *Los borregos llegan en zancos a toda mecha,* cuyo estreno dirige Ángel Berenguer, el 4 de octubre, en el teatro Montparnasse de París.

Termina *La torre herida por el rayo.*

1983 Gana el Premio Nadal por su novela *La torre herida por el rayo.*

Estreno en Nueva York de *Inquisición* (traducida por Gregory Rabassa y dirigida por Ángel Berenguer), el 20 de enero, en el Puerto Rican Travelling Theatre.

Estrena *El rey de Sodoma* en el Centro Dramático Nacional de Madrid, dirigida por Miguel Narros.

La versión francesa de su novela ganadora del Premio Nadal es finalista en el Medicis a la mejor novela extranjera publicada en Francia, junto a Vargas Llosa y Bryce Echenique.

En el mes de diciembre le dedica un número especial la revista *Vagabondage.*

1984 Enero. Aparición de su tercera misiva política: *Carta a Fidel Castro: año «1984»,* en varias lenguas y países al mismo tiempo.

Se publica el volumen XV de su teatro, que

comprende *El caballo-yegua (Homenaje a John Kennedy y O'Toole)* y *Los borregos llegan en zancos y a toda mecha.*

## El primer teatro de Fernando Arrabal

Presentamos en este volumen la edición crítica de tres obras producidas por Fernando Arrabal, que figuran entre las primeras escritas por el autor. Bien es verdad que el dramaturgo había producido ya obras con anterioridad a la fecha —1952— que, generalmente, se considera como el año en que redacta su primera obra publicada. Sin embargo, estas obras *(El carro de heno, La techumbre, La herida perenne,* etc.), como ya hemos dicho, nunca publicadas por el autor, anteriores a su primer quehacer teatral, presentan el interés de mostrar el origen de su discurso dramático en el marco de una España que inicia la andadura de los años cincuenta. Si bien estas obras «primitivas» ofrecen el interés de colocar al autor en el contexto cultural del país que le vio nacer, sería demasiado aventurado considerarlas parte ineludible de la producción arrabalina. En realidad, el dramaturgo se ha convertido en figura del teatro mundial sin que esas obras hayan sido publicadas —ni conocidas por la mayoría de los críticos, yo diría por el 99 por 100 de los críticos— por el autor que, por tanto, nunca las consideró parte inexcusable de su producción. Sin embargo, ahí están y, algún día, servirán de pasto a la muy sana voracidad investigadora de los críticos.

Queremos desde ahora señalar su importancia como prehistoria del teatro arrabaliano, subrayar su carácter significativo a la hora de establecer la génesis de este teatro y, al mismo tiempo, prevenir el excesivo ardor crítico que podría, en alguna ocasión presentar estas obras fuera del marco que aquí les otorgamos.

Señalada la existencia de una «prehistoria» en el teatro de Arrabal, pasemos ahora a considerar las obras presentadas en esta edición crítica como parte de lo que, en otro lugar, hemos denominado el *primer teatro* [1] del autor. Comprende éste la producción de Arrabal situada, cronológicamente, entre 1952 y 1959. Estos años corresponden a la primera fecha de *Pic-Nic* y *El triciclo* (una y otra obra reciben su forma definitiva, como se verá en esta edición, años más tarde, pero su primer manuscrito se redactó sin duda hacia ese año), y la redacción de *El cementerio de automóviles*. Conviene, sin embargo, señalar ya desde aquí, que todas estas *primeras* obras de Arrabal existen, en primeras versiones que preceden —pensamos— a las fechas propuestas por el autor. No nos sorprendería incluso que la mayoría de ellas nacieran con las que, más arriba, consideramos «primitivas». De hecho, bien se pudiera afirmar que el *primer teatro* (si no en su totalidad, al menos en parte) fuera, en realidad, el resultado de una selección cuidadosa hecha por el autor entre las obras de su producción «primitiva». Vendría a corroborar esta hipótesis el «montón» enorme de obras que Serrau encuentra en su habitación de la Cité Universitaire de París cuando le visita por primera vez [2]. Si, como hemos imaginado, así fuera, nuestra hipótesis de *primer teatro* se vería fortalecida por la selección consciente del autor y, todavía, seguiría siendo válida nuestra cronología teniendo en cuenta la datación de los manuscritos posteriores [3].

---

[1] Para tener una idea más precisa de lo que constituye el primer teatro de Arrabal, puede consultarse nuestro libro *L'exil et la cérémonie. (Le premier théâtre d'Arrabal),* París, 10/18, 1977. De todas formas, he aquí la enumeración de las obras estudiadas como parte del *primer teatro: Pic-Nic, El triciclo, Fando y Lis, Ceremonia por un negro asesinado, Los dos verdugos, El laberinto, Oración* y *El cementerio de automóviles.*

[2] En la entrevista con Arrabal que publicamos en el libro *Arrabal,* de Joan y Ángel Berenguer (Madrid, Fundamentos, 1979), dice Arrabal refiriéndose a esta visita: «Vinieron (Geneviève y Jean Marie Serrau) a la Ciudad Universitaria, donde yo estaba en una buhardilla. Encima de un pintor que tenía el piso bajo. Estaba en una especie de nada, en una cosa abierta, y hasta aquel pequeño cuchitril llegó *monsieur* Serrau y dijo: ¿todo esto has escrito? Se lo llevó. Quedaron encantados. Lo llevaron a Julliard, y ya sabes...»

[3] Gille, Raymond y los demás investigadores de Arrabal no ponen en duda —como tampoco nosotros hasta la presente edición—

No sólo se funda nuestra afirmación de la existencia de un *primer teatro* de Arrabal en la cronología de las obras comprendidas bajo esta denominación. Trataremos aquí, muy brevemente, de resumir las 448 páginas de nuestro libro sobre este *primer teatro*. Desde un punto de vista histórico, esta primera producción del autor corresponde a los años en que se inicia la «apertura» del sistema político franquista. Esta «apertura», entiéndase bien, se refiere al proceso de cambio o acomodación que significa el paso de una estructura autárquica a otra de capitalismo de organización (o neocapitalismo) en el que el control social continúa, pero cambian —bien levemente en el caso de España— los *modos* de ese control. Bien es verdad que la conciencia de ruptura con el sistema que transpone la obra de Arrabal —la impenetrabilidad del sistema autárquico genera una total incomunicabilidad para quienes están fuera de él y cobran así una conciencia de marginalidad—, nace en la década del cuarenta. Sin embargo, lo imperceptible del cambio hará pervivir esta conciencia «marginal», según veremos. Por otra parte, la progresiva permeabilidad del sistema vehicula, cada vez más, la tendencia llamada «realista» y, al mismo tiempo, desvirtúa la eficacia de los marginales, cuya coincidencia en el desarrollo de una conciencia de incomunicabilidad, se irá acentuando progresivamente y, poco a poco, terminarán siendo denominados autores «malditos». En realidad, acaban donde empezaron. Esta conciencia de la comunicación imposible con el sistema se genera, en el marco de lo social, como la respuesta de todo un sector social a las señales ineludibles de la cotidianidad.

Ahora bien, ¿dónde, exactamente, se forma esa con-

---

la datación de las obras ofrecidas y reiteradamente confirmada por Arrabal. En la entrevista a que nos referimos en la nota anterior, Arrabal duda, por primera vez, si no nos referimos a la carta a José Monleón, aparecida en el volumen de Taurus, en que fecha *El triciclo* en 1952. Al realizar esta edición hemos podido comprobar en los manuscritos originales, que existen versiones muy posteriores —*Pic-Nic,* ms. B— que no son, todavía, definitivas. En realidad, habría que decir que el *primer teatro* de Arrabal se hace entre 1950 y 1960, que parte de una serie de manuscritos anteriores que el autor rehace después de seleccionar los que considera importantes, y que esas obras son las publicadas.

ciencia? Desde nuestro punto de vista, parece innegable que el origen del teatro de Arrabal, al menos en su primera *manera,* se sitúa en la España de la inmediata postguerra. Como hemos dicho, el sistema franquista, en su primera etapa, aparece como una respuesta totalizante a la problemática de todas las clases, grupos y sectores sociales. De aquí, precisamente, su relación de dependencia con los demás sistemas fascistas del momento. La negación sistemática de la lucha de clases no consigue, sin embargo, acabar con la existencia de clases sociales en el país. De hecho, tanto las distintas clases sociales como sus grupos y los sectores que aparecen [4] «viven» muy diferentemente la inmediata postguerra, según su pertenencia a uno u otro bando durante la contienda civil. Mientras la nobleza y la gran burguesía industrial y comerciante (si se exceptúa el sector que sobrepone su fidelidad a la monarquía a las ventajas económicas que le ofrece el sistema franquista) continúan siendo pilar firme de la derecha en el poder, el proletariado sobrevive a duras penas la derrota de su revolución. Por su parte, la pequeña

---

[4] Pensamos que un grupo social, dentro de un proceso de aceleración de la historia (proceso revolucionario) genera sectores dependientes ideológicamente del grupo, pero cuando el grupo social es poco importante a escala de la sociedad —caso de la pequeña burguesía española desde la Restauración—, se sienten atraídos por la visión del mundo de otros grupos o clases sociales cuyos intereses defienden como propios. Es decir, hay sectores de la pequeña burguesía que consideran que sus intereses coinciden —como consecuencia de la falta de importancia que el grupo pequeñoburgués tiene en la sociedad española de la época— con los de otras clases o grupos sociales. En realidad, piensan que la toma o permanencia en el poder de tal o cual grupo significaría un paso positivo para sus intereses sectoriales. Así, la pequeña burguesía genera varios sectores que se identifican con distintas perspectivas de diferentes clases o grupos. En el teatro de la postguerra vemos que existen un sector identificado con la oligarquía dominante en el sistema franquista, otro sector reformista que critica al sistema desde una visión del mundo burguesa y liberal porque creen en la permeabilidad del sistema y otro sector que rompe con el sistema. Todo ello funciona como una totalidad en la que significante y significado son inseparables.

Véase nuestro capítulo «El teatro hasta 1936» en la *Historia de la Literatura española* (Madrid, Taurus, 1974, vol. IV) para una ampliación práctica, en la España de la preguerra, de lo que aquí condensamos en un nivel puramente teórico.

burguesía se escinde en dos sectores a causa, también, del resultado final de la guerra. Uno, los que habían luchado con los vencedores, triunfan en la postguerra; otros —los vencidos—, luchan por el derecho a la supervivencia.

Este último sector social genera una conciencia reformista —que se expresará en el realismo «posibilista» de los años cincuenta— y otra radical, la de los marginales al sistema que comprenden, en seguida, la impenetrabilidad del franquismo para quienes no estuvieron, durante la guerra, en el «buen» sitio. Así, pues, la *sociogénesis* de los autores marginados —y muy especialmente de Arrabal— se explicaría como la materialización de una conciencia de ruptura con el sistema aparecida en un sector de la pequeña burguesía española como resultado del final de la guerra civil. En realidad, el proceso es muy complejo y puede parecer, en el marco restringido de esta presentación, un tanto simplificado. Evidentemente, la respuesta del sector social a la problemática cotidianeidad, aparece de una forma muy distinta en las diferentes *transposiciones* que de ella hacen los distintos autores que forman esta tendencia. De todas formas —continuando nuestro discurso—, dicha conciencia de rutpra depende de la impenetrabilidad del sistema franquista y, al mismo tiempo, desencadena en el sistema gestos de autodefensa. Por ello, veremos cómo, en general, los autores de esta tendencia suelen ser vetados —a veces sin una razón objetiva— por el sistema, que si bien no encuentra objeto censurable en sus obras presiente el peligro que suponen.

No se trata, en muchas ocasiones, de que los autores pretendan destruir directa y explícitamente el sistema. Lo peligroso de estos marginales está, precisamente, en que muestran de una manera palmaria lo *ininteligible* del sistema, su «extrañación», su no-alineación, la imposibilidad total en que se hallan de comunicar o «comulgar» con el sistema franquista. Ahora bien, con un sistema totalitario o se está, o no se está. El que no está con él, está contra él.

Se podría decir que el sector social a que nos referimos no estaba en principio contra el sistema, sino que fue radicalizando su postura desde el intento de comunicación hasta la ruptura a causa de la monolítica impenetrabilidad del franquismo como estructura política totalitaria. Por esta razón, precisamente, surge el carácter radical de esta conciencia.

Mientras otros intentan dialogar para cambiar el sistema —y, generalmente, el sistema los recupera—, los marginales rompen definitivamente con él y, en ocasiones, no sólo de una manera formal sino también política y vital. Esta ruptura con el sistema produce, también de una forma paulatina e irreversible, un tipo específico de conciencia de *exilio*. No se trata, en un principio, de un exilio político sino, más bien, formal, visceral y, sobre todo, inevitable. El sistema es impenetrable, intransformable y niega todo futuro al sector social de los marginados. Como resultado, el discurso del sistema resulta totalmente extraño e incomprensible al universo de los *no-adictos*. Por ello, nace la respuesta «literaria» de los marginados buscando una fórmula utilizable en el pasado inmediato, que todavía es presente, fuera de España.

Así, pues, renace en España el interés por los movimientos de vanguardia y, muy especialmente, por el surrealismo. Ahora bien, los surrealistas resultaban haber sido «rojos» (piénsese, por ejemplo, en Aragón) y el sistema huele el peligro. Sin embargo, el surrealismo español de la época no nace como postura política, sino como necesidad expresiva generada por el itinerario socio-político a que nos hemos referido. Precisamente por esto, el movimiento hacia una estética surrealista siempre ha sido puesto en duda por la derecha y, en muchos casos, por los políticos de izquierda.

Si nos atenemos, sin embargo, a la génesis del movimiento surrealista de la postguerra, veremos en seguida que se convierte en la única respuesta viable para el sector de marginados —en vías de romper con el sistema—, como lo fue para la pequeña burguesía francesa (sector de pequeños propietarios, comerciantes, etc.) condenada por el proceso de concentración capitalista a desaparecer —aunque a largo plazo— como sector social.

Esta coincidencia en la estructura de *exilio* (se sienten enajenados por el sistema), causa la también coincidente estética de los surrealistas. Por ello, siempre intentan aclarar diferencias con los franceses, explicar «su» muy distinta percepción del hecho literario, etc. Al «juego» surrealista unirán su interés por Kafka, espejo de marginales enajenados por el sistema.

Como, sin duda, se objetará cierto determinismo a las premisas de esta presentación, quisiéramos desde aquí aclarar que se trata de un método de explicación el que proponemos. Que existen otros métodos, es verdad, pero que sean explicativos, lo es menos. Desde luego, tiene nuestra explicación la ventaja, no deleznable, de ser, hoy por hoy, la única que intenta dar cuenta de la génesis y modo de funcionamiento de la obra de Fernando Arrabal. Cuando nos referimos al funcionamiento —léase también la mediación estética, si se quiere— hacemos alusión al modo preciso en que el dramaturgo materializa todo el proceso a que nos venimos refiriendo: *la ceremonia*.

Si hemos establecido ya la estructura de exilio en su génesis, queremos mostrar ahora cómo el autor propone los términos de su «exilio» en las obras de su *primer teatro*. Hemos dicho ya que Arrabal traspone en su obra la imposibilidad total de comunicación con un sistema extraño, ajeno, superior e inaccesible. Para expresar adecuadamente esta estructura, Arrabal encuentra una forma ideal: *la ceremonia*. Su primer teatro creará, pues, todo un ceremonial cuyos ritos preñarán de sentido el deambular sorprendido de sus personajes. Viven en un acto continuo de comunicación desesperada e imposible. Formulan su ceremonia con el lenguaje y los gestos que poseen, y con ellos tratan de comunicar con una realidad exterior, superior y todopoderosa: el sistema. Acabada la ceremonia del drama se impone la tragedia de su fracaso. Mueren o quedan sumidos en la madeja infinita de su incapacidad de comprender y comunicar. Su pasado les sirve sólo para ordenar los ritos del presente y no hay en ellos posibilidad alguna de futuro. Son niños a quienes se exige funcionar como adultos en un mundo de adultos, pero a quienes se niega sistemáticamente la entrada y el funcionamiento en el sistema ideado por los «adultos».

Como la ceremonia religiosa, la arrabaliana pretende

establecer contacto con un universo superior utilizando las inútiles armas del lenguaje y el gesto. La vieja y terrible tragedia implícita en la ceremonia religiosa es reinventada, cada noche, por los personajes de Arrabal. Cada rito viene así a ser juego de niños en quienes la aventura de la creación cobra el sentido grotesco de una tragedia de lo cotidiano.

La *ceremonia,* pues, constituye, según ya hemos apuntado, la *forma* adecuada que el autor ha encontrado para expresar la ruptura (y su materialización como conciencia: el *exilio),* como proceso social, en el sector a que pertenece el autor. Esta *mediación estética* funciona como estructura significativa al materializar la falta de perspectiva de una colectividad que ha de recurrir a la utilización de un sistema repetitivo e inadecuado, para expresar la falta total de futuro en su relación con un universo que le resulta incomprensible, *porque* la condena a desaparecer.

¿En qué sentido se puede decir que el sistema franquista «condenaba a desaparecer» a la pequeña burguesía vencida en la guerra civil? Los procesos sociales de cambio no suelen funcionar de una manera obvia y rápida (sí ocurre en los procesos revolucionarios). En general, se presentan como perspectiva posible, a largo plazo, que se desgaja de la experiencia cotidiana de una clase, grupo o sector social. Los miembros de un sector pueden tomar conciencia del proceso de cambio de una manera conceptual —programa político que desvela y da soluciones a un proceso—, o de forma no-conceptual, en el lenguaje de la creación artística. En el caso del *primer teatro* de Arrabal la conciencia de exilio materializa la ruptura de un sector social con el sistema ideado por la clase (o grupos) en el poder que pretende hacerle desaparecer y, por tanto, negarle toda posibilidad de futuro.

En el caso de la pequeña burguesía española vencida en la guerra civil, las perspectivas de «tragedia» (en el sentido de falta de futuro) eran bien precisas. La integración del franquismo en el sistema del capitalismo de organización significaba la integración de los sectores sociales, menos «pudientes», a nivel económico, de la pequeña burguesía en la masa de asalariados del sistema tecnocrático. Evidentemente, el sector más desposeído de la pequeña burguesía española es, sin duda, el de los vencidos. Para ellos, la desaparición como clase era (y ha sido) una perspectiva real, así como su asimilación a otra clase, el proletariado, resultaba inevitable. No se trata aquí de proponer análisis políticos ni mucho menos emocionales. La asimilación al proletariado suponía una perspectiva de pérdida de una identidad anterior contra la que el sector en peligro reacciona, y no por considerarse degradante el transvase social posible, sino porque implicaba una reestructuración total de su visión del mundo y de sí mismo como sector social. En realidad, podría decirse que la pérdida de identidad iba necesariamente unida a la desaparición de los intereses del sector, en cierto sentido dominantes por ser, básicamente, los mismos de la clase en el poder.

El proceso de ruptura con el sistema significaba, al mismo tiempo, otro de identificación con los intereses de la clase receptora, el proletariado. Este último proceso habría de ser colocado en la perspectiva de una toma de conciencia, por parte de la pequeña burguesía vencida, de su condición, cada vez más patente, de *asalariados* en una sociedad de capitalismo avanzado que los conduciría, a corto o largo plazo, a integrarse en el proletariado. La transformación de conciencia a que hacemos alusión, debe, además, situarse en la perspectiva de la tesis de la «nueva clase obrera» desarrollada por los italianos Victor Foa y Bruno Trentin, a quienes siguieron en Francia Serge Mallet y André Gorz [5].

Así, pues, la *ceremonia,* mediación estética en el *primer teatro* de Arrabal, estructura la conciencia de *exilio* y, al mismo tiempo, es su expresión más adecuada. Hemos constatado su funcionalidad al analizar las obras que componen esta edición y, en general, todas las que forman parte del primer teatro de nuestro autor. Pensamos, además, que dicha mediación —así como la conciencia que materializa—, podría dar cumplidamente cuenta de una parte importante del teatro posterior del autor que nos

[5] Puede consultarse, para ampliar nuestra información, *Marxisme et sciences humaines,* de Lucien Goldmann, París, Gallimard páginas 7-15.

ocupa e incluso del quehacer estético de otros autores actuales.

Para acabar de presentar de una forma completa la sociogénesis del *primer teatro* de Fernando Arrabal es necesario aclarar, aun de la muy sumaria forma en que se concibe toda presentación de estas características, cómo esta obra se sitúa en el marco de la producción dramática española de su tiempo y quiénes (o qué movimiento) coinciden con la visión del mundo materializada en una producción artística, del autor que nos ocupa.

Para Fernando Arrabal nuestra tesis significó, en su momento, un elemento explicativo —aclaratorio— de importancia. Tanto es así que su producción llegó a reflejar ciertos aspectos de nuestro trabajo. Nos referimos, muy especialmente, a una de sus obras más recientes: *La balada del tren fantasma* o *En la cuerda floja.* Sin embargo, hay algo en nuestro análisis que siempre ha producido horror al dramaturgo: el hecho de estudiarle como «representante genuino» de un sector de la pequeña burguesía española. El concepto del autor —recogido de las generalizaciones repetidas sobre el grupo social nombrado— en lo que a «pequeña burguesía» se refiere, contiene todas las connotaciones negativas imaginables y explícitas en la denominación «petit bourgeois». Para evitar estas connotaciones negativas, ha intentado Arrabal que quede bien claro cómo su teatro nada tiene que ver con lo vulgar, falto de imaginación, mezquino, y mil etcéteras, invariablemente adherido a lo «pequeño burgués». Que el lector nos perdone tan larga digresión, pero nos parece importante aclarar desde aquí que consideramos a la pequeña burguesía *únicamente* como grupo social, dependiente ideológicamente de la clase burguesa por su origen económico y social, así como claramente diferenciada de otros grupos burgueses a través de un lento y largo proceso histórico.

Que la pequeña burguesía ha estado en la base de toda —prácticamente— la producción artística en occidente es verdad innegable, como también lo es que de ella han salido grandes pensadores políticos, así como militantes revolucionarios. En realidad, podría decirse que este grupo social, con sus diferentes sectores y tendencias, está por debajo de la totalidad —salvando mínimas excepciones— de la producción dramática entre los autores españoles de los últimos cuarenta años. No conocemos en España un caso como el de Genet [6] —por no citar sino un ejemplo— ni abunda el caso, tampoco, fuera de nuestro país. Ahora bien, si el caso de Arrabal se sitúa en el marco de nuestro teatro último, ¿cómo explicar su muy específica trayectoria?

Como hemos dicho ya, el *primer teatro* de Arrabal transpone la visión del mundo del sector vencido en la guerra civil de la pequeña burguesía española, que desarrolla una conciencia radical de ruptura con el sistema.

Bien es verdad que existe, en este sector, por lo menos otra conciencia que ya hemos apuntado. Se trata de la que descarta una ruptura radical y se lanza por la vía reformista del diálogo con el sistema. Para ello adopta, fundamentalmente, una técnica —más tarde llamada «realista»— que sirve adecuadamente de forma a su conciencia dialogante. Para ello, niegan toda ruptura formal que pueda enajenarles el público que va al teatro y que es la diana a la que dirigen su «crítica», cultivando una técnica *posible,* «entendible» por ese público y también por las empresas y críticos que viven o sobreviven en el sistema. Esta tendencia reformista resulta, en el marco de la España a que nos referimos, la más posible y —si nos atenemos a su desarrollo— la que con más éxito y continuidad ha conseguido sobrevivir y vehicular su mensaje. Desde Buero Vallejo, pasando por el primer Sastre, hasta autores como Lauro Olmo y sus compañeros «realistas», la tendencia ha conseguido mantenerse con muy diferente suerte en los distintos autores, bien es cierto [7].

Por otra parte, poco aclararíamos aquí si no hiciéramos alusión —aun con la misma brevedad con que nos hemos referido a la tendencia anterior— a los autores que transponen una conciencia identificada con el sistema: aquellos cuya obra nace como transposición de la visión del

[6] Para el caso de Genet, véase: Lucien Goldmann, *Structures mentales et création culturelle,* París, Ed. Anthopos, 1970, páginas 299-368.

[7] Véase *L'exil et la cérémonie,* capítulo I.

mundo del sector «vencedor» del grupo social pequeño-burgués. Intentan en su obra dar una versión complaciente, a veces levemente crítica —nunca a nivel global, sino parcial y, en general, moral—, del sistema. Esta tendencia ha sido bien presentada, con gran abundancia de información, por el crítico José Monleón en su libro *Treinta años de teatro de la derecha*[8].

Finalmente, el grupo de los «marginales», a que tanto hemos hecho alusión hasta ahora, representa la alternativa de ruptura con el sistema y aparece, desde muy pronto, según veremos, en la palestra de nuestra literatura, llevando dicha ruptura a todos los elementos del discurso cultural. Cultivan el humor —aunque no se dedican exclusivamente a él, como sus admirados amigos de *La Codorniz*—, la brillantez, la paradoja y la imaginación. Dan gran valor a las posibilidades de la poética «surreal»[9], si bien no olvidan la palmaria presencia de las contradicciones en que se debaten. Fernando Arrabal los conoció bien —aunque nunca formó parte del movimiento— y, aún hoy, recita de memoria los poemas de algunos escritores del grupo. Con ellos convivió y en ellos encontró el primer eco —y también el único— de sus preocupaciones estéticas. Por todo ello, queremos presentar ahora su relación —a nuestro modo de ver altamente significativa con el *movimiento postista*.

## Génesis postista del primer teatro de Fernando Arrabal

Al presentar aquí las relaciones mantenidas por nuestro autor con el movimiento postista no queremos, en absoluto, establecer ningún sistema de dependencia. Como ya hemos dicho, Arrabal tiene un contacto muy íntimo con los postistas durante sus primeros años madrileños,

---

[8] José Monleón, *Treinta años de teatro de la derecha,* Barcelona, Tusquets, 1971.

[9] Se les debería llamar «surreales», más que surrealistas, porque —amén de la carga semántica que el surrealismo francés ha dado a todo surrealismo— intentan estos escritores y artistas sobrepa-

pero no llega nunca —según nos ha manifestado— a formar en las filas de los escritores «surreales». No colabora en sus revistas y, de hecho, llega tarde al movimiento. La estética postista le interesa y, a través de ella, llega al surrealismo [10]. Lo hace, sin embargo, desde una óptica muy especial: la del postismo [11].

En enero de 1945, y como fruto de la estética «discordante» de los tres creadores del movimiento, Eduardo Chicharro (en todas partes aparecerá como Chicharro-hijo, para distinguirse de su padre, el pintor), Carlos Edmundo de Ory y Silvano Sernesi, nace la revista *Postismo,* cuyo número único contiene ya, tanto la teoría como las contradicciones del grupo.

A ella se refiere así Fanny Rubio en su excelente presentación de las revistas poéticas de la posguerra:

---

sar los límites estrechos del individuo en su relación con el universo (lo real).

[10] Algunos críticos y ciertos autores —a veces con malevolencia, en ocasiones por ignorancia—, han achacado a Arrabal un «extranjerismo» trasnochado pura copia de los surrealistas y autores del absurdo (todo en el mismo saco) franceses. La existencia del postismo español y su sociogénesis coincidente con la del surrealismo francés, nos parece poner las cosas en su sitio.

[11] La bibliografía del postismo es bien escasa, lo que ya en sí nos parece significativo de lo «marginal» del movimiento, pero no de su importancia que quienes se han ocupado del movimiento consideran grande. Entre ellos hay que destacar a Félix Grande, que preparó una edición antológica de la obra de Carlos Edmundo de Ory: *Poesía (1945-1969)* en Barcelona, EDHASA, 1970, en la que incluye el texto de Ory, «Historia del Postismo», a que nos referimos, en varias ocasiones, en este trabajo. También Emilio Miró, en su capítulo «La poesía desde 1936», de la *Historia de la Literatura española* (Madrid, Taurus, 1974), ya citada, dedica casi dos páginas al movimiento y señala el carácter «maldito» de más de uno de sus poetas. Finalmente, Fanny Rubio, en su *Las revistas poéticas españolas (1934-1975),* se ocupa de las editadas por los postistas (págs. 122-129). En revistas anda dispersa, tanto la obra de los postistas como su crítica. Personalmente, debemos agradecer aquí la ayuda de los profesores Rafael Osuna, que vivió la época del movimiento en España, y José Manuel Polo, que trabaja sobre el mismo, y nos ha procurado algún documento ya editado de los muchos que posee. Finalmente, debemos agradecer a Fernando Arrabal que nos señalara su relación con el postismo y nos hablara tantas veces de los postistas, y al profesor Andrés Franco que nos indicara la relación de Nieva con el postismo y su lectura de nuestro manuscrito de esta edición.

En Madrid se gestaron otras revistas de poesía y crítica que también marcarían el camino a sus compañeras provincianas. La exótica y atropelladora *Postismo,* curiosa muestra de Ory, Chicharro y Sernesi, vindicadores de la síntesis vanguardista. Este estallido perduró algún tiempo sin dar demasiadas sorpresas, siendo acogido con hostilidad o simpatía por los sectores conservadores o abiertos a la renovación.

En esta línea de *Postismo,* con dosis más o menos fuertes de racionalidad, estaban las revistas *Arquero* (1952), de Gloria Fuertes; *El pájaro de paga* (1951), de Carriedo y Crespo, «sacerdotes» de la innovación desmitificadora, y *Poesía de España,* portavoz de los poetas actuantes en la década del sesenta que sintetizaron las corrientes venidas del realismo y la surrealidad, mantenedores aún de una admiración especial por el 27 y una curiosidad extraordinaria por los autores extranjeros [12].

Antes de analizar las premisas estéticas del grupo conviene aclarar el primer elemento significativo del movimiento que acaba de nacer: su carácter efímero, de no-futuro. Como ya hemos dicho, la revista *Postismo* consigue sacar un solo número, y en él se publica el «Manifiesto del Postismo», que concluye así:

> Muchos nos atacarán; pero, ¿de qué les valdrá, si será atacar a fantasmas?
> Muchos dirán también que no nos entienden; pero, ¿y qué se nos da a nosotros de que esos ellos no nos entiendan?
> Se reirán de nosotros; pero, ¿qué vale la risa del que se ríe sin ganas?
> ¡Qué solos vamos a estar, pero qué bien! [13].

El «Manifiesto» apareció firmado por Chicharro («CH. H.»), pero el sentimiento de soledad y falta de porvenir parece común a todos. En la página 15 de la misma revista, los «postistas» contestan a una pregunta (se trata de la transcripción de una entrevista hecha a los miembros del grupo en Radio SEU, el 14 de noviembre de 1944) que apunta hacia el futuro del movimiento: «¿Para qué fecha podréis vaticinar vosotros el triunfo o el fracaso de esta nueva tentativa la reacción al menos de

[12] Fanny Rubio, *op. cit.,* pág. 104. La obra de Rubio ha sido editada por Turner, Madrid, 1976.
[13] Revista *Postismo,* número único, enero de 1945, pág. 13.

los santones y de los aficionados? —Para el quince y medio de febrero, próximo y venidero, podremos inaugurar un valle de Josafat del Postismo...»

Si nos atenemos a las declaraciones de principio del movimiento, nada hace suponer peligrosidad política. No hay ninguna alusión «izquierdista» y se tiene interés por respetar el pasado: «Pero no se crea que nosotros tenemos nada contra los mencionados elementos. Las antiguas escuelas merecen todo nuestro respeto como testimonio que son de momentos sublimes en que, allá en los años, factores múltiples se reunieron...» [14]. Su excepticismo ante el futuro les lleva, incluso, a aceptar y publicar un texto de Julio Trenas («¿Un 'ismo' en plástica?», pág. 6) que, en el número fundacional de la revista ataca descaradamente a los postistas. No consigue el articulista diferenciar al postismo del surrealismo, «y por lo que a éste hace, una sola consideración: ¡ya estaba hecho!». Al referirse al porvenir de los postistas afirma: «Admitiremos el *Postismo,* cuando se nos dé en individualidades arrolladoras, y no como panacea, recetario o comodín de la inepcia.» Finalmente, termina con estas palabras su artículo en la revista *Postismo* (haciendo alusión al movimiento como posible revulsivo que saque de su adocenamiento a ciertos artistas y escritores): «¡Y miren ustedes por donde no resultaría tan inútil como a nosotros nos pareció a primera vista!» A tan exquisitas lindezas, contestaban los postistas en la misma página con una nota («En plan de polémica»), que terminaban así: «No agradecemos previsiones o esperanzas de dotes curativas del postismo. El postismo no es una medicina. Es, si acaso, un alimento. A lo sumo pudiera ser un preventivo; preventivo en el sentido de diversivo.»

Todos estos datos, así como las constantes alusiones que aparecen en la revista a la falta de futuro del movimiento postista, cobran su verdadero interés cuando el número de la revista da lugar a que actúe la censura: «La revista *Postismo* sufrió suspensión de la censura, recibí una carta oficial de Juan Aparicio comunicándomelo. Protestamos. Pedimos entrevista con Juan Aparicio; éste,

---

[14] *Id.,* pág. 13.

incompetente a una respuesta satisfactoria, nos mandó a su superior, el señor Arias Salgado, director general de Información y Turismo. Allí fuimos, se nos recibió y nos sentamos a discutir con el hombre oficial durante un tiempo extraoficial: dos horas largas. Nosotros: «¿Por qué?, y él que si se habían recibido cartas de obispos y de padres de familia escandalizados. Y nosotros dando razones obvias de nuestra libertad intrínseca de expresión, y diciendo que si no se nos veía en la cara que éramos españoles y, en fin de cuentras, que no estábamos de acuerdo con la prohibición, que nuestro postismo no era una droga y qué sé yo cuántas razones que si eran oídas no eran entendidas. Ninguna intimidación nos hacía callar, y el señor Arias Salgado, sordo a nuestros argumentos y a nuestra indignación. Total, que tuvimos que cambiar de nombre, no al movimiento que habíamos fundado, sino a su órgano de expresión. Y, de ahí, el segundo número, *La Cerbatana,* y con estos dos números se acabó nuestro postismo público. (A Sernesi le reprocharon en *altas esferas* el no ser español)» [15].

De cómo y por qué terminó con el número único de *La Cerbatana* el «postismo público» a que se refiere en el texto anterior Carlos Edmundo de Ory, nos dará una idea otro artículo, casi grito testamentario desesperado, «Nos echan de la poesía», al que pertenecen las siguientes palabras:

> ¡Y Dios sabe si no es nuestra intención restablecer perdidos valores y dar desenfrenado escape a cosas nuevas que bullen acá en lo hondo de nuestra habla purísima! Pero por eso mismo, nos llaman vándalos y nos llaman blasfemos; porque, ellos, los blasfemos de toda divinidad y los vándalos igníferos, como parados demonios grises cuya epidemia es ya cáscara amasada de agolpados hierros secos, siempre holgaron con la poesía, sin conocerla, sin reconocer a ella en la velada dama, y sólo haciendo de tan Augusta Señora su concubina.
>
> He aquí por qué gritamos, y por qué gritan también ellos. Y he aquí por qué nos echan también de la poesía.
>
> Y decimos nos echan, pero aún nadie nos echa. Es que lo sabemos. Es que lo presentimos, y nos lo figuramos

[15] Carlos Edmundo de Ory, «Historia del Postismo», *op. cit.*, página 267.

como si lo viéramos. ¡De esta vez nos echan de la poesía!...

No lo sabemos, pero nos lo esperamos [16].

Como puede verse, los postistas pudieron pecar de cualquier cosa pero no de ingenuos. El porvenir les estaba vetado y, ya desde el primer momento de su presentación en la palestra literaria, se sienten agredidos, perseguidos por la desconfianza general y abocados a un fracaso total o, al menos, a un futuro de «poetas malditos». ¿Por qué esta saña contra el movimiento postista? ¿De dónde vienen y qué quieren estos jóvenes vanguardistas? [17]

Ya señala Fanny Rubio, en el texto citado más arriba, su interés por la generación del 27, así como el deseo, siempre mantenido por los postistas, de conocer la literatura extranjera.

En cuanto a la generación del 27, la admiración de los postistas y la influencia de aquellos poetas sobre el joven movimiento era absolutamente normal, si pensamos que fueron aquellos quienes se interesaron, en un principio, por colocar su estética en los parámetros del vanguardismo durante la década del veinte. No hay duda que los

---

[16] Citado por Fanny Rubio, *op. cit.*, págs. 128-129.

[17] No todos fueron enemigos de los postistas entre quienes se interesaban por arte y literatura en aquel momento. Ory, en su trabajo ya citado (pág. 264), añade a este respecto: «¿Quién nos saludó en España con saludo franco y cordial? Salvo la ironía dorsiana y salvo el magisterio algo paternalista de González Ruano, bien puedo decir yo que el único saludo fraternal y profundo fue aquel que Juan Eduardo Cirlot nos formuló con sus cartas delirantes desde Barcelona. ¿Único? En verdad que no. Al mismo tiempo que la inteligencia cirlotiana se hermanaba a nuestro movimiento un poeta manchego, un gran poeta ignorado, Juan Alcaide Sánchez, que nos escribía también saludándonos, y haciendo publicar, en donde podía, su homenaje al postismo (...)». Y ¿quién entre los jóvenes estudiantes de España nos saludó? Uno: Ignacio Aldecoa. En *El Español,* núm. 188, Madrid, junio de 1946, un joven que firma José Ignacio Aldecoa (futuro gran novelista), se hace publicar una larga «Carta de un estudiante a otro estudiante sobre materia postista».

Aldecoa contesta a otro estudiante que había publicado la siguiente interpelación a los postistas: «Se os ha tachado por algunos de pseudofrancófilos, comunistoides, rusófilos y masoniantes. Ignoramos lo que haya de verdad; pero os retamos a una defensa

postistas, ya desde su primer manifiesto, pretenden marcar su diferencia e independencia con los escritores del 27. Bien es verdad que citan a Lorca y Alberti con reservas (y no podía ser de otra forma tratándose de un autor asesinado por el régimen y otro comunista), pero parécenos más significativa la cita de uno y otro como «posibles» precursores en el lugar que se sitúa la referencia dentro del «Manifiesto», que la muy ostentosa distanciación que pretenden los postistas: «no escondemos tampoco; es decir, lo declaramos abiertamente (no, pues, como admisión u homenaje, sino como legítima defensa y demostración de no parentesco), que en poesía pisamos directamente sobre las pálidas cenizas de Lorca y Alberti, pero sin hollarlas y sin empolvarnos». Esta «legítima defensa», cuando se citan nombres peligrosos en el lugar del «Manifiesto» en que se habla de las filiaciones del movimiento, nos parece prueba clara de que la referencia a uno y otro es significativa en el sentido que hemos apuntado más arriba.

El «Manifiesto del Postismo» continúa presentando las influencias que niega con una sospechosa pertinacia: «que somos hijos adulterinos y rebeldes de Max Ernst, de Perico de los Palotes y de Tal y de Cual, y de mucho semen que anda por ahí perdido, aunque ya desecado y pulverizado en mónadas ingrávidas, pero levantiscas»[18]. Si la referencia a Max Ernst es directa y clara, podemos hoy saber —como entonces se imaginaban los lectores de *Postismo*— quiénes se ocultan tras la alusión «Perico de los Palotes, Tal y Cual» y el porqué de esconder los nombres que están en la mente de los postistas: «Sin embargo, y no atendiendo al movimiento "en sí", sino a su función desempeñada en la historia de la poesía espa-

---

de la Patria y os exigimos una retración. Comenzar diciendo quiénes sois, cómo os adjetiváis y lo que pretendéis, pero jamás intentéis algo en nombre de España.» Ory, que cita el texto en la página siguiente a la ya citada, comenta: «Pero Ignacio Aldecoa sabe responder: "¿quiénes sois? ¡Somos nosotros! ¿Cómo os adjetiváis? ¡Postistas! ¿Qué pretendemos? ¡Lo que a ti no te importa!"»

[18] Este texto, así como la cita precedente que se refiere a Lorca y Alberti, son del «Manifiesto del Postismo», que apareció en la

ñola de posguerra, me ha sido fácil descubrir el papel vitalizador que le cupo cumplir al movimiento postista. Arranca del experimentalismo estético de la preguerra, donde estuvieron situados elementos de la "subversión internacional" —como en España se decía hasta hace muy poco— como lo fueron Bretón, Eluard, Aragón, etcétera; ya era éste de por sí un dato en su contra. Desde muchos niveles de la cultura, de la prensa y de la política española de los 45, se les criticó»[19].

Es evidente que los postistas pretendían respirar aires nuevos. Abrir las ventanas del viejo, aunque recién construido —o en construcción—, edificio de la poesía española. Si los aires no son completamente nuevos, da igual, lo importante es ventilar el aire viciado del momento, que les asfixia, que no les permite crear. «Los llamamientos de Ory y Chicharro al "arte espontáneo" (el de los niños y los salvajes), y su paso por los ambientes de poesía con un bagaje cultural que los ligaba a enclaves culturales anteriores, en el fondo los movimientos vanguardistas, los retrataba como miembros de un momento internacional muy digno de tenerse en cuenta: el cubismo, el surrealismo, el expresionismo, el futurismo, con los que ellos tenían puntos de contacto e incompatibilidades al mismo tiempo»[20].

Todo lo que hasta ahora hemos dicho del postismo se refiere también a Fernando Arrabal de una u otra manera. En realidad, aunque —como ya hemos dicho— Arrabal no sea postista, la problemática relación del autor con el universo de la creación estética, sigue los mismos pasos de los postistas, aunque algo más tarde, y por ello con una conciencia más clara de los problemas que su opción estética le acarrearía en la España de los 50. En consecuencia, trataremos de ver ahora los principios del postismo que, de alguna manera, relacionan con el movimiento a nuestro autor.

---

revista *Postismo* (pág. 10, B). Sigue, a continuación, en el mismo lugar, una enumeración de «influencias rechazadas» en la que apa recen casi todos los «ismos» de la vanguardia.

[19] Fanny Rubio, *op. cit.*, pág. 125.

[20] Fanny Rubio, *op. cit.*, pág. 123.

[21] Revista *Postismo,* pág. 10, B.

En el «Manifiesto del Postismo» a que ya hemos hecho alusión [21], se definía así el movimiento: «El Postismo es el resultado de un movimiento profundo y semiconfuso de resortes del subconsciente tocados por nosotros en sincronía directa o indirecta (memoria) con elementos sensoriales del mundo exterior por cuya función o ejercicio, la imaginación, exaltada automáticamente, pero siempre con alegría, queda captada para proporcionar la sensación de la belleza o la belleza misma, contenida en normas técnicas rígidamente controladas y de índole tal que ninguna clase de prejuicios o miramientos cívicos, históricos o académicos puedan cohibir el impulso imaginativo.» Tanto la memoria como la precisión técnica y la importancia de la imaginación son elementos claves de la estética arrabaliana, lo mismo que el lenguaje de «los niños y de los salvajes» a que hacía alusión la cita de Rubio [22]. El lenguaje y los personajes «infantiles» de Arrabal representan para la crítica arrabaliana (sobre todo extranjera) un aspecto destacado constantemente desde el primer artículo de Geneviève Serrau [23].

Es también lugar común entre los arrabalistas, el humor presente en la obra del autor melillense que no deja de aparecer en los postistas: «Y no nos despedimos del atento lector sin dejar bien sentado el siguiente concepto: en el Postismo hay siempre un vaho de humorismo y nosotros no escondemos nuestra admiración por publicaciones como el *Ric-Rac,* el *Bertoldo* y *La Codorniz,* en cuyo mundo florece hoy la semilla voladora del surrealismo: pero admiración, nada más» [24]. Y nada menos, añadimos nosotros.

Todas las coincidencias que acabamos de enumerar, así como su coincidente génesis, aportarían ya un elemento importante e inédito a la explicación —mejor: a la comprensión— del *primer teatro* de Fernando Arrabal. No se acaban, sin embargo, ahí, sino que existen otras

---

[22] Véase también el artículo «Por el niño», que se publicó sin firmar y representa la opinión de la revista, en *Postismo,* pág. 2

[23] Geneviève Serrau: «Un nouveau style comique, Arrabal», en *Les Lettres Nouvelles,* noviembre 1958.

[24] Revista *Postismo,* pág. 16, B.

no menos significativas, que trataremos de exponer brevemente ahora.

Ya hemos señalado de alguna manera la intención de «ruptura» con lo adocenado que se encuentra entre los postistas. Esta ruptura se sitúa, en un principio, a un nivel puramente estético, pero, como hemos visto, no deja de llamar la atención por sus posibles implicaciones socio-políticas.

Como ya aclara Emilio Miró [25], los poetas del movimiento se ven sistemáticamente rechazados: «Cirlot y Ory van a ser dos de los poetas menos conocidos, más silenciados, ausentes de casi todas las Antologías, auténticos "poetas malditos", a contracorriente de las tendencias predominantes en la poesía de posguerra, de su poética realista y su olvido de las aportaciones, los hallazgos, la ruptura y el inconformismo de las poéticas vanguardistas —a la cabeza el superrealismo— anteriores a 1936.» Lo mismo ocurrirá con otro postista que cultivó el teatro y que ha sido sistemáticamente silenciado hasta la década del 70, Francisco Nieva, quien confiesa: «Cuando vine a Madrid, un Madrid con tranvías amarillos y olor a chinches, me agarré a todo lo que me parecía refinado, aquilatado, barroco, complicado, bellísimo... Huía y arrastraba detrás de mí la angustia que aquel ambiente me producía. Por eso me refugié en la gran evasión, en el sueño surrealista, que en el fondo era una forma también de asumir aquella horrible pesadilla (...) Hui a lo más extremo para alejarme de la tremenda vulgaridad que significaba la España de entonces. Acaso lo que llamamos evasión no sea otra cosa que rebelión, la búsqueda desesperada de una salvación» [26]. Alumno en Valdepeñas de Juan Alcaide Sánchez (véase nuestra nota número 17) bebe el postismo en una de sus fuentes desde antes de su llegada a Madrid. El carácter, también «maldito», de su teatro ha sido destacado por el mismo Coterillo: «Aquel reducto era un contrapunto disparatado

---

[25] «La poesía desde 1936», en *Historia de la Literatura española,* vol. IV; véase pág. 35.

[26] Citado por Moisés Pérez Coterillo: «Introducción», en Francisco Nieva, *Teatro Furioso,* Madrid, Akal, 1975, pág. 10.

frente al resto de la España vencida. La escisión estaba marcada y su voluntario exilio a París unos años más tarde, no haría sino confirmarlo (...) A la escena española acaba de llegar el dictado realista, y cualquier intento de representar otro teatro hubiera sido un absoluto fracaso. Otro español desafortunado que terminaría por elegir el exilio después de estrellar contra el realismo su teatro iba a ser Fernando Arrabal» [27]. No estamos de acuerdo con que Arrabal «estrellara su teatro contra el realismo». En realidad, Arrabal —y lo mismo Nieva—, conscientes de su imposibilidad de crear en el contexto español de la época, abandonan el campo sin darles a sus antagonistas el placer de ganar una sola batalla.

Por otra parte, tanto el origen como las perspectivas posteriores de uno y otro autor, denotan la existencia de posturas o tendencias diferentes en el postismo que, algún día, habrá que aclarar.

La verdad es, sin embargo, que todo lo anteriormente expuesto aclara muy bien que el teatro de Fernando Arrabal sea sistemáticamente —salvo en muy contadas excepciones— ignorado en España incluso por los hombres de teatro hasta hoy. La paradoja de que el único dramaturgo español mundialmente conocido y representado sea negado en la escena española nos parece ser parte del «arreglo de cuentas» que con él —como con los «malditos» poetas postistas— ha perpetrado la llamada «generación realista». Frente al realismo actualizador

[27] Íd., *op. cit.*, pág. 10. Queremos destacar aquí la coincidencia de la apreciación de Coterillo con el análisis que proponíamos de los aspectos comunes entre Arrabal y Nieva en nuestra tesis doctoral, *L'Exil et la Cérémonie,* defendida en la Sorbona en mayo de 1973. En la página 36 de nuestro trabajo decíamos: «Nous pensons que cette tendance rapproche deux auteurs, non seulement du point de vue chronologique (Nieva et Arrabal écrivent leur première oeuvre en 1952), mais encore et surtout à cause de la seconde caractéristique énoncée ci-dessus (la totale incapacité de produire une oeuvre dans le contexte des tendances qui la précedent ou l'accompagnent). Mention faite de cette tendance, nous poursuivrons notre étude, non sans avoir précisé que le théâtre de Fernando Arrabal (ce qui constitue sa première période) sera l'objet de notre travail et que, étant donné les analogies avec Francisco Nieva, quelques unes des conclusions pourront être jugées applicables à ce second auteur...»

—fotográfico— cultivado en España durante los 50 por una mayoría no inmensa, se alza el culto a la imaginación del movimiento postista y de Arrabal, que buscan en el subconsciente nuevas formas de expresar su radical ruptura con un tiempo presente materializado en el sistema totalitario impuesto a los españoles. De esta relación excluyente con el arte «realista» y con el sistema que lo entorpece pero no destruye, nace el carácter *marginal,* tanto entre los postistas como en la primera obra dramática de Fernando Arrabal. Sería colofón indispensable de esta relación plural y discordante el carácter lúdico de la creación postista [28] que también se encuentra en los juegos-ritos del *primer teatro* de nuestro autor.

Por otra parte, queremos terminar diciendo cómo Fernando Arrabal coincide también con los postistas en su retórica del «ser poeta» —«hablamos de literatura porque somos poetas» [29]— que les llevará a «vivir en poeta», afirmando aparatosamente en su vida cotidiana lo que es también parte importante de su creación estética. Evidentemente, esto los convertiría en piedra de escándalo para tirios y troyanos en el mundo del arte. La afirmación de la libertad creadora cobraba así uno de sus sentidos y se transformaba en prueba material contra los poetas de la imaginación surreal para el sistema y quienes —de alguna forma— aceptaban el complejo proceso de castraciones impuesto por él.

---

[28] A propósito del "juego", volveremos a citar el primer «Manifiesto del Postismo» (en *Postismo,* pág. 13, A): «Cazando las palabras en el aire, máximo ejercicio del Postismo, será ésta la mejor ocasión para hablar del "Juego". (...) Hay obras cumbres que son tan sólo "juego", y en el Postismo el "juego" es ya la base de su técnica. (...) Pero, ¿qué es precisamente el "juego" en el Postismo? Todo cuanto se ha dicho, pero llevado a la categoría de técnica-base, o de factor-principio de lo emocional directo (pues la técnica-base es factor emocional —en este segundo aspecto— indirecto, o coadyuvante).» La cita sería interminable y, por ello, enviamos al lector al texto mismo de la revista.

[29] Revista *Postismo,* pág. 2, A.

## Arrabal en su exilio

A modo de conclusión que no lo es, trataremos muy brevemente de colocar en su marco este *primer teatro* de Fernando Arrabal [30]. Como hasta ahora hemos venido diciendo, el autor está en contacto íntimo con el postismo, aunque no sea postista. Hemos demostrado sus coincidencias con los presupuestos postistas basándonos en el análisis de su *primer teatro* y en los datos que los estudiosos de su obra hemos destacado para establecer sus principales líneas de creación. No queremos dejar de señalar ahora algunos datos que el autor nos ha proporcionado en entrevistas y charlas.

En una entrevista [31], nos dice:

BERENGUER.—¿Cuántas horas tenías de oficina?

ARRABAL.—Ocho horas. Cuando salía de la oficina me iba a un lugar que a mí me gustaba mucho, que era el Ateneo.

B.—¿Y qué ambiente había en el Ateneo en ese momento?

A.—El ambiente liberal. Contestatario. El máximo que podía haber en aquel momento.

B.—¿Y qué es lo que podías encontrar en el Ateneo?

A.—En el Ateneo yo tenía una serie de amigos, cinco amigos, con los que fundé una Academia.

B.—¿Quiénes eran?

A.—Eran Fernández Arroyo, Fernández Molina, José Luis Mayoral, Eduardo Sáinz Rubio y Luis Arnáiz.

B.—¿En esa época tienes algo que ver con el postismo?

---

[30] Queremos decir que, en esta edición de tres obras del *primer teatro* de Fernando Arrabal, nos limitamos a establecer la génesis y significación de aquella primera etapa del autor. Ténganse, pues, estos análisis y conclusión en lo que son: el resultado de un intento de comprensión de la primera época de Arrabal. Bien es verdad que en sus últimas obras (*La balada del tren fantasma, La torre de Babel,* etc.) el escritor español vuelve a insistir sobre su conciencia de exilio, conciencia que, de algún modo, le ayudó a conceptualizar nuestro primer trabajo, según nos dice.

[31] En Joan y Ángel Berenguer, *Arrabal* (véase pág. 33).

A.—Sí, sí. Bueno, ellos eran ya postistas. Arroyo era ya postista. Arroyo va a tener mucha importancia en mi vida, porque Arroyo va a ser el primero que va a tomar en serio lo que yo hago. Lo va a tomar en serio y lo va a defender a muerte. Él defendió *El triciclo,* como si fuera una cosa suya.

En realidad, Arrabal entra en contacto con un grupo de postistas a través de los cuales conoce el movimiento en una época tardía cuando éste ha perdido ya casi todas sus batallas, por no decir su guerra. Que el descubrimiento del postismo le fascinó, es seguro si nos atenemos a sus constantes alusiones en charlas privadas y al hecho —ya señalado— de que sepa de memoria y recite con nostálgica y pretérita admiración algunos poemas de escritores postistas.

Más adelante, en la misma entrevista, preguntábamos a Arrabal:

B.—¿Se puede decir, en cierto sentido, que el humor de tu primer teatro está en relación con el movimiento postista?

A.—Bueno, no creo que tuviera mucho conocimiento del postismo en ese momento. Sí, sí tenía conocimiento, sí, porque me había aprendido versos de memoria.

B.—¿Por ejemplo?

A.—Me había aprendido, por ejemplo, estos versos:

> La mosquita pisa y posa
> pasa y posa por la casa
> qué agonía de begonia
> la jineta enroresada
> asistía al rosisterio
> la que hacía de jineta
> daba saltos por el techo
> y al llegar los militares
> movidísimos y densos
> eran todos un fantasma
> en un agua de dos metros [32].

---

[32] Estos versos son de Félix Casanova de Ayala y aparecen en su libro *La vieja casa,* editado por la revista *Doña Endrina,* Madrid, 1956.

Sin embargo, señalada su génesis postista, el *primer teatro* de Fernando Arrabal cobra una dimensión extraordinaria en el marco del teatro mundial y se aleja, poco a poco, de lo que sería la evolución normal de los postistas españoles. Algunos, como Carriedo —por no citar más que un ejemplo—, acabarán cultivando una poesía social que los integra a la corriente «realista»[33], mientras otros se debaten por sobrevivir como poetas «malditos».

Acabaremos esta introducción general al *primer teatro* de Fernando Arrabal aclarando cómo la obra de este español, hoy universal, nace de la visión desesperada de un sector de la sociedad española enfrentada con un proceso histórico en el que se impone un sistema totalitario. Nuestro autor llega a París con su muy especial surrealismo y su aportación al surrealismo francés y universal consiste en la materialización de un universo cerrado, sin perspectivas, vehiculado por los juegos-ceremonias de un lenguaje infantil en personajes desarraigados, marginales que se debaten en el mundo —presente— hostil de un sistema ininteligible y alienante.

---

[33] Consúltese la antología de Leopoldo de Luis, *Poesía Social (1939-1968)*, Madrid-Barcelona, Alfaguara, 1969 (segunda edición). No queremos decir que esos autores se pasen al «realismo» *avec armes et bagages*, sino que su producción «social» tiene la suficiente importancia y significación para que aparezcan en esta antología de Leopoldo de Luis junto a Celaya, Otero, y también Hierro, Félix Grande, etc.

## Presentación y análisis de *Pic-Nic*

### *Nuestra edición*

Fernando Arrabal ha ido escribiendo *Pic-Nic* (cuyo primer título castellano fue *Los soldados),* en un largo proceso de creación, entre 1952 y 1961.

Señalamos estas dos fechas, porque indican la primera que el autor propone (1952) para una versión que bien podríamos llamar «cero» (según veremos más adelante) y el año (1961) que se publica —en su versión casi definitiva— en el segundo volumen de su Teatro [1]

La versión que proponemos en esta edición es la que su autor considera como definitiva y conclusión de una laboriosa gestación, cuyas principales etapas tratamos de proponer en el texto anotado que publicamos en su primera edición castellana.

Como ya hemos señalado, había existido —según Arrabal— un manuscrito de 1952 precursor del que nosotros hemos utilizado y que Arrabal mismo nos ha entregado como «una primera versión» [2]. Aquel manuscrito sería un esbozo que habría servido al autor para completar el segundo manuscrito. No debe extrañar esta actitud de Arrabal en su primera época. El autor escribió toda una serie de obras (algunas de las cuales guarda todavía cui-

---

[1] Arrabal, *Théatre. Guernica. Le Labyrinthe. Le tricycle. Pique-nique en campagne. La Bicyclette du condamné,* París, Julliard, 1961.

[2] En la primera página del manuscrito que Arrabal tuvo la gentileza de poner a nuestra disposición hay una frase escrita a mano por el autor que dice así: «PIC-NIC (UNA PRIMERA VERSIÓN)...»

dadosamente) que han aparecido —profundamente reformadas— más tarde [3].

Señalaremos ya desde aquí que, en la edición de esta obra, proponemos todas las variantes existentes para presentar un ejemplo del procedimiento creador de Fernando Arrabal en la primera época de su teatro. Con ello pretende esta edición presentar el proceso de creación seguido por el autor y que aparece así materializado en una de sus obras hasta ahora desconocida para el público de habla castellana que no conociera otras lenguas.

Así pues, el de 1952 (versión «cero» de la obra) es el que aquí se señalará como manuscrito A. El manuscrito B es la «una primera versión» a que nos hemos referido anteriormente. En él la obra aparece con una estructura muy simple: sólo existen los señores Tepán y los dos soldados. Sus nombres son diferentes y el estilo de la obra conserva ciertas características de la llamada «generación realista», aunque muy vagas y circunstanciales. Las variantes de este manuscrito B que conservamos en nota, nos parecen extraordinariamente importantes porque indican que Fernando Arrabal inició su andadura en el campo de la producción dramática dentro del marco de la literatura española, pero con una actitud radicalmente distinta a la de los autores españoles de la época.

El tercer manuscrito corresponde a las variantes que el autor ha establecido corrigiendo de su puño y letra el texto mecanografiado del manuscrito B. Este conjunto de correcciones, por su tendencia evidente a la simplificación del texto y por los cambios que introduce en el tono general de la obra, nos parece constituir, a efectos de mayor claridad para una lectura detenida de la gestación de la obra, el que consideramos manuscrito C.

El manuscrito D corresponde a la primera edición francesa en la que la obra apareció con el título de *Pique-Nique en campagne*. El autor ha prácticamente recreado la obra en este manuscrito. Cambia nombres, reduce escenas y añade personajes y situaciones. La obra, en rea-

---

[3] Consúltese, en este particular, el cuadro quinto de *Fando y Lis* en el que hay alusiones a otras obras.

lidad, acaba de escribirse con la redacción de este manuscrito.

Cabe preguntarse por qué Arrabal no incluyó *Pic-Nic* en su primer volumen de teatro siendo, precisamente, una de las obras del autor que más popularidad han alcanzado, la primera que escribió y también su primera obra representada en Francia (el 25 de abril de 1959, dirigida por Jean Marie Serrau). La única respuesta que nos parece explicar esa circunstancia, estaría en la presente edición. Obviamente, el autor no considera la obra acabada hasta el manuscrito D. Los tres primeros manuscritos no le parecían satisfactorios y hasta la redacción de este manuscrito D, el autor no la consideró terminada. Sin embargo, sí publicó en 1958 (año en que apareció su primer volumen de teatro) esta obra en *Les Lettres Nouvelles*[4]. Pensamos que la nueva redacción, el manuscrito D, debió escribirse por entonces (1958-1959) probablemente en relación con el estreno de Serrau, y el autor no quiso publicar la obra en volumen hasta haber dejado pasar algún tiempo. Precisamente, en la segunda edición de su teatro[5] —que aquí consideramos como manuscrito E—, aparecen cambios que, aunque no muy importantes, indican cómo el autor no estaba muy seguro de la que sería su versión definitiva. Todavía más: *Pique-Nique en campagne,* en la primera edición de su segundo volumen de teatro, aparece en sustitución de otra obra anunciada en la página 4 de la primera edición de *Baal Babilonia*[6]. La obra que no apareció se titulaba *Le Quichotte* y era, en realidad, *Concierto en un huevo*[7].

Así pues, el texto que editamos aquí incluirá la idea original (manuscrito A), su primera realización o «primera versión» (manuscrito B) y las correcciones que el autor hace de esta versión (manuscrito C).

Incluimos también los cambios importantísimos introducidos en la primera edición francesa (manuscrito D) y

[4] Marzo, 1958.

[5] Arrabal, *Théatre* 2 (incluye las mismas obras que la primera edición de Julliard), París, Christian Bourgois, Editeur, 1968.

[6] *Baal Babylone,* París, Julliard, 1959.

[7] *Concert dans un oeuf,* en Arrabal, *Théatre III,* París, Julliard, 1959.

las variantes aparecidas en la segunda edición francesa (manuscrito E). Nos parece interesante señalar la semejanza (en cuanto a los cambios que se producen) entre los manuscritos C y E en relación con los manuscritos B y D.

Pensamos haber demostrado en esta versión que el autor español que es Arrabal escribe en castellano (véanse muy particularmente las notas 15 y 19 de la presente edición) según demuestra la existencia misma de este original (me refiero al manuscrito B). La constancia de su «escribir en español» llega hasta hoy [8].

Sin embargo, resulta obvio que la «primera versión», el manuscrito B, ha sido redactado en Francia [9], y, por tanto, en una fecha posterior a 1952. En el verano de 1954 Arrabal conoce a Luce Moreau (su futura esposa), y a ella van dirigidas las palabras que señalamos en las mismas notas 15 y 19 ya citadas. Durante su estancia en el sanatorio antituberculoso de Bouffémont (1956 y 1957) y su paso (1956) por el hospital Foch de Suresnes (donde es operado), recibe visitas constantes de Luce. Hay que situar entonces el inicio de su relación como autor y traductora. Problablemente, este manuscrito B se redacta en aquella época o en la que sigue inmediatamente a su convalecencia en Bouffémont (a partir de abril de 1957 cuando vuelve a la ciudad universitaria de París).

Bernard Gille señala (sólo para esta obra y muy de pasada): «La traduction en français de cette oeuvre a sans doute aecru le caractère élémentaire et parodique du dialogue» [10]. Como podemos ver en el original castellano, tiene razón el profesor Gille en su constatación de la traducción que (nosotros añadimos) es de Luce Moreau.

En general, puede decirse que la génesis de la creación de esta obra, teniendo en cuenta los distintos manuscritos,

---

[8] A título personal, podemos añadir un hecho que aclara la continuidad de su «escribir en español»: señalamos cómo Arrabal escribió durante el mes de abril de 1974 su obra *Balada del tren fantasma o En la cuerda floja* y Luce Arrabal, su esposa, concluyó su traducción al francés del texto castellano en nuestra casa de Combs-la-Ville, en las cercanías de París.

[9] Véanse las siguientes notas de esta edición: 4, 5, 11, 15, 16, 24, 27, 51 y 69.

[10] *Arrabal,* Seghers, París, 1970, pág. 15.

presenta una serie de características que no queremos, siquiera someramente, dejar de señalar.

En primer lugar debemos subrayar la tendencia del autor a evitar, en las diferentes redacciones de la obra, toda referencia a la técnica más o menos fotográfica, de la llamada «generación realista» en el teatro español de postguerra. Por otra parte, existe un marcado interés en Arrabal por simplificar las situaciones y el diálogo sin dejar por ello de añadir las escenas que considera necesarias para aumentar la riqueza y coherencia de la obra. Al mismo tiempo, tiende a destruir toda posibilidad de referencia anecdótica (nombres, lenguaje, datos históricos o geográficos, etc...).

Parte, en las primeras versiones, de una situación dramática simple:

— la relación de un universo familiar (padre, madre, hijo) con un extraño;
— el de identificación y captación de ese extraño por su extraordinaria semejanza con el hijo;
— finalmente, aparece un solo universo de personajes con dos sectores (señor Tepán/señora Tepán, Zapo/Zepo).

Sólo las referencias ambientales de la obra al estado de guerra, relacionan a este universo con el exterior. Arrabal se da cuenta de que esa referencia puede no ser suficiente para establecer la presencia de la realidad a causa de la inadecuación existente entre el *ambiente* de los personajes y una guerra *real*. Para explicitar lo real de la situación, el autor crea (a partir del manuscrito D) una nueva referencia utilizando a los enfermeros (camilleros en el manuscrito E). Finalmente, la realidad se impone de una manera trágica.

Ésta es sin duda, una de las obras de Arrabal que más éxito ha obtenido y que ha sido más representada.

El tema de la inadecuación a un medio determinado de unos personajes totalmente desarraigados, será una constante del primer teatro de Fernando Arrabal.

En *Pic-Nic,* Arrabal establece ya la relación de sus personajes con la «otra sociedad», con el «sistema». Se trata, pues, a partir de esta obra, de evidenciar el sistema de relaciones problemáticas existente entre el individuo y su entorno social. En la obra el autor inicia el largo camino que le conducirá a la denuncia de una sociedad decapitada. Sociedad en la que ya no aparecen «cabezas visibles» capaces de responsabilizarse por los cataclismos cotidianos [11]. Aquí, como en gran parte de la producción arrabaliana, el autor maneja elementos autobiográficos, pero siempre, según veremos en el análisis de la problemática de la obra, en función de su significación transindividual.

## 1. La visita del señor y de la señora Tepán

Arrabal nos presenta, al comienzo de la obra, el personaje de Zapo colocándonos, desde el principio, en el ambiente que servirá de trasfondo a *Pic-Nic*: un frente en plena batalla. Zapo es un soldado que se encuentra solo y tiene miedo. Cuando cesa el combate, saca sus utensilios y se pone a hacer punto. Suena el teléfono que dicta órdenes. Éstas llegan al soldado de una manera mecánica, impersonal. Su relación con el mundo exterior al escenario se presenta así de una manera deshumanizada. En su discurso —monólogo intermitnete con el aparato de comunicación— es presentada ya la problemática de la obra: «Capitán, me encuentro muy solo. ¿No podría enviarme un compañero?...» E inmediatamente, de una manera completamente verosímil, surge lo inverosímil: «Aunque sea la cabra.» Los elementos inverosímiles se presentarán, de ahora en adelante, con toda verosimilitud en la obra. Los personajes no cambian el tono de su discurso ni éste ofrece ningún síntoma que denote el carácter inverosímil de una intervención. Esta forma de introducir lo inverosímil, nos parece esencial para marcar la diferencia que encontramos entre el teatro de Arrabal y el del *absurdo*. Arrabal establece desde el principio, las reglas de su «juego», y su discurso ya no será sino una progresión, en el terreno verosímil, de lo inverosímil. Hay otro elemento

[11] Véanse: Lucien Goldmann, «La révolte des lettres et des arts dans les civilisations avancées» y «Les interdépendences entre la société industrielle et les nouvelles formes de la création littéraire», en *La création culturelle, dans la société moderne,* París, Médiations, 1971, págs. 47-119.

más, al iniciarse la obra, y a nivel del discurso, que expresa la importancia decisiva del binomio «verosímil-inverosímil», en el resto de *Pic-Nic:* Zapo se sorprende de la llegada súbita de sus padres. A partir de ese momento, Arrabal se mueve en el terreno de lo inverosímil, pero la realidad, lo verosímil, estará ya de una forma subyacente en toda la obra.

El señor y la señora Tepán han decidido pasar el domingo con su hijo en el frente. Se trata de una excursión campestre y familiar que ha de tener, como telón de fondo, la guerra, presente en el uniforme del hijo, en los elementos escénicos y en la aparición de personajes (Zepo y los camilleros) o el fondo sonoro intermitente. La comida en el campo se verá interrumpida varias veces. Llega, en primer lugar, Zepo —un soldado enemigo— que, él mismo, se convierte en prisionero. Iremos poco a poco descubriendo que, salvo las dos primeras vocales de sus nombres y el color de sus uniformes, Zapo y Zepo son exactamente iguales. Interrogados por el señor Tepán sobre cuántos enemigos han matado, sus respuestas serán idénticas; Zapo reza un «Padrenuestro» por el eventual caído y Zepo un «Avemaría»... Zepo acabará, finalmente, compartiendo la merienda de la familia Tepán, después de ser atado y desatado...

Llegan, más tarde, los dos camilleros buscando muertos o heridos. Estos dos personajes son, en realidad, los únicos que, en toda la obra, cumplirán con su misión y saldrán indemnes de la tragedia presentada en escena. Aceptan su misión, mostrando, incluso, desencanto por no desempeñarla de una manera más *productiva* que sus compañeros. Su presencia al final de la obra, según veremos más adelante, resulta especialmente significativa. Baste apuntar aquí cómo Arrabal presenta en el universo de un hipotético e inverosímil mundo de relaciones de producción bélicas, unos personajes tan alienados por su trabajo que, bajo la enseña de la Cruz Roja, no sólo buscan, sino que desean heridos y muertos en cuyo transporte realizarse.

La visita de la pareja al frente servirá para que Zapo y Zepo tomen conciencia de que son enemigos «malgré eux». A partir de esta constatación todos los personajes tratarán de encontrar —siempre a nivel individual— una solución al conflicto —no individual— bélico. Ellos han encontrado la autenticidad en la relación individual e intentarán, a partir de su experiencia —que sería un modelo reducido de la problemática colectiva—, solucionar el problema de la inautenticidad en que se sitúan las relaciones de la colectividad: «parar la guerra», propone el señor Tepán. Una vez definido el objetivo final y tras solucionar, en un momento, el problema del paro entre los profesionales de la muerte, se ponen a bailar, olvidando que la realidad sigue su curso, que las decisiones individuales suelen ser inoperantes ante la inmensa marea de la colectividad. Olvidan, en definitiva, que los problemas colectivos han de ser solucionados colectivamente. Suena el teléfono, pero ellos ya no lo oyen. Su guerra ha terminado, pero no la guerra, que acabó con ellos en una ráfaga de ametralladora. La música (ahora un disco rayado que evidencia su origen mecánico) queda en el aire, como una melopea, recuerdo inadecuado de unos seres vivos aniquilados. Queda, también, en el aire la pregunta: ¿y si hubieran respondido al teléfono? Quizá esa llamada les anunciaba el ataque inminente... Sin embargo, los cuatro solitarios habían decidido olvidar la realidad que Arrabal materializa en la llamada sin respuesta y en la presencia de los camilleros que, ahora sí, recogen su cargamento de cadáveres solos.

## 2. Los personajes

Después de analizar cuantitativamente [12] las relaciones de los personajes, según el gráfico que proponemos, resulta que el personaje central es el señor Tepán. Antes de pasar a desarrollar las implicaciones de dicho análisis cuantitativo, detengámonos un momento en el nombre que Arrabal da a los personajes de *Pic-Nic*. Como había

[12] Queremos aclarar aquí que nuestro método de análisis cuantitativo de las intervenciones de los personajes, no es sino un instrumento para el análisis de la obra dramática que a nosotros nos ha resultado especialmente útil. Como ejemplo instrumental de trabajo lo proponemos aquí para los estudiosos del teatro que quisieran probar su eficacia.

señalado Bernard Gille [13] existe una relación evidente entre el apellido de la familia en la obra y el segundo —materno— del autor: Terán. Arrabal nos confirma la relación [14]. En cuanto a los dos soldados, también confirma el autor nuestra sospecha, según la cual los nombres de estos personajes, Zapo y Zepo, están relacionados con las palabras castellanas *cepo* y *cero,* sirviendo la variación vocálica que distinque a los soldados como elemento puramente diferenciador, pero no significativo [15]. Ambos personajes están atrapados y solos.

## 2.1. *El señor Tepán*

Como ya hemos señalado, el señor Tepán es el núcleo, el personaje central de la obra. Tiene relación con todos los personajes y forma un universo, perfectamente definido, con su hijo Zapo [16]. Sus relaciones con Zepo son menos importantes, pero mucho más que las que mantiene con su esposa. ¿Cómo explicar esto? Para encontrar una

---

[13] Bernard Gille, *op. cit.,* pág. 13, nota 13.

[14] No se sorprende demasiado el autor cuando le recordamos que la R tiene, en griego, forma de P.

[15] Coincide con nosotros Irgmard Z. Anderson en su «De Twedledum y Twedledee a Zapo y Zepo» (publicado en *Romance Notes,* vol. XV, núm. 2, 1973, págs. 217-220, que hemos traducido y reproducido en nuestro libro, escrito en colaboración con Joan Berenguer, *Arrabal,* Madrid, Fundamentos, 1979, cuando dice: «Tweedledum y Tweedledee se parecen tanto que Alicia no los puede distinguir más que por el 'dum' y el 'dee' bordados en sus collares. Son hermanos como Zapo y Zepo podrían serlo también, ya que tan sólo el color de sus uniformes diferencia al uno del otro.» No estamos, sin embargo, de acuerdo con una afirmación contenida en este artículo: «En el fondo, *Pic-nic* es una adaptación arrabalesca del capítulo de Lewis Carroll sobre Tweedledum y Tweedledee. Siempre corriendo el riesgo de simplificar, se podría decir que estos dos niños se han reencarnado en Zapo y Zepo, Alicia en el señor y la señora Tepán y, finalmente, el Walrus y el carpintero en los camilleros.»

[16] Utilizamos el concepto de «universo» como la entidad de relación que reúne a dos o más personajes de una obra, que tienen intereses comunes y lo reflejan en una relación más íntima o esencial, que tiende a diferenciarlos de los demás personajes de la obra.

razón, permítasenos señalar aquí una posible injerencia de la mediación autobiográfica que, en esta primera obra de Arrabal, y dado el contexto en que fue producida, nos proporciona ciertos elementos explicativos. El padre de Arrabal sufre la incomprensión de su esposa durante su permanencia en la cárcel. Esta relación problemática servirá de base, también, a otra obra de este *primer teatro* de Arrabal y de una manera mucho más obvia: *Los dos verdugos*. El autor parece negarse a aceptar que hayan existido nunca relaciones estrechas e importantes entre sus padres. Sin embargo, el señor y la señora Tepán parecen formar —a un nivel puramente exterior— un universo de relaciones formales que se verá expresado en la imagen del paraguas bajo el que se protegen durante el bombardeo. Esta imagen será utilizada también por Arrabal en *Fando y Lis* para expresar otro universo de relaciones, el de los «tres hombres del paraguas»: Namur, Mitaro y Toso. Sin embargo, el universo familiar transpone en la obra una visión empobrecida de la institución familiar, reducida y limitada a un sistema de relaciones puramente formales. Encontramos en la imagen escénica del paraguas que «alberga» a los señores Tepán un elemento formal de aglutinación que parece destacar, según hemos adelantado, el carácter degradado de las estructuras familiares de relación. Si nos referimos todavía a la mediación autobiográfica, es porque pensamos que sólo en el marco de nuestra perspectiva analítica adquiere dicha mediación un valor explicativo.

El hecho de que Arrabal, según hemos visto anteriormente, utilice el apellido de la madre, aunque deformado, para identificar a la pareja, indica una preeminencia —constante en la obra de Arrabal— del elemento femenino. La única explicación que nos parece dar cuenta de la constatación que acabamos de hacer, tiene su génesis en la biografía del autor y se sitúa a nivel del carácter mediatizador de las mujeres que aparecen en este *primer teatro* de Arrabal, entre el universo de los «héroes arrabalianos» y el sistema que los excluye, pero en el que se debaten. Por otra parte, y según veremos, el carácter represivo de la relación padre-hijo es ejercido en la obra por la señora Tepán.

El señor Tepán aparece en la obra como un ser delicado, comprensivo y deferente. Arrabal nos lo presenta con una frase especialmente ilustrativa: «Hijo, levántate y besa en la frente a tu madre.» Estas características del personaje, se encuentran también en su relación con Zepo, el soldado enemigo, y con los camilleros.

## 2.2. *Zapo*

El hijo-soldado nos parece el segundo personaje, en importancia, de la obra. Con su padre mantiene una relación muy rica, la más rica de la obra, materializada en 62 intervenciones, mientras que entre su padre y su madre sólo se cruzan intervenciones en 22 ocasiones. Tiene más *recepciones* —37—, que *emisiones* —25— [17], lo que indica que recibe más influencia de su padre, que es un personaje más activo.

Zapo es un personaje problemático, por el tipo de relaciones que establece, a través de toda la obra, con los diferentes personajes y con la realidad. Como ya hemos dicho, es utilizado por Arrabal para establecer las reglas del juego entre lo verosímil y lo inverosímil, constituyendo así el núcleo del universo virtual de la obra. Recibe y transmite las señales enviadas por la realidad circundante y sirve de introductor de Zepo, personaje que, como veremos, resulta relator o elemento relacionante con el universo de la madre.

Zapo se siente solo, pero es rescatado de su soledad por la presencia inesperada de sus padres. Opone, desde el principio, cierto sentido de verosimilitud al discurso inverosímil de sus progenitores, y a través de su «circunstancia» de soldado, llegan otros personajes (el prisionero y los camilleros) hasta el señor Tepán.

Al considerar algunos elementos autobiográficos que pudieran resultar significativos, a la luz de nuestra explicación global, existe una posible relación entre Zapo y

---

[17] Llamamos *emisión* a toda intervención oral que «sale» de un personaje, y *recepción* a la que a él se dirige. Véase el cuadro gráfico de relaciones cuantitativas de los personajes que acompaña al análisis de cada obra.

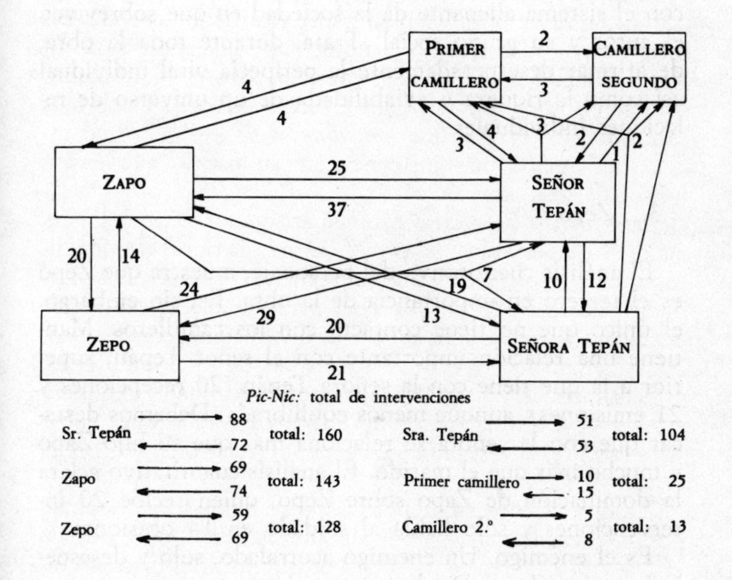


*Pic-Nic:* total de intervenciones

| | → | ← | total |
|---|---|---|---|
| Sr. Tepán | 88 | 72 | total: 160 |
| Zapo | 69 | 74 | total: 143 |
| Zepo | 59 | 69 | total: 128 |
| Sra. Tepán | 51 | 53 | total: 104 |
| Primer camillero | 10 | 15 | total: 25 |
| Camillero 2.º | 5 | 8 | total: 13 |

Fernando Arrabal. En cierto sentido, se podría decir que Arrabal transcribe en esta obra un sistema hipotético de relaciones con el padre perdido. Sin embargo, el personaje de Zapo nos parece ir más lejos de una simple transposición biográfica. En realidad, el universo virtual de la obra —el padre que visita y aconseja al hijo en el frente de su relación problemática con una realidad que no comprende y que es «revelada» por el padre, pero no solucionada— transpone, a través de la lucha de Zapo con un universo hostil y la futilidad de la ayuda que recibe de sus compañeros en el escenario, la lucha del individuo con el sistema alienante de la sociedad en que sobreviven el autor y su grupo social. Trata, durante toda la obra, de afirmar desesperadamente la peripecia vital individual así como la riqueza y «viabilidad» de un universo de relaciones individuales.

## 2.3. *Zepo*

El análisis cuantitativo del personaje, muestra que Zepo es el tercero en importancia de la obra. Es, sin embargo, el único que no tiene contacto con los camilleros. Mantiene una relación importante con el señor Tepán, superior a la que tiene con la señora Tepán (20 recepciones y 21 emisiones), aunque menos equilibrada. Debemos destacar que con la señora se relaciona más que su hijo Zapo y mucho más que el marido. El análisis cuantitativo aclara la dominación de Zapo sobre Zepo, quien recibe 20 intervenciones y sólo habla al soldado en 14 ocasiones.

Es el enemigo. Un enemigo acorralado, solo y desesperado, como Zapo. Desde su aparición se nos muestra paralizado por un miedo terrible. Sin embargo, irá descubriendo, poco a poco, que los enemigos son hombres como él que comparten, incluso, su miedo y son capaces de misericordia y de toda la delicadeza encerrada en el ser humano. Zepo sirve a Arrabal para mostrar el extraordinario mecanismo manejado por el poder estatal y cuya finalidad es enfrentar a los hombres. Una de las bases que permiten el funcionamiento de dicho mecanismo, es el desconocimiento, la no-información, la desaparición de elementos auténticos en la relación entre los hombres. El enemigo es un desconocido con el que sólo existe la inauténtica relación generada por el discurso de los generales. Arrabal quiere destacar y analizar el proceso de degradación de las relaciones humanas y para ello muestra al «enemigo» como es, estableciendo en el efímero universo del escenario un modelo ideal de relaciones auténticas, no degradadas por las interferencias del sistema.

En realidad, la aparición del prisionero y la presencia de los padres son dos elementos que, unidos, contribuyen, más tarde, a humanizar la relación del binomio preso-guardián. Tal y como se nos había presentado el personaje de Zapo al iniciarse la obra solo y acorralado, muerto de miedo, cualquier reacción nos hubiera parecido posible de su parte. La presencia de sus padres mediatiza esa situación, y hace que la relación con el preso sea respetuosa, deferente e, incluso, cordial. Durante la obra, será atado el prisionero, y desatado Zepo, el individuo. Poco a poco irá ocupando su lugar en el microcosmos familiar, para acabar compartiendo el destino de los Tepán.

Zapo y Zepo nos van pareciendo, al hilo de la obra, tan idénticos que hacen pensar en una posible identidad, en un solo personaje. Así pues, los dos soldados, además de funcionar en la obra estableciendo la identidad de los enemigos utilizados por el sistema, servirían también para aclarar el sistema de relaciones problemáticas existente entre el señor y la señora Tepán. Zapo y el señor Tepán constituyen el eje Arrabal-padre de la relación y Zepo con la madre aclaran el otro eje (Arrabal-madre). En realidad, como puede verse en el gráfico, la relación entre los esposos cobra su verdadera riqueza, se engrandece y resulta verosímil gracias a la utilización del personaje doble (Zapo y Zepo) hacia el que cada uno de ellos muestra su ternura; la relación señor Tepán-Zapo es la más rica; la relación señora Tepán-Zepo es la más aclaratoria. Si cruzamos las relaciones, veremos cómo el señor Tepán resulta «engrandecido» al mantener con Zepo una relación más rica que la de su esposa con el hijo.

## 2.4. *La señora Tepán*

Llegamos, finalmente, al personaje de la madre. La señora Tepán nos parece un personaje importante —aunque no lo sea tanto en la obra— porque su tratamiento va a marcar definitivamente la presencia de la *madre* en la obra futura de Arrabal, con unas connotaciones bien precisas... Como veremos, la señora Tepán presenta el doble aspecto —amoroso y represivo— de la maternidad, pero acentuando este último; Arrabal partirá de la preeminencia que otorga a este elemento represivo, para marcar su negación del superego como elemento que relaciona al individuo con el sistema.

Detengámonos, antes de referirnos a la relación madre-hijo, en la descripción del personaje. La señora Tepán manifiesta, desde el principio de la obra, un carácter en el que se mezclan ternura y dureza. Al mismo tiempo, debe señalarse la enorme fascinación que sobre ella ejerce el «enemigo». Así, desde antes de la llegada de Zepo, se nos da una muestra de lo que será, más tarde, su actitud hacia el prisionero: «Cuántas veces, de niñas, nos asomábamos al balcón para ver batallas y yo le decía al vecinito: "Te apuesto una chocolatina a que ganan los azules" Y los azules eran nuestros enemigos» [18]. Si a esta réplica unimos su actitud hacia el prisionero, Zepo, así como su gran relación (véase el gráfico) con él, encontraremos la base de lo que hemos llamado su fascinación por el enemigo. Esta fascinación lleva consigo una actitud de dureza hacia el hijo, que descarta la posibilidad de que sólo sea ternura y deferencia lo que le une al prisionero, al enemigo. Se podría de nuevo, aquí, invocar la mediación autobiográfica para señalar la iniciación del tema madre-represión en Arrabal, pero no se olvide que éste es sólo parte de la estructura global de la obra.

---

[18] El color «azul» de los enemigos por los que apuesta la señora Tepán, así como el «rojo» de los soldados propios, nos parece un elemento suplementario de coherencia de esta obra, según nuestro análisis. En la memoria del autor están los colores de los bandos que se enfrentaron en la Guerra civil española.

La señora Tepán siempre ha «sido muy aficionada a las batallas. Cuando niña, siempre decía que sería, de mayor, coronel de caballería». Más adelante en la obra, mantiene con su hijo —a propósito de su higiene personal— un diálogo-interrogatorio digno de un sargento que inspecciona a un recluta poco aseado. Y lo terrible de la escena es su verosimilitud en un ambiente hogareño...

Cuando Zapo está atando al prisionero, la señora Tepán dice una frase que reúne bien las dos características del personaje señaladas más arriba: «¿Eso es lo que yo te he enseñado? ¿Cuántas veces te he repetido que hay que ser bueno con todo el mundo?» Muchas más citas podrían añadirse a ésta, que aclararían la ambivalencia del personaje, pero acabaremos aquí, no sin antes señalar el carácter puntilloso de la señora Tepán, en lo que a las «formas» de educación se refiere. Parece como si lo esencial para este personaje fuera, precisamente, lo «formal» en la educación de su hijo y en el sistema de relaciones posibles, a nivel no sólo individual sino también colectivo, en el marco social. Dichas relaciones sociales se basarían, según los principios de la señora Tepán, en el mantenimiento de las «formas» burguesas de relación.

### 2.5. *Los camilleros*

Como hemos dicho anteriormente los dos personajes de la Cruz Roja tienen una conciencia clara y definida de su participación en el conjunto de las relaciones que forman el sistema (la «guerra»). Aceptan su función en el sistema y pertenecen a ese género de personajes, que encontraremos en otras obras de Arrabal, que —siempre por parejas— vienen a ser el brazo activo, eficaz, visible y siempre anónimo de una sociedad perfectamente organizada y muy eficaz, por tanto, en su función alienatoria. El contenido de conciencia profesional que la señora Tepán les atribuye («No puede imaginar cómo aprecio a la gente que ama su trabajo») es bien extraño, y sólo se vería aclarado como exponente de la substitución de la finalidad para la que fueron creadas ciertas sociedades «humanitarias», como consecuencia de la disminución del campo de la conciencia de que hablaba Lucien Goldmann. Este proceso social es tan global que no respeta ni a la muy venerable Cruz Roja.

En realidad, dentro del contexto de *Pic-Nic,* los camilleros, asimilados al teléfono, son el único punto de referencia que nos asegura la veracidad de esa guerra, un poco *drôle,* que, al final, va a resultar terrible. La primera aparición de los camilleros es un toque de atención y, al mismo tiempo, un elemento dramático que clarifica el sistema de relaciones existente entre los cuatro personajes principales entre sí y con el sistema. Su segunda aparición, ratifica, ya al final de la obra, esa función que anteriormente les hemos atribuido.

### 3. El porvenir imposible

Como hemos venido viendo paso a paso, Arrabal intenta en *Pic-Nic* aclarar el sistema de relaciones existente entre un grupo de individuos y un sistema que los ha colocado en la situación límite de una guerra. Dichos individuos forman una familia, que se agranda con la asimilación del soldado enemigo prisionero, que parece no comprender muy bien el funcionamiento del sistema. Para expresar esta incomprensión el autor utiliza elementos verosímiles y otros inverosímiles que crean una atmósfera particular en el escenario, la de los héroes arrabalianos, que no corresponde a la realidad del sistema, puesto que cuando éste se pone en funcionamiento, todo lo previsto por los personajes resulta ineficaz. La muerte viene a ser el único camino abierto a estos seres marginales, que en ella encuentran su destrucción como individuos y como grupo.

Se podría decir que existen en la obra una serie de elementos a través de los cuales el autor propone al espectador su muy peculiar visión de la realidad. Se trata de la guerra, la familia, el individuo y la muerte. Estos elementos vienen a ser los problemas planteados en la obra, y tienen como tela de fondo, la estructura global que organiza el funcionamiento de esos problemas y de los personajes que los «viven» a su manera: la falta de perspectivas del grupo de individuos en su relación con un sistema totalizante. Los elementos esenciales de dicha estructura significativa serán la alienación, el anonimato, la negación, en definitiva, de esa dimensión del individuo según la cual puede participar en los procesos (económicos, sociales, políticos, culturales, etc.) de la sociedad en que vive. La contraposición del sistema de valores del grupo de personajes con los que, realmente, les permite el sistema, tiene como resultado, desde nuestro punto de vista, la ruptura radical de la conciencia de nuestros héroes con el sistema —pretenden acabar la guerra por su cuenta— y, al mismo tiempo, su destrucción como colectividad marginal disidente, incapaz ya de imponer su «solución» al sistema.

### 3.1. *La guerra*

Recoge Arrabal en *Pic-Nic,* según Gille, un «thème brechtien» [19], pero no lo aborda de una manera 'épica' porque utiliza medios excesivamente heteróclitos. Desde nuestro punto de vista, el autor se acerca al tema de la guerra empleando los medios expresivos que le son propios y que resultan —explicados en el contexto de la estructura de la obra— perfectamente eficaces.

Trata Arrabal de *clarificar* el sistema de relaciones que se establecen entre el binomio individuo-guerra. Desde un punto de vista diacrónico, Arrabal aclara perfectamente cuáles son las características de una guerra dentro del actual sistema de las sociedades avanzadas, contraponiéndolas a las que definían la «guerra del señor Tepán», es decir, la guerra en el pasado inmediato. En la guerra del señor Tepán, los enemigos se diferenciaban claramente (uniformes rojos y azules o verdes); en la de Zapo y Zepo hay una extraordinaria uniformidad entre enemigos (los uniformes son iguales sin que el color —verde militar y gris— los diferencie casi). La tecnología avanzada ha supeditado la brillante afirmación del uniforme antiguo a la eficacia anónima del actual. Se trata de una guerra en-

[19] Bernard Gille, *op. cit.,* pág. 15.

tre gentes que hablan la misma lengua, piensan igual y tienen los mismos problemas. Debemos pensar que si la idea de la obra le vino a Arrabal a causa del inicio de la guerra de Corea (25 de junio de 1950), es, en realidad, otra guerra la que se le impone al organizar su obra: una guerra civil. Como dice el señor Tepán, a lo mejor es el mismo general el que manda a los dos soldados... Es, también, una guerra impopular para los héroes arrabalianos porque no consigue entusiasmar a los soldados. En realidad, debemos señalar, aunque sea de pasada, cómo Arrabal, casi veinte años antes que el *Teatro Campesino,* está utilizando una técnica similar para denunciar una guerra de la que ningún combatiente sacará beneficio alguno porque supone el enfrentamiento de hermanos —compañeros— alienados por la ideología de una clase dominante que los lanza a la muerte para defender sus intereses, pero que, poco a poco, empiezan a tomar conciencia de la futilidad de su enfrentamiento.

El tema de la guerra viene ligado en la obra al de la sociedad. No sólo en lo que se refiere al universo «formal» en que se desenvuelven las relaciones familiares, o la aclaración de la incomunicación en que luchan los soldados «gemelos» y enemigos, sino en los detalles más nimios. Así, por ejemplo, vemos que toda la obra se resuelve durante una comida campestre. Arrabal resuelve así el doble aspecto del encuentro gastronómico como momento de contacto cordial que allana las diferencias y resalta las afinidades y, por otra parte, nos ofrece un modelo reducido del mundo del consumo como elemento aglutinante entre los personajes de la obra.

Vemos, además, que Arrabal convierte la guerra en un «asunto de familia» que contrasta con la guerra actual, «limpia», despersonalizada y fría que preconiza (y lleva a cabo) la clase dirigente de nuestra sociedad avanzada. Más tarde, en *Viva la muerte* y *Guernica,* Arrabal desarrolla, en cine, la técnica que ya apuntaba en *Pic-Nic.* La violencia expositiva de una y otra película, en escenas terribles de sangre y miseria, hacía estremecerse a muchos espectadores, demasiado sensibles a la sangre de buey, pero acostumbrados a presenciar sin repugnancia el espectáculo diario en la televisión de su cuarto de estar, que muestra a un superbombardero B-52 lanzando su carga de muerte. Arrabal baja su cámara al lugar donde explotan las bombas, mientras que los gacetilleros del sistema se complacen en mostrarnos el monstruo de muerte en toda su salvaje belleza de animal tecnológico.

La guerra es, pues, en *Pic-Nic,* un modo de relación del individuo con una sociedad en la que ya no tiene nada que decir. El sistema les niega toda posibilidad de ejercer influencia alguna sobre su propio porvenir. Los héroes de *Pic-Nic* parecen marionetas, aun siendo seres humanos, a las que se les niega la voz en el hacerse cotidiano de la historia.

### 3.2. *La familia*

Al mismo tiempo, Arrabal busca lo cotidiano, lo que pasa desapercibido al periodista de sensaciones fuertes y encuentra, en la descripción de lo humano el gesto perdido y, sin embargo, altamente significativo. Cuando, como hemos dicho el autor hace de la guerra un «asunto familiar», está en realidad describiendo las contradicciones de la estructura familiar en nuestra sociedad avanzada.

De hecho, en *Pic-Nic* se encuentra, a escala reducida, el núcleo familiar reducido a su mínima expresión (no se hace referencia a hermanos, parientes, etc.), propio del capitalismo en su estado actual. La reducción del núcleo familiar da a la familia una extraordinaria movilidad (pueden, incluso, ir de merienda al frente con el hijo), pero empobrece y condena la estructura misma de la familia.

El modelo «formal» del núcleo familiar de los Tepán que conserva las fórmulas del pasado aparece empobrecido por una relación degradada (incluso a nivel cuantitativo) entre los padres. La relación con el hijo y con el soldado «adoptado» es puramente individual. Finalmente, la inadecuación de la solución propuesta por el «padre» con la realidad, nos parece mostrar la ineficacia del sistema familiar en nuestra sociedad.

Arrabal clarifica, al mostrar la ineficacia de su funcionamiento, el proceso de destrucción a que se ve sometida la estructura familiar en una sociedad capitalista avanzada. Los ejemplos podrían ser miles. Nadie duda hoy ya del proceso de degradación de las relaciones familiares. Paradójicamente, el capitalismo avanzado está destruyendo la que fue base de su génesis en el proceso de creación de la conciencia burguesa. Hoy nadie lo duda, pero Arrabal lo había expuesto ya al iniciarse la década del 50.

Lo grave de la crisis de la institución familiar es la falta de solución sustitutoria. No existe, por el momento, un núcleo que sirva de base al individuo, capaz de sustituir a la familia. Por ello, Arrabal no ofrece una solución colectiva, pero sí cree que la respuesta está en la línea de una activación de las relaciones personales en el marco de un sistema que acepte la interferencia del individuo en la ordenación de la vida social. Que el actual sistema no es tal, nos lo dice el final trágico de la familia Tepán.

*Pic-Nic* nos parece desmontar la contradicción existente entre el sistema familiar, base de la organización burguesa, y el sistema capitalista avanzado para el que el viejo mito burgués resulta un peligro. Por otra parte, cuenta la extrema degradación de un universo familiar, anclado «formalmente» en el pasado, que ya no es capaz de elaborar respuestas adecuadas a la problemática de la cotidianeidad.

### 3.3. *El individuo*

Poco podemos añadir para describir el enfrentamiento del individuo con un sistema que ya no comprende, a lo que hemos venido diciendo en nuestros análisis de *Pic-Nic.* El individuo se debate, en la obra, en la búsqueda de su autenticidad. Dicha autenticidad consiste, en *Pic-Nic,* en la posibilidad de intervenir, de algún modo, en los procesos de la colectividad. Ahora bien, el sistema de relaciones individuales resulta, en el marco social en que Arrabal presenta a sus héroes, falseado por la presión que sobre el individuo ejerce el sistema. Su única posibilidad consistirá, para buscar un sistema auténtico de valores, en oponerse a ser utilizados según un designio global y anónimo.

Ni Zapo ni Zepo son conscientes de su función en esa

guerra, como tampoco lo son los señores Tepán. Ambos soldados han sido arrancados de su intimidad sin razones, sin posibilidad alguna de dar su consentimiento. Ante tal abuso de la máquina social, su reacción de rechazo parece mínima, pero entrañable al mismo tiempo: el uno hace punto, el otro flores. Diez años antes de toda manifestación *hippie* ya andaba por los escenarios del mundo esta protesta mínima pero firme y eficaz, a su manera.

En su obra posterior, Arrabal desarrolla poco a poco esta conciencia de ruptura con el sistema, buscando todo tipo de expresiones que den cuenta de su oposición radical a un sistema que no comprende y que no acepta su derecho individual de intervención en los procesos que han de definir su porvenir como ser humano.

### 3.4. *La muerte*

Sin embargo, Arrabal es consciente de que no puede haber una solución individual a un problema colectivo. Como puede verse en todo su teatro posterior, presenta aquí la ineficacia de una decisión individual frente al sistema que ordena la cotidianeidad según sus intereses. Los héroes de *Pic-Nic* —niños porque no tienen conciencia de lo inadecuado de su decisión «inverosímil» en el universo «verosímil» del sistema— después de tomar la «decisión» de acabar la guerra, deciden festejar su determinación. Se ponen a bailar por parejas; Arrabal une al señor y a la señora Tepán y a Zapo y Zepo. La música que, como una premonición, no se decidía a sonar, surge finalmente. Arrabal reúne a sus personajes en la única danza que lo «verosímil» del sistema puede ya proponerles: la danza de la muerte. La realidad les lanza llamadas telefónicas que ellos ya no escuchan. No pueden escuchar la otra realidad, la del sistema, porque la suya ya les ha dado solución a su «futuro». Entonces, la realidad les envía la guerra: «El teléfono suena otra vez. Continúa el baile. Comienza de nuevo la batalla con gran ruido de bombazos, tiros y ametralladoras. Ellos no se dan cuenta de nada y continúan bailando alegremente. Una ráfaga de ametralladora los siega a los cuatro. Caen al suelo muertos.»

Finalmente, la *realidad* alarga sus brazos para recoger sus cadáveres: «Entran, por la izquierda, los dos camilleros. Llevan la camilla vacía.»

## Presentación y análisis de *El triciclo*

### *Nuestra edición*

*El triciclo* es, como *Pic-Nic,* una de las primeras obras de Fernando Arrabal y, desde luego, la primera de las publicadas en castellano hasta la edición que aquí presentamos. Su fecha de composición oscila, según diferentes testimonios del mismo autor, entre 1952 y 1953. En su carta a José Monleón del 1 de abril de 1962 dice Arrabal: «Cuando en 1952 escribí *El triciclo* yo no sabía que existía un escritor llamado Beckett (o Adamov, o Ionesco, o Jarry); la primera vez que un amigo poeta, en 1955, me habló de Beckett, creí que se refería a Bécquer» [1]. Por otra parte, Arrabal ha sostenido siempre después [2] que esta obra era de 1953. Sin embargo, *El triciclo* era considerada como su primera obra y no sólo por haber sido la que presentó al autor en España (publicada y estrenada), sino por el testimonio de alguno de sus compañeros y amigos de la experiencia madrileña de Arrabal a principios de la década de los cincuenta. Así lo asegura Fernández Arroyo [3] y, sistemáticamente, piensan en esta obra todos los autores o personas interesadas en el teatro que por entonces seguían la vida teatral madrileña y con quienes he

---

[1] Colección *Primer Acto*, Madrid, Taurus, 2.ª ed., 1968, núm. 5. *Fernando Arrabal,* pág. 40.

[2] Véase el núm. 8 de la revista *Yorick,* Barcelona, octubre de 1965, pág. 5, y *Theatre* II, París, Julliard, 1961, pág. 173, así como la segunda edición de este volumen (París, Bourgois, 1968), página 169, etc.

[3] El dato nos lo proporciona J. M. Polo.

tenido la ocasión de hablar sobre Arrabal, como la primera del autor melillense.

En realidad, según hemos visto en *Pic-Nic,* es difícil fechar exactamente las diferentes obras de este primer período de Arrabal. En efecto, el autor escribe toda una serie de obras hacia 1952 que se convierten en «manuscritos cero» que servirán más tarde a Arrabal para reelaborarlos y, partiendo de ellos, crear sus obras posteriores. Sirva un ejemplo: Bernard Gille afirma [4] que *Oración* es de 1957 (señala incluso el mes de enero como el de su composición), siguiendo la información que le dio el mismo Arrabal; por nuestra parte, y siguiendo también las indicaciones del autor, propusimos para esa obra la fecha de diciembre de 1956 («Noel, 1956») [5]. Sin embargo, Arrabal había dicho a Monleón en otra carta del 16 de diciembre de 1962: «Oración es una brevísima obra escrita en 1952» [6]. La verdad es que el autor no mentía y nuestra fecha, levemente anterior a la de Gille, tampoco era falsa. En 1952 Fernando Arrabal esboza una serie de obras cortas que forman lo que podríamos llamar su *primer teatro.* Continúa escribiéndolo o reescribiéndolo (algunas obras «nacen» más tarde) hasta 1957. Así, poco a poco, el autor «crea» o «recrea» sus obras anteriores que no se terminan hasta la última fecha propuesta y, en casos, hasta la última edición revisada por el autor, como en el caso de la que aquí presentamos de *El triciclo.*

Al plantearnos la edición de esta obra, tuvimos que recurrir a un proceso semejante al que seguimos en la anterior edición de *Pic-Nic.* En esta edición continuamos mostrando el trabajo de elaboración del autor a través de los años, reanudando la paciente labor de establecer el texto español definitivo a partir de los diferentes manuscritos y ediciones de la obra que precedieron a nuestra edición. Y ello como consecuencia de que el mismo autor ha querido hacer algunos cambios que aparecen por primera vez en esta edición [7]. Por otra parte, esta labor

---

[4] *Arrabal,* París, Seghers, 1970, pág. 181.

[5] *L'Exile et la Ceremonie,* tesis doctoral presentada en la Sorbona, 1973, pág. 289.

[6] *Fernando Arrabal,* col. *Primer Acto, ibíd.,* pág. 43.

[7] Véase la nota núm. 43 de nuestra edición de *El triciclo.*

nos ha parecido necesaria para que los textos castellanos de la obra de Arrabal lleguen en toda su riqueza a quienes se acercaren en el futuro a ellos con el objeto de estudiarlos. El texto de nuestra edición nace con el manuscrito «cero» de 1952/1953 y se basa en dos manuscritos originales que hemos podido manejar. El primero de ellos (el ms. A de esta edición) es un texto mecanografiado por el autor, ya en Francia —la máquina de escribir no tiene algunos signos castellanos—, y probablemente en época cercana al segundo manuscrito de *Pic-Nic.* El segundo manuscrito (el B de nuestra edición) contiene todas las rectificaciones manuales que el autor hizo al ms. A.

Por otra parte, esta edición compara con los originales los textos de las dos ediciones francesas y de las dos castellanas que han visto luz anteriormente.

Las dos ediciones francesas a que nos hemos referido son la de Julliard, París, 1961 (en *Théatre* II, págs. 99-173) y la segunda edición de este mismo segundo volumen del teatro de Arrabal publicado por Christian Bourgois en París en 1968 (págs. 103-169). En castellano hemos utilizado las dos ediciones existentes y que aparecieron una (como texto aparte de la revista *Yorick,* núm. 8, Barcelona, octubre de 1965, en su «Biblioteca Teatral Yorick», núm. 8) en edición muy limitada y la otra, más asequible, en la Colección *Teatro* (núm. 523, Madrid, 1966) de Ediciones Alfil. En realidad, como el estudioso podrá comprobar en las notas y el texto de esta edición, las ediciones francesas y castellanas se diferencian claramente entre sí en la forma en que siguen al original. Forman, en realidad, dos familias diferentes de manuscritos que aquí hemos querido y —pensamos— conseguido reunir en su texto definitivo. En general, se podría decir que las ediciones francesas siguen el ms. A y las españolas aceptan las correcciones del ms. B en lo que a nombres y situaciones concretas se refiere. Las ediciones castellanas son, además, prácticamente idénticas y la segunda repite incluso algunas erratas de la primera. Esto hace pensar que la segunda se copió directamente del texto publicado en la edición de *Yorick.* Debemos aclarar también desde aquí que cuando nos referimos en las notas a las diferentes ediciones, colocamos entre paréntesis la página que corresponde a la primera —francesa o castellana— en primer lugar y a continuación la que remite a la segunda edición.

El cambio más espectacular que el autor hace en esta obra entre los manuscritos originales que hemos manejado y las sucesivas ediciones, es el de su estructura que pasa de dos cuadros a tres actos. En realidad, si se lee detenidamente la obra, el cambio es importante. En la primera versión, la de los manuscritos A y B, la obra padece de lentitud y se hace reiterativa recordando los diálogos lentos de la vanguardia francesa de aquellos años. El cambio a tres actos tiene la virtud de dar a la obra una gran rapidez y una estructura mejor equilibrada que revela ya la mano experimentada del autor representado o, al menos, con más experiencia. Lo mismo ocurre con los monólogos de Climando corregidos por el autor (nota 43) para esta edición. Por otra parte, la presentación original de los personajes insiste en que la idea primera del autor era escribir esta obra en función del personaje de Apal «y sus amigos», siendo aquél el principal, en cuanto a significación, de todos los seres que pueblan esta obra. Como en *Pic-Nic,* Arrabal cambia para las ediciones castellanas (nota 25) todo lo que pueda hacer alusión a la realidad española que le sirve de base de una manera fotográfica, suprimiendo, incluso, nombres de color local fácilmente relacionables. El resultado es el carácter universal de este *Triciclo,* muy lejano de aquél cuya existencia revela el mismo autor en sus *Entretiens* con Alain Schiffres: «(les objets dérisoires)... ce sont rarement des choses qui sortent de mon imagination. Je les prends dans la réalité. Par exemple, le *Tricycle* existait réellement. Il y avait a Madrid, sur la place de Oriente, un homme qui transportait les enfants sur son tricycle»[8].

Finalmente, queremos reproducir aquí un texto de Arrabal publicado en el mismo número de la revista *Yorick*[9]

---

[8] París, Belfond, 1969, pág. 123. En realidad era un carrito tirado por un burro.

[9] Como ya decimos en nuestro texto, repetimos aquí que hemos reproducido este texto de Arrabal, tanto por su interés como reflexión sobre una obra muy anterior como por su carácter de

bajo el título de «Evocación de un recuerdo lejano: *El triciclo*» y que el lector o estudioso de esta obra no conseguiría fácilmente:

> El triciclo se llena de tinta, de sueños, de ojos mientras en la palma de mi mano giran el fuego y el agua. Cuando me besa.
>
> * * *
>
> La cama de matrimonio y las mil muchachas en flor requieren las caricias del hombre de los largos cabellos. Éste es el decorado.
>
> * * *
>
> Con las manos atadas a la espalda, sentía el despertar de la humedad. Y entre las piernas surgían mandrágoras y dos letras: YO.
>
> * * *
>
> Aceptaron las gigantas que devoran las figuras de ajedrez, como asimismo aceptaron el hombre que se refugia en su historia, la biblioteca en el libro, las hojas en el hilo y la vida en la escena. Aceptaron el espectáculo, pues, y el león erizado de flechas.
>
> * * *
>
> Sus labios de hierro y la sangre que manchó mi vientre evocaban aquellas muñequitas de plástico que dormían, sin reproche, bajo mi sábana.
>
> * * *
>
> El triciclo cumplió doce años, a través de la piel descubro las rodillas blancas y la pantera Filosofía [10].

*El triciclo* cuenta la historia («suceso») de un asesinato cometido por unos individuos marginales en la persona de un ciudadano para robarle, y el proceso de su detención. Se supone que el castigo previsto, la muerte, será

---

poco accesible para el estudioso. La revista lo reproduce en su página 5.

[10] El texto está firmado y fechado así: «Arrabal, verano de 1965. (Especial para Yorick).»

ejecutado y, por ello, los asesinos reparten sus ridículos bienes entre sus compañeros también marginales. Esta sería, a grandes trazos, la historia, el suceso, a partir del cual Arrabal crea su obra, que está dividida en dos actos.

## 1. Los personajes

Según los dos esquemas propuestos (correspondientes a los actos I y II) vemos que la relación cuantitativa de los personajes destaca a Climando como el personaje principal. Se relaciona con todos los personajes y, cuantitativamente (358 intervenciones), es el que participa más abundantemente en la acción. Le sigue Mita (221 emisiones) que, en el primer acto sólo se relaciona una vez con Apal y no habla con el Viejo (135 emisiones) que sería el tercer personaje de la obra en importancia. Apal resulta ser el que cuantitativamente (101 emisiones) tiene menos importancia (si no contamos el Guardia —nueve emisiones) y el jefe que sólo habla con el Guardia). Sin embargo, al estudiar el proceso de los personajes veremos que la efectividad de cada uno de ellos tiene un valor inverso al de su participación cuantitativa.

### 1.1. *Climando*

Aparece, desde el principio de la obra, como un personaje preocupado por sus obligaciones que poco a poco irán aclarándose, con un sistema al que parece querer integrarse. Esas obligaciones se concretan en pagar el alquiler del triciclo que, según vemos en la obra, le sirve como instrumento de trabajo. También desde el principio de la obra se contrapone su preocupación por *cumplir* con ese sistema a la falta de interés que, con respecto a ese mismo sistema, manifiesta su compañero Apal. Dicha preocupación de Climando va unida a un aparente conocimiento de los mecanismos de ese sistema. Durante todo el primer acto (según aparece en el esquema) va a ser el centro de relación de todos los personajes. El autor parece complacerse en mostrar y analizar el comportamiento y las contradicciones del personaje Climando [11].

Durante este primer acto, Climando, opone su brillantez y seguridad a la inseguridad y la falta de memoria del personaje de Mita. También aparece siempre superior al Viejo flautista con quien, durante toda la obra, establece una relación lúdica a través de juegos-rituales. Ante la inactividad de Apal, Climando parece un personaje vivo y complejo en medio de sus contradicciones. En realidad, Climando pretende pactar con el sistema porque conoce sus mecanismos y, en el universo espacialmente reducido y casi cerrado de la obra, se debate por sobrevivir durante todo el primer acto.

En el segundo acto (siempre según el esquema propuesto) Climando deja de ser el centro de la acción. Todos los personajes (unos más y otros menos) se relacionan entre sí. Precisamente durante el segundo acto va a iniciarse el proceso de descomposición de Climando, proceso íntimamente relacionado con el asesinato que él no ha propuesto, pero ha decidido. Climando no llega nunca a tener conciencia de la verdadera estructura del sistema al que pretende integrarse. Conoce algunos de sus mecanismos (hay que pagar el alquiler para no ir a la cárcel, por ejemplo), pero la estructura del sistema de relaciones que mediatiza su existencia no le resulta comprensible. Así no podrá comprender por qué llegan los guardias. No tiene conciencia de haber robado el dinero, sino de haber solucionado el problema del alquiler. Conoce el mecanismo del alquiler pero, aunque más tarde resulta que, efectivamente, sabía que robaba, no podía relacionar el binomio alquiler-robo, que él había creado, con la aparición de la policía y su detención y muerte.

---

[11] El nombre de Climando está relacionado con el del autor (Fernando) y con la palabra *clima,* que en su forma de gerundio (de un hipotético verbo 'climar') podría indicar el interés del personaje (a través de toda la obra) por cambiar y adaptarse a todas las situaciones. Retengamos, como nota más característica la relación Climando-Fernando (Arrabal) por lo que hay en ella de manifestación de marginalidad y, en realidad, de exilio con respecto a un sistema que el personaje no comprende y con el que no puede identificarse.

En Climando coexisten de una manera confusa y muy viva la capacidad de proponer un discurso sintácticamente impecable, pero semánticamente disparatado y la incapacidad para ejemplarizar ese discurso. Se refiere siempre a un ejemplo que luego resulta no servir para nada [12]. En realidad, Climando pertenece a un universo distinto (marginal o marginado, que puede producir como conciencia posible el exilio voluntario de ese universo) del que lo mediatiza durante la obra. De ahí que sus ejemplos no tengan ninguna ejemplaridad en el contexto.

Durante todo el segundo acto, Climando irá perdiendo ascendiente sobre Mita y el Viejo. En la primera mitad del segundo acto, ese proceso de degradación se hará a pesar del personaje, pero poco a poco, Climando va identificándose más con Apal (su verdadero compañero que trabaja, sufre y muere con él). Toma conciencia de que sus intereses sólo coinciden con los de Apal, marginado radical, y no con el Viejo y con Mita que si en el primer acto parecen estar más cerca de él, en el segundo lo abandonan. Efectivamente, según hemos visto anteriormente, Climando parece estar ideológica y emocionalmente más cerca de Mita y del Viejo. Con ellos puede hablar, hay intercambios, e incluso, cuantitativamente, su relación parece más estrecha con esos personajes cuya visión del mundo parece coincidir con la suya en todo, salvo en la voluntad de sobrevivir. Climando, radicalizado por la acción (el asesinato) propuesta por Apal irá tomando, poco a poco, conciencia de su diferencia radical con los

---

[12] «CLIMANDO.—Siempre te olvidas de todo. ¿Te acuerdas de aquel día en que cuando ibas por la calle Menor del brazo de Apal te encontraste un tranviario y le dijiste: "Oiga, no se marche, que mañana es mi santo" y entonces el tranviario se marchó carretera adelante sin hacerte caso?»

Y, más adelante:

«CLIMANDO.—Eso dices ahora, pero luego si tuvieras muchos billetes todo sería tener cosas tontas y feas que no sirven para nada. Por ejemplo, a Titano, el hijo de Malín, le dio una pulmonía cuando tenía cinco meses y luego cuando tuvo seis años se cayó por las escaleras.»

Finalmente:

«CLIMANDO.—No, no, no y no. Además, usted recordará que en la calle del Peine había una fuente. Bueno, pues esa fuente se inundó el otro día cuando se cayó en ella un carro de paja.»

personajes de Mita y el Viejo, que, continuando al margen del sistema (no comprenden la lengua de los guardias) van a aceptar sobrevivir en él, incluso oponiéndosele de una manera más oportunista (que también podría indicar un proceso de identificación en el Viejo) o de forma más radical (Mita). En definitiva, la obra nos muestra el proceso de radicalización, con respecto a un sistema exterior incomprensible, de Climando, y su progresiva identificación con un personaje que parece ser consciente de la estructura (inatacable e inaceptable) de ese mismo sistema. Dicha identificación será llevada a sus últimas consecuencias en una solución radical a la imposibilidad de adaptación al sistema: la muerte.

### 1.2. *Mita*

Este único personaje femenino de la obra resulta ser extraordinariamente revelador de los procesos anteriormente indicados. Propone, desde el principio, su deseo de escapar al sistema suicidándose. Climando (que todavía anda pactando con el sistema) a pesar del amor que le tiene (amor en que no aparecen, en absoluto, connotaciones eróticas) está de acuerdo con ella en que hay que *escapar,* pero él tiene que pagar el alquiler del triciclo... En adelante, Mita mostrará su dependencia con respecto a Climando hasta el momento en que (tras recibir la gran prueba de amor-confianza: llevar el triciclo al garaje) aparece el hombre de los billetes. A partir de aquí, insistimos, Mita, que apoyará más tarde la proposición de asesinato hecha por Apal, cambia radicalmente su actitud para con los otros personajes y el sistema. Se le revela el mundo del dinero y la posibilidad de sobrevivir y disfrutar (consumir) los bienes que ese mundo pondrá a su alcance. Durante todo el segundo acto irá tomando, poco a poco, una posición de supervivencia y pacto con la realidad. Ella ha participado en la elaboración del proyecto de asesinato, pero salvará indemne, a pesar de haberse aprovechado del dinero robado, el obstáculo de las consecuencias. A partir de aquí y, únicamente a nivel de la supervivencia y el pacto, se irá identificando con el

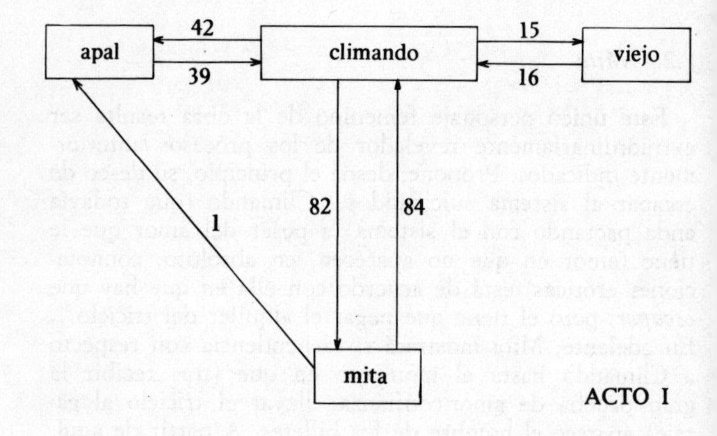
apal
climando
viejo
mita
42
39
15
16
82
84
1
ACTO I

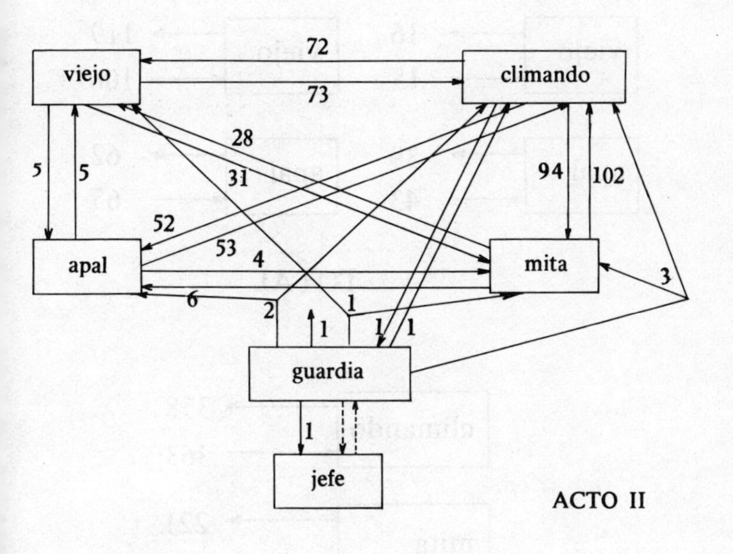
viejo
climando
apal
mita
guardia
jefe
72
73
28
31
5
5
52
53
4
6
2
1
1
1
1
94
102
3
1

ACTO II

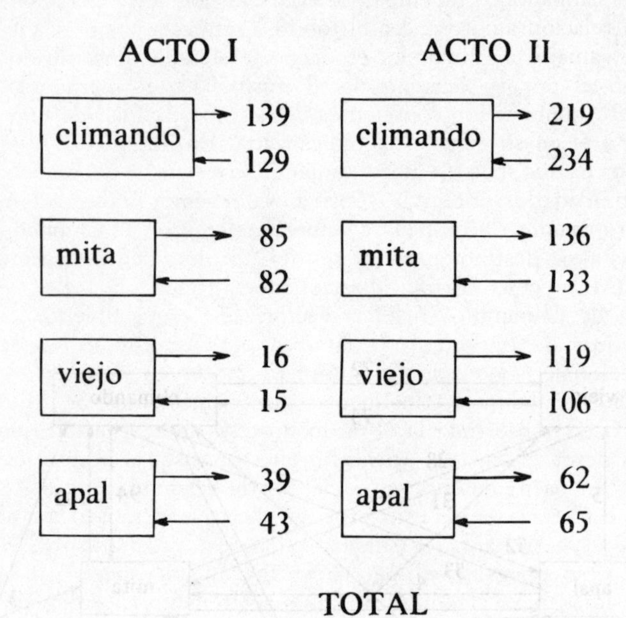
ACTO I
climando
139
129
mita
85
82
viejo
16
15
apal
39
43
ACTO II
climando
219
234
mita
136
133
viejo
119
106
apal
62
65

TOTAL

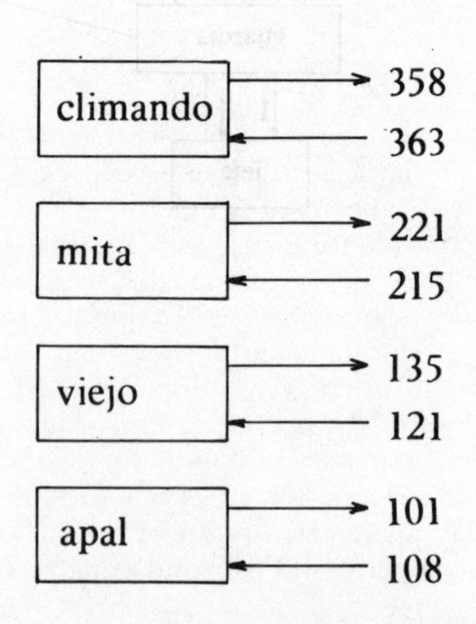
climando
358
363
mita
221
215
viejo
135
121
apal
101
108

Viejo y apartándose de la influencia que sobre ella ejercía Climando. Sin embargo, continúa con este personaje su relación amorosa. En el fondo, tanto ella como el Viejo «aman» a Climando, es decir, se sienten identificados con él por su pertenencia al mismo sector marginado. Pero también son conscientes de la imposibilidad de unirse a él en su conciencia radicalizada. En definitiva, Mita que ha ido poco a poco tomando conciencia de esa posibilidad de sobrevivir y pactar que hemos indicado anteriormente, acompañará emocionalmente a Climando hasta su destino, pero se sentirá absolutamente opuesta a ese proceso de radicalización que propone la trayectoria de Climando. Dicha trayectoria es, esencialmente, la mantenida durante toda la obra por Apal, y, con este personaje, su relación es mínima (7 intervenciones en total). Señalaremos, finalmente, que el personaje de Mita sufre durante toda la obra un proceso de adaptación que va desde el suicidio inicial propuesto, hasta la aceptación de un pacto de supervivencia con la realidad. Anotamos la diferencia entre este proceso y el que hemos descrito en el personaje de Climando que es, precisamente, el proceso opuesto: de un pacto de supervivencia con la realidad pasa a radicalizar su carácter marginal en su detención y muerte.

### 1.3. *El viejo de la flauta*

La exposición de este personaje resulta mucho más homogénea que la de los dos antecedentes. Desde el principio, el Viejo muestra una relación de competencia con Climando que continuará hasta el final. Pertenece, sin duda, al mundo de los marginales, pero, al mismo tiempo, sirve de relator entre ese mundo y la realidad exterior. Sólo él y Mita salen de la escena. Trae siempre las noticias, y sus ausencias y posteriores apariciones marcan un cambio en el discurso de la obra. Hay algo indefinible y sucio en su exposición. Así, por ejemplo, su interés por acariciar a los niños y el hecho de que, en ocasiones, les quite las meriendas. También resulta significativa esa oposición competitiva a Climando que marca su inferioridad con respecto al personaje principal. Durante toda la obra parece envidiar la inteligencia y el éxito de Climando: le envidia su capacidad como razonador y su triciclo. Descubre el asesinato y, en esta ocasión, mantiene su único diálogo con Apal, diálogo marcado por un tono de reproche y por una clara distanciación con respecto al personaje que siempre duerme. Podría imaginarse una relación posible entre esta escena con Apal (el descubrimiento del crimen) y la noticia del asesinato que pone en movimiento a la policía. Él es el único personaje que tiene relación con el exterior y, tras constatar los hechos, sale de la escena afirmando claramente que no quiere saber nada del asunto. Su posible función de delator habría librado al personaje de Mita... Aunque no parece comprender el lenguaje del guardia en escena, es obvio que puede comunicar con la policía porque sabe que vienen a buscar a Climando y a su amigo Apal.

De todas formas, pertenece al mundo de los marginados y declara con Mita que *ama* a Climando, pero no parece tener ningún tipo de relaciones con Apal.

Al final de la obra recibe la *herencia* deseada de Climando, quien le dice que se ande con cuidado para no convertirse en tortuga. El Viejo reconoce la alusión porque replica:

> CLIMANDO.—Sí. Pero no pida más que se va a convertir en tortuga.
> VIEJO.—Casi no me doy cuenta.

Debemos, pues, pensar que pertenece al universo de Climando, pero que, como ha venido haciendo desde el principio, continúa pactando y oponiéndose, así, al proceso de radicalización que es el de Climando. Sin embargo, no pide nada (como Mita) a Apal. Efectivamente, Mita, al final de la obra expoliará hasta de su chaqueta (que necesita, porque tiene frío) a Apal.

### 1.4. *Apal*

Este personaje que duerme constantemente, nos parece el personaje más revelador de la obra. El total de sus intervenciones en la obra (101) resulta ser el menos importante cuantitativamente. Sin embargo, su actitud nos resulta extraordinariamente clarificadora. Desde el principio duerme y, sobre todo, no manifiesta ningún interés por participar en la acción que Climando le había propuesto. Casi al principio de la obra propone ya la única solución posible para poder «dormir calientes»: morir. Como sabemos, esta solución (a la que, en principio, se rehúsa Climando) será la que finalmente resultará elegida. Apal, no sufre luchando para solucionar una situación que no le parece tan importante como lo es para Climando:

> APAL.—En casos peores hemos estado.

Mientras Climando intenta buscar una solución que les permita pagar el alquiler del triciclo, Apal vuelve a dor mir. Durante su sueño Mita y Climando muestran los primeros indicios de que Apal es diferente:

> CLIMANDO.—Estupendo. Y como cuando está despierto nunca se preocupa por nada, no puede vivir mejor. Mucho peor lo pasamos nosotros que siempre tenemos que huir de los guardias y de los porteros y de los hombres con billetes. Y lo peor de todo es que no tenemos dinero para pagar el plazo del triciclo. *(Pausa.)* Nos llevarán a la cárcel.

Apal sabe que no puede hacer nada y se mantiene al margen. Prefiere dormir antes que actuar contra un sistema omnipotente, porque conoce la imposibilidad de una acción eficaz:

> APAL.—¿Qué pasa?
> CLIMANDO.—Que tenemos que encontrar el dinero para pagar el plazo del triciclo.
> APAL.—¿Dónde?
> CLIMANDO.—Pues eso, que no sé en dónde.
> APAL.—Da lo mismo.
> CLIMANDO.—Es que nos meterán en la cárcel.
> APAL.—Porque pueden.
> CLIMANDO.—Y nos quitarán el triciclo.
> APAL.—Porque pueden.
> CLIMANDO.—Y tú y yo ¿qué vamos a hacer?
> APAL.—Yo dormir.

CLIMANDO.—Hay que pensar algo.

APAL.—Yo tengo que dormir, cuando pienso me entra hambre y frío.

CLIMANDO.—Sí, es lo malo de pensar.

APAL.—Y sobre todo que las cosas que se piensan son muy aburridas.

CLIMANDO.—¿Por qué no piensas en chistes?

APAL.—No sé.

CLIMANDO.—Eso sí que es malo. *(Pausa.)* ¿Pero no se te ocurre nada para poder pagar el triciclo?

*(Entra* MITA. APAL *aprovecha la llegada de la mujer para ponerse a dormir.)*

Sin embargo, en cuanto aparece la posibilidad de actuar, en cuanto vislumbra una solución, se convierte en el personaje más eficaz. Así, da la idea del asesinato proponiendo de esta manera una radicalización que iniciará un proceso, ya irreversible, que les llevará a una muerte *decidida por ellos* y no por el sistema. La única actuación de Apal es eficaz y definitiva pero, sobre todo, se realiza de una manera colectiva. Mita y Climando participan y todos ponen en marcha el plan que Climando (personaje central, según hemos visto) decide en nombre de todos. Una vez decidida la acción, Apal actúa como organizador.

Después del asesinato, espera que los acontecimientos se desarrollen según ha previsto él. Apal no duda un momento en relacionar la presencia de los guardias con el asesinato del hombre de los billetes.

Cuando es detenido, no trata de escapar, como Climando, porque él ha elegido libremente su solución. Durante toda la obra mantiene una relación (la única importante) estrecha con Climando (92 de sus 101 intervenciones). Parece que, según Arrabal, existe una especie de alianza entre estos dos personajes que tienen menos en común que Climando y Mita, por ejemplo. Sin embargo, están unidos por un mismo interés económico (la explotación del triciclo), un mismo proyecto de solución (la radicalización progresiva) y un mismo destino (la muerte). Sobre estos elementos de unión reposa, según la obra, el sistema de relaciones humanas más eficaz. Efectivamente, Climando, según hemos señalado, debería sentirse más ligado al Viejo y, sobre todo, a Mita, con quienes coincide mucho más no sólo a nivel ideológico, sino también a nivel cuantitativo, según vemos en los esquemas propuestos.

En definitiva, Apal atraviesa la obra como un personaje perfectamente consciente de su imposibilidad de pactar. Al mismo tiempo hay que señalar su alianza con Climando (basada en razones de tipo económico) y su falta de relación importante con los otros dos personajes. Efectivamente, sólo se relaciona con el Viejo en el momento en que éste descubre el crimen, y con Mita su relación más significativa se sitúa al final de la obra cuando la mujer le pide insistentemente su chaqueta que ya no le servirá por mucho tiempo, puesto que va a morir. Anotemos aquí, ese impulso dominador excesivo de Mita hacia Apal que, finalmente, ha de ser reconocido como el personaje más consciente.

> CLIMANDO.—*(Con ternura.)* ¡Al cielo! Sí, es verdad, iré al cielo con las ovejas y con los tranvías, y con los burritos que hacen una V con sus orejas, y con los hombres que conducen triciclos, y con los niños del parque, y con los viejos que tocan flautas y violines, y con las monjitas, y con las hojas de los árboles...
> MITA.—*(Cortándole.)* Yo también iré.
> CLIMANDO.—Sí y Apal.
> MITA.—¿Apal? Apal, no, sabe muchas cosas.
> CLIMANDO.—Sí, pero lo disimula, y es bueno, y duerme todo el día para que nadie se dé cuenta de que sabe tanto.
> MITA.—Pues en el cielo no irá a dormir. ¡Estaría bueno! Ten en cuenta que va a ocupar el sitio de otro.

## 1.5. *Los guardias*

Su aparición tiene únicamente una connotación represiva. Parecen insensibles a todo tipo de relación humanizada. Son los representantes de un sistema opresivo y distante. La característica más importante de estos personajes secundarios, pero muy significativos, es su lenguaje ininteligible para los marginales y para los espectadores. Arrabal utilizará ese lenguaje ininteligible para identificar al espectador con el universo de los marginales y enfrentarlo así a la realidad opresiva de un sistema incomprensible, pero poderoso y omnipresente.

## 2. Entre el silencio y el exilio

Nos parece encontrar en esta obra de Fernando Arrabal la transposición del sistema de relaciones establecido entre un sistema económico-político y dos grupos marginales a ese sistema.

El sistema económico-político transpuesto aparece como un sistema anónimo (sin cabezas visibles), opresivo (aparición de los guardias) y absolutamente extraño al universo humanizado de los marginales (al lenguaje de los guardias) que parecen ser los supervivientes de un sistema anterior distinto (valor ejemplar del discurso en Climando). Finalmente, señalemos que el sistema de relaciones de producción aparece transpuesto en el triciclo, alquilado por alguien (no nombrado), que es el propietario, a Climando y Apal, que lo utilizan como instrumento de trabajo, y que da nombre a la obra.

Los dos grupos que aparecen transpuestos en la obra serían: en primer lugar, el formado esencialmente por Mita y el Viejo (al que también pertenece ideológicamente Climando antes de iniciar su proceso de radicalización) y el de Apal (al que poco a poco se unirá Climando, que desde el principio de la obra aparece económicamente ligado a Apal). El primer grupo propuesto pretende, durante toda la obra, subsistir en la contradicción. Los personajes que lo componen poseen una cierta coherencia basada en un sistema de valores (inteligencia, productividad, propiedad, religión, amor, etc.) que resulta, en el contexto del nuevo sistema, inadecuado. Climando participa ideológicamente de esos valores, pero su actitud es mediatizada por la existencia del segundo grupo representado esencialmente por Apal. Este grupo basa su coherencia en un sistema de relaciones de tipo económico. No parece haber creado una superestructura ideológica y, precisamente por eso, mantiene ante los acontecimientos una postura de total lucidez. Su enfrentamiento con el sistema es ineluctable, y manifiesta, en su postura de silencio (sueño), una larga tradición de luchas reprimidas. Esa conciencia de lucha es la causa de su lucidez. Climando se ve arrastrado por ese grupo (Apal) a radicalizar su relación con el sistema anteriormente descrito, a causa de la alianza económica con su compañero. Dicha alianza económica viene determinada por la semejanza de la situación económica en que el grupo, cuya conciencia representa Climando, se encuentra con relación al grupo transpuesto en el personaje de Apal.

### 2.1. *El sistema*

Arrabal escribe el *Triciclo* entre 1952 y 1953. Ahora bien, sabemos que, a partir de 1951 la sociedad española inicia su reconversión al sistema capitalista de organización, cuyas características, precisamente, corresponden con las que hemos encontrado descritas en la obra. Efectivamente, se trata de un sistema capitalista ya que hay alguien que posee los medios de producción (el triciclo es alquilado) y otros que sólo poseen su fuerza de trabajo (Apal y Climando). Dicho triciclo aparece en la obra como un instrumento de trabajo degradado, viejo, oxidado, pero que antes había sido hermoso para Climando: «Y cuando diga que tus ojos son verdes y bonitos como era el triciclo antes de ponerse feo...» Efectivamente, Climando se une a Apal para trabajar con el triciclo y en ese momento deja de ser extraño al grupo de los que sólo tienen su fuerza de trabajo:

> CLIMANDO.—Pero no somos tan pobres, tenemos el triciclo. *(Pausa.)* Lo malo es que como mañana no paguemos el plazo nos lo quitan. Y aún estamos sin nada.

El sistema, es pues, un sistema capitalista que debemos identificar con el capitalismo de organización, ya que en la obra las alusiones son irrefutables. En primer lugar, consideremos la imagen propuesta (dos veces) por Climando: la tortuga. Este animal lleva la casa a cuestas. Una casa tan pesada que sólo le permite movimientos lentos y, además, le sirve de protección al encerrarse en ella. Nos parece encontrar aquí una imagen perfecta del sistema de relaciones sociales en el capitalismo de organización, en el que la casa se convierte en refugio (considérese la situación en las grandes ciudades como Nueva York, por ejemplo) y en elemento separador de grupos y de individuos, que constituye el universo cerrado y anónimo de los grandes conjuntos residenciales.

CLIMANDO.—Se me ocurre una cosa. ¿Por qué no le quitamos los billetes que lleva en la cartera?

MITA.—¿Y qué vamos a hacer con tantos?

CLIMANDO.—Le podemos quitar sólo los que necesitamos para pagar el plazo del triciclo.

MITA.—¿Sólo?

CLIMANDO.—Le podemos también quitar algo para comprar cuatro bocadillos, uno para Apal, otro para el viejo, otro para ti y otro para mí.

MITA.—Y un brasero.

CLIMANDO.—Y... *(contrariado.)* No vamos a pedir más porque si no nos convertimos en tortugas.

Y, más adelante, cuando el Viejo, entusiasmado con la herencia, pide a Climando todo lo que éste posee:

CLIMANDO.—... Pero no pida más que se va a convertir en tortuga.

Además, hay varias descripciones de ese sistema basado en los bienes de consumo:

CLIMANDO.—Eso dices ahora, pero luego si tuvieras muchos billetes todo sería tener cosas tontas y feas que no sirven para nada.

Más adelante, cuando Climando ya se ha radicalizado, discute con la mujer oponiendo su visión humana a la visión tecnocrática que sirve ahora de identificación a Mita [13].

---

[13] CLIMANDO.—Es un oficio. Y todo el mundo dice que lo mejor es saber un oficio.

MITA.—Mejor será tener muchos billetes.

CLIMANDO.—Mejor aún es saber volar de rama en rama sin caerse nunca.

MITA.—Mucho mejor es tener mil aviones.

## 2.2. *Los grupos*

Dentro del sistema descrito anteriormente, Arrabal propone la peripecia de dos grupos marginados:

### *La pequeña burguesía*

Aparecería transpuesta en tres personajes que manifiestan poseer una visión del mundo idéntica: Mita, el Viejo y Climando (si bien los tres personajes representan tres tipos de conciencia posible dentro del sistema). Pensamos en una visión del mundo pequeñoburguesa puesto que los personajes citados, según hemos ido viendo, poseen un sistema coherente de explicación del mundo que les rodea basado en elementos de una superestructura ideológica burguesa. Tienen fe en el discurso lógico (aunque degradado) y no llegan nunca a considerar la inadecuación de su discurso en el nuevo contexto. Así, también, nos parecen indicar los ejemplos que Climando utiliza constantemente a pesar de que hayan perdido ya su carácter ejemplar. Las alusiones al valor del individuo y a sus posibilidades intelectuales o morales representan, por su carácter irrisorio, una transposición del individuo unidimensional en la sociedad de consumo. Tratan de buscar refugio en una ideología religiosa absolutamente primaria e inoperante. El carácter marginal de la pequeña burguesía en el sistema capitalista actual es obvio. Asistimos a un proceso de reducción de esa pequeña burguesía que tendría como consecuencia la inserción, a nivel económico, de ese grupo en una clase obrera cada vez más extensa. Sin embargo, dicho proceso significa

---

CLIMANDO.—Mejor es saber nadar debajo del agua sin salir a la superficie durante cuarenta y cinco horas.

MITA.—Mucho mejor es tener mil submarinos.

CLIMANDO.—Mejor es estar cantando todo el día subido en la copa de un árbol.

MITA.—Mucho mejor es tener mil deseos.

una crisis de conciencia que está perfectamente transpuesta en la obra. Los viejos valores no sirven y los nuevos no existen. De aquí que Mita pretenda oponerse afirmando su marginalidad, pero rehusando radicalizarla. El Viejo, sobre el que planea la duda de una traición, es ya demasiado viejo para suicidarse y mantiene una relación más estrecha con el sistema, según hemos visto anteriormente. Menos inteligente que Climando, no puede sino pactar para sobrevivir. Finalmente, Climando va poco a poco radicalizando su carácter marginal y une su porvenir al de Apal en una alianza de tipo económico que es una transposición de esa identificación progresiva de la pequeña burguesía con el proletariado.

*El proletariado*

Apal, según hemos visto, no pacta con el sistema y es perfectamente consciente no sólo de los mecanismos del poder (opresión, guardias, porteras, etc.; reificación: triciclo, herencia, etc.), sino de su estructura básica (explotación). Esta coherencia extrema del personaje coincide, además, con la situación de la clase obrera española de la época. Después de la guerra civil, la clase obrera no puede manifestarse. El sistema autárquico empieza a evolucionar para estructurarse en una sociedad de consumo. Ahora bien, sin posibilidad de organización, como en los otros países occidentales, donde existen libertades formales, el proletariado parece dormir y sólo se manifiesta, de una manera violenta, en acciones no organizadas y no necesariamente reivindicativas (Granada, El Ferrol, etc.). Puede pensarse que estas conclusiones sobrepasan al análisis del *Triciclo,* pero en realidad están íntimamente ligadas, según hemos ido viendo, a la estructura social, política y económica transpuesta en la obra de Fernando Arrabal.

Permítasenos concluir anotando el proceso de identificación de Arrabal con una posición marginal que le conducirá al exilio como única salida posible al gran ceremonial que estructura en su obra y que corresponde a los estertores, quizá últimos, de una clase social. Sirven estas palabras como introducción a este *Triciclo* viejo y nuevo, antiguo y casi sin terminar, en el que palpitan y mueren atónitos los héroes marginados de la primera producción arrabaliana.

## Presentación y análisis de *El laberinto*

### *Nuestra edición*

Al contrario que en *Pic-Nic* y *El triciclo,* esta obra parece haber sido escrita por Arrabal en un proceso de creación muy continuado, sin grandes rectificaciones ni cambios posteriores. Bien es verdad que sí existen variantes entre los diferentes manuscritos que hemos utilizado, pero nada comparable a lo que ocurría en *Pic-Nic*. Desde el primer momento, Arrabal parece tener una idea exacta de la estructura de la obra e incluso elementos concretos para su realización. La obra gana así una gran coherencia que el autor se encarga, además, de perfilar en los manuscritos posteriores.

Desde un punto de vista puramente exterior, puede decirse ya que Arrabal encuentra aquí, por primera vez en su teatro publicado, un problema escénico que trata de resolver gráficamente. Así, el boceto o maqueta del escenario que propone al empezar la obra trata de insistir en el carácter cerrado y agobiante de la atmósfera que rodea a los personajes del *Laberinto.* Más adelante, se ve en la necesidad (véase la nota número 55 de nuestro texto) de establecer, también gráficamente, la descripción del «escenario» del «juicio» a que es sometido Esteban. Una y otra solución aseguran al lector que este primer teatro de Arrabal ha sido escrito para ser representado en escenas a la italiana.

La presente edición es el resultado de cotejar cinco versiones (aquí hablaremos siempre de manuscritos para evitar confusiones) distintas de la obra. Si, como ya hemos dicho, no existen variantes espectaculares entre los cinco manuscritos, bien es verdad que el delicado hilo de la creación muestra aquí de una manera más evidente el caminar preciso del dramaturgo (perfilando sentidos, evitando informes bruscos, negando soluciones palmarias) hacia una perfección posible y realizada. Quizá por ello resulte la edición crítica de esta obra más útil al estudioso. En ella el proceso de creación muestra sus más delicados espejos.

Hemos llamado manuscrito A al original mecanografiado[1] en que se encuentra la primera versión de la obra. Es posible que en el Hospital Foch[2] Arrabal redactara unas notas previas a la redacción de la obra, pero nos parece evidente que el que utilizamos es el primer manuscrito íntegro de ella. Como señalamos en reiteradas ocasiones el autor se corrige a sí mismo durante la redacción y cambia «sobre la marcha» intervenciones o situaciones.

La corrección manuscrita del anterior da lugar al que hemos llamado manuscrito B. Como podrá observarse, si se estudian detenidamente las variantes aportadas por este manuscrito, en general se trata en él de aclarar el sentido general de la obra, evitando defectos de estilo (casi siempre repeticiones de palabras) y aclarando situaciones o conceptos que podían hacer cambiar —aunque fuera levemente —la perfecta coherencia de la estructura final.

El manuscrito C es, en nuestra edición, la versión castellana que el autor publicó en la revista *Mundo Nuevo*[3]. Esta edición de 1967 sigue, en general, el manus-

---

[1] Véanse las notas 36, 43 y 48 de nuestro texto del *Laberinto*.

[2] El dato es de Bernard Gille (*Arrabal,* París, Seghers, 1970, página 180): «Opéré a l'hopital Foch (Suresnes). Il y écrit *Le Labyrinthe, Les Deux Bourreaux.*» Pensamos que sólo escribió notas para el texto definitivo, porque la máquina de escribir utilizada para el manuscrito original es la misma vieja máquina, que todavía conserva Arrabal, y que ha «creado» la mayoría de sus manuscritos, según nos dice el mismo Arrabal.

[3] *Mundo Nuevo,* núm. 15, septiembre de 1967, págs. 9-26. Contiene esta revista la siguiente «Nota sobre *El Laberinto*» que aparece sin firma y que, dada la poca accesibilidad de la revista nos parece oportuno reproducir en nuestra edición:

> Escrita en 1956 y publicada en el segundo volumen de su *Théâtre* (París, Les Lettres nouvelles), *El laberinto* no

crito B. Comete, sin embargo, algunas equivocaciones de transcripción, que señalamos, y, sobre todo, tiene el gravísimo inconveniente de ignorar la primera edición francesa[4] de 1961, que sí ofrece cambios de importancia. Esta primera edición francesa es nuestro manuscrito D.

Finalmente, constituye nuestro quinto, y último manuscrito cotejado el de la segunda edición francesa[5] —de 1968— corregido por el autor y que, por tanto, presenta bastantes variantes con respecto a la primera edición francesa y, por supuesto, muchas más si lo comparamos con las tres versiones castellanas que utilizamos en nuestra edición. Este manuscrito E está más cerca, como acabamos de decir, del manuscrito francés de 1961 que del castellano (ms. C) de 1967. Ello indica la casi completa autonomía de los manuscritos castellanos y fran-

---

fue representada hasta 1966, y su versión española original permanece inédita hasta hoy. Es, sin embargo, una de las obras más importantes de Arrabal y una de las que trata en forma más profunda el tema central de su teatro: la existencia de una autoridad implacable que, a su vez, depende de aquellos seres a los que domina y aplasta. Al autorizar su publicación en *Mundo Nuevo,* el autor nos ha pedido que incorporásemos como material complementario un texto sobre su padre, Fernando Arrabal Ruiz, texto que ninguna publicación española ha podido publicar. Para ilustración del lector conviene agregar que Arrabal ha contado que el día del arresto de su padre, su madre se negó a permitir que se despidiese de sus hijos con un beso: «No era digno. Se le condenó a muerte, después se le perdonó, luego se le encerró en un hospital psiquiátrico, luego nada. Mi madre nos dijo que había muerto en 1936, pero eso no era cierto. En casa era indecente pronunciar su nombre. En 1961, hice algunas averiguaciones, entré en la prisión de Burgos, ¡yo, Arrabal! Me mostraron los expedientes. Vi asimismo el hospital: el tren Madrid-París pasa bajo sus ventanas. Y si él hubiera saltado al tren, si estuviera vivo...» (Declaraciones tomadas de un artículo de Alain Schiffres, en la revista *Réalités,* París.) Sobre este mismo tema, Arrabal ha compuesto ahora un texto más amplio, también inédito, que va a leerse.

[4] Como demostramos en nuestra edición crítica de la obra, la edición de *Mundo Nuevo* sigue los manuscritos castellanos, haciendo caso omiso de los cambios propuestos por Arrabal en la primera edición francesa (véanse las notas 3, 12, 19, 29, 38, 42, 47, 50, etc., de nuestro texto), París, Julliard, 1961, y que contiene un prefacio de Genevieve Serrau.

[5] París, Bourgois, 1968.

ceses. En realidad, se corre ahora el peligro de publicar manuscritos castellanos que se consideran (incluso por el mismo autor) últimas versiones de la obra, cuando, en realidad, se trata de versiones acabadas antes de que el texto haya sido traducido al francés. Si tenemos en cuenta que en la revisión de las traducciones Arrabal continúa transformando el texto y, en el caso de segundas ediciones, propone cambios de importancia, tendremos que el resultado de una edición castellana que simplemente dé como definitivos los manuscritos castellanos que el autor propone, será, en general, un desastre como el de *Ciugrena* o el de la edición de *El arquitecto y el emperador de Asiria*[6]. Resultaría además una desgracia irreparable, a corto plazo, para la literatura dramática española que la obra de Fernando Arrabal se viera más fielmente divulgada en francés que en la lengua que la vio nacer.

Finalmente, queremos ofrecer, a continuación, el texto «Fernando Arrabal Ruiz», escrito por Arrrabal para acompañar la primera edición castellana de *El laberinto* en la revista *Mundo Nuevo.* El texto nos parece importante porque aclara de una forma palmaria la intencionalidad del autor y niega toda posibilidad de explicación abstracta o idealista de la obra. Apareció este texto también en la revista *Les Lettres Nouvelles* («Fernando Arrabal Ruiz, mon père», oct./nov. 1967) y más tarde, Alain Schiffres lo reprodujo como apéndice de sus *Entretiens avec Arrabal*[7].

[6] Nos referimos a la edición de Taurus, Col. Primer Acto, en la que *Guernica* se ha convertido en *Ciugrena* y a la del *Arquitecto...,* aparecida en la revista *Estreno,* de la Universidad de Cincinnati (USA), en la que aparece el texto trastocado —problema grave en una obra tan exacta en la construcción como es ésta— y no tiene en cuenta... advirtiendo que existen variantes en las ediciones francesas.

[7] París, Pierre Belfond, 1969.

Fernando Arrabal Ruiz

Un hombre me enterraba los pies en la arena. Era la playa de Melilla. Recuerdo sus manos junto a mis piernas. Yo tenía tres años. Mientras el sol lucía, el corazón y el diamante estallaban en infinitas gotas de agua.

A menudo me preguntan qué es lo que más me ha influido, lo que más admiro, y, entonces, olvidando a Kafka y a Lewis Carroll, el terrible paisaje y el palacio infinito, a Gracián y a Dostoyevski, los confines del universo y el sueño maldito, digo que es un ser del que sólo logro recordar sus manos junto a mis pies de niño: mi padre.

Durante años viajé por España en busca de sus cartas, de sus cuadros, de sus dibujos. Mi padre pintaba y cada una de sus obras despierta en mí universos de silencio y de gritos que recorren cien mil caballos cubiertos de lágrimas.

En Melilla la guerra civil comenzó el 17 de julio y mi padre —Fernando Arrabal Ruiz— fue arrestado dos horas después en su propio domicilio y condenado a muerte por «rebelión militar». A veces, cuando pienso en él, la naranja y el cielo, el eco y la música se visten de arpillera y de púrpura.

A los nueve meses la pena le fue conmutada por la de treinta años y un día. Pero yo sólo recuerdo de él sus manos junto a mis piececillos de niño enterrados en la arena de la playa de Melilla. Y cuando le llamo, el silencio se llena de escaleras de hierro y de alas.

Pasó por las prisiones de Melilla, Ceuta, Ciudad Rodrigo y Burgos. En el Peñón del Hacho de Ceuta intentó suicidarse cortándose las venas y yo, aún hoy, siento su sangre, húmeda, sobre mi espalda desnuda.

El día 4 de noviembre de 1941, al parecer «enajenado mental», pasó de la Prisión Central de Burgos al manicomio del Hospital Provincial de la misma ciudad. Cincuenta y cuatro días después se escapó y desapareció... para siempre. En mis peregrinaciones he encontrado a sus guardianes, a sus enfermeros, a su médico..., pero su voz y sus gestos sólo puedo imaginarlos.

El día que desapareció había un metro de nieve en Burgos y los archivos señalan que no tenía documentación y que tan sólo iba vestido con un pijama. Pero con él he viajado —en imaginación— cogidos de la mano, por senderos y galaxias, acariciando fieras inexistentes y bebiendo en manantiales y cacimbas.

Mi padre, que era «rojo», había nacido en Córdoba, en 1903. Su vida, hasta su desaparición, fue una de las más dolorosas que conozco. Me complazco en suponer que tengo las mismas ideas artísticas y políticas que él. Y, como él, también canto la emoción temblorosa, los espejos nadando en el mar y el delirio.

En mi propio hogar estaba presente, en filigranas, la reyerta general. Y en el álbum de fotos faltaban las suyas, o en las fotos de grupo su imagen recortada no figuraba. Pero la calumnia, el silencio, el fuego y las tijeras no extinguieron la voz de la carne que se empina sobre las montañas y me baña de luz y de linfa.

¡Cómo me emocionaría que alguien me diera noticias de él! Que me dijera: «Fui compañero de celda o de estudios o de juego; era de esta manera o de la otra; le gustaba tal cosa o tal otra.» Yo le imagino en el centro de un caleidoscopio iluminando mis lutos y mis inspiraciones.

Me dicen que algunos quieren hacerme «pagar la deuda» (!) de no haber «renegado» de mi padre bajo la forma de censuras y prohibiciones. ¡Malhaya a aquellos en cuyo corazón pervive el espíritu de guerras y tropelías!

Yo, por mi parte, tiendo mi mano fraternal a todos los que, creyendo en las ideas o tendencias más diversas, se oponen a la opresión y a la injusticia. Y es de suponer que también hubiera dicho lo mismo aquel hombre del que sólo recuerdo las manos, que enterraban mis piececillos en la arena de la playa de Melilla.

### *Génesis personal*

A nuestro parecer, la influencia de Kafka (que señala el crítico Bernard Gille) puede, en el caso de esta obra, resultar tan explicativa como los elementos autobiográficos. Nos confirma Fernando Arrabal esta influencia en términos harto elocuentes, ya que según nos dice el autor, el título original de *El laberinto* era: *Homenaje a Kafka.* Dicha influencia proviene, esencial pero no únicamente, de la novela de Franz Kafka, *América,* que el autor español leyó durante esa convalecencia en el hospital Foch. Cita Arrabal en el exergo una frase de la obra que corresponde al capítulo VIII («Le Théatre de la Nature d'Oklahoma») de la edición francesa que utilizaremos a lo largo de nuestro análisis: « ¡El gran teatro de Oklahoma os llama! ¡Sólo os llamará hoy, por primera y última vez! Franz Kafka»[8]. Inicia, pues, Arrabal su obra donde Kafka termina la suya: en la perspectiva de una nueva vida iniciada por Karl (Negro) a partir de su introducción en el universo enigmático del «Théatre de la nature d'Oklahoma».

Queremos citar aquí desde el principio de nuestro análisis, la opinión que tiene Arrabal de Kafka y la razón por la que el autor español considera importante al escritor que cita y sigue en esta obra:

> ALAIN SCHIFFRES.—Etiez-vous sensible à l'aspect kafkaïen de la vie sociale en Espagne?
>
> FERNANDO ARRABAL.—Si l'on entend par «aspect kafkaïen» absurdité bureaucratique et férocité labyrinthique, alors bien sûr; en Espagne j'ai rencontré une personnalité de droite, avec un Christ au revers de sa vest, dont les premières paroles m'ont exhorté à écrire un théâtre socialiste, et au contraire un homme de gauche m'a reçu chez, lui, dans une maison agrémentée d'innombrables bondieuseries et dominée par un immense portrait du Comte de Barcelone, Don Juan. Devant des cas de ce genre mille fois répétés (comme celui de l'intellectuel «castriste» dont on sait qu'il perçoit par ailleurs des subventions du Gouvernement de Madrid), j'éprouve un sentiment d'insécurité kafkaïenne qui, peut-être par égocentrisme de ma part, me fait voir l'humanité entière liguée contre moi pour me conduire vers je ne sais quel abîme.
>
> Quant à Kafka et à ses rapports avec l'Espagne, je dirai que c'est l'homme qu'a donné l'une des interprétations les plus originales de Don Quichotte en affirmant que Sancho est une sorte de démon qui tente son maître.
>
> Malgré tout, il est clair que Kafka n'a pas grand-chose à voir avec l'Espagne, car il a une qualité supplémentaire inconnue la-bas: son humour. Je dois avouer que je ris aux éclats quand je le lis. Je ris aussi beaucoup en lisant Dostoïevski.

---

[8] Seguimos la edición francesa de *América* por ser la que leyó Arrabal.

A. S.—Vous avez lu tout Kafka, tout Dostoïevski, comme cela, d'un trait.

F. A.—Oui, j'ai lu tout ce que je pouvais lire, tout ce qui figurait dans les bibliothèques. Par exemple, je n'ai pu lire *L'Amérique*. Je l'ai lu en France.

A. S.—Qu'avez-vous préféré dans Kafka?

F. A.—Je crois que c'es *le Procès*. Je me disais: quand on écrit comme ça, ce doit être vraiment extraordinaire d'être écrivain! [9]

Arrabal recibe la «forma expresiva adecuada» de Kafka, para transponer el proceso ridículo y trágico de un hombre acorralado.

Si los elementos autobiográficos resultan reveladores del contenido de la obra, no lo es menos el proceso a que el autor somete los datos de su biografía. Es obvio —el texto que precede en esta introducción y que fue escrito para la edición castellana de la obra, es un dato insoslayable— que Arrabal ofrece en esta obra un homenaje doble: a Kafka, que le proporciona el modo de expresión, y a su padre, cuyo encarcelamiento y desaparición sirven de malla violenta al proceso de creación.

Al destacar el contenido autobiográfico de esta obra, queremos aclarar que es, sin duda, uno de los documentos más virulentos contra el sistema franquista. La homología de la detención, encarcelamiento y proceso de Esteban con la peripecia increíble de Fernando Arrabal Ruiz, plantea en *El laberinto* una clarificación de la génesis del sistema franquista. En ella destacan la incongruencia de su génesis (las mantas que no se pueden lavar y la rebelión 'justiciera' frente al sistema legal), lo terrible de su praxis (encarcelamiento sin razón, en un laberinto de mantas y organización de una guerra fratricida para «salvar» a la Patria), así como la planificación de una represión incontrolada, inexplicable porque no-razonada, refrendada por una justicia degradada, al servicio del poderoso.

No se queda, sin embargo, a nuestro entender, la obra de Arrabal, en esta crítica feroz del sistema que encar-

---

[9] Schiffres, *op. cit.*, págs. 31-32. Hemos sabido que el hombre de derechas a que se refiere Arrabal es, según el autor, Víctor Auz, y el de izquierdas, Mariano Romero Robledo...

celó e hizo desaparecer a su padre. Más allá de nuestra guerra civil y sus horrores, se vislumbra el terror de una sociedad organizada sobre la base de un poder incontrolado y anónimo en el que se debaten los personajes arrabalianos, que «viven» el mundo trágico de nuestras sociedades avanzadas.

Que Arrabal va más allá de la estricta anécdota y de la diatriba apasionada contra el sistema franquista, es evidente en el carácter universal de esta obra. *El laberinto* ha sabido llegar a los espectadores de todo el mundo, apresados en el universo kafkiano de un sistema que no comprenden y sí sufren. Después de aclarar la génesis de esta obra, y sin olvidar su carácter de documento condenatorio de un sistema que le parece al autor injusto, incomprensible y, finalmente, criminal —con toda la legalidad que se autoconcede—, queremos proponer una reflexión sobre cómo el autor español encuentra en Kafka el modelo de expresión adecuada para ese mundo hostil e incomprensible en que se mueven sus personajes. Finalmente, colocaremos esta obra en el contexto del *primer teatro* de Arrabal: la ruptura con un sistema incomprensible y su estructuración en una ceremonia desesperada.

*El exilio y la ceremonia*

Pensamos que en esta obra la estructura global (exilio y ceremonia) que proponemos como tesis central en nuestro trabajo sobre el *primer teatro* de Fernando Arrabal, se materializa de una forma evidente.

Esteban, el personaje central, asiste al proceso-ceremonia de su condena a muerte que no es sino el resultado de los «juegos-rituales» que mantiene con otros personajes. Es víctima de Bruno, que conoce la imposibilidad de su proyecto pero jamás le aclara su situación, y engañado por el rito que celebra Micaela (hija amorosa, educada y servicial). Con la aparición de Justino, Esteban descubre instintivamente, en la persona que le detuvo, al culpable de su situación y asiste al juego-rito de la traición de Micaela. Más tarde, es el propio Justino quien «oficia» el «desequilibrio» de la mujer. Tras laboriosa «representación», Micaela consigue recuperar la confianza del condenado con el juego-rito de su inocencia y la ferocidad del padre (que ni siquiera es su padre) desnaturalizado. En el proceso de Esteban se precisan los términos de su condenación (ya decididos en los juegos-rituales anteriores) en una ceremonia y farsa de la justicia vendida. Por fin, se materializa la injusticia del proceso-ceremonia y se lanza otro juego-ritual: la aparición de Bruno que parece colaborar así a la pérdida de Esteban como antes —suponemos— habría hecho con los que precedieron al condenado. Esta escena y el final de la anterior muestran también la caza-ceremonia del animal acosado y falto de toda perspectiva de futuro. Acorralado en una situación incomprensible, superior a su propia conciencia, y al margen de toda posibilidad de escapatoria.

## 1. Los personajes

Como puede verse en el esquema propuesto, que presenta gráficamente la relación oral de los personajes en la obra, Esteban es el centro alrededor del cual se organiza la pieza. Tiene más *recepciones* (163) que *emisiones* (128), lo que nos parece indicar que «sufre» la acción de *El laberinto* como personaje «pasivo». Se relaciona con todos los personajes de la obra y es engañado de alguna manera o en alguna ocasión por todos ellos. Bruno le hace pensar que ha muerto, Micaela no deja de equivocarle en toda la obra, Justino le prepara las trampas para su condena y el Juez hace funcionar, contra él, la especialísima máquina de la justicia que maneja en la obra.

Aunque no sabemos por qué o cómo Esteban ha llegado a la situación en que nos lo presenta Arrabal, poco a poco vamos descubriendo la maquinación urdida contra él por los representantes del sistema. Según avanza la obra, sus protestas y gestos de oposición al «sistema» que lo encadena, parecen más infantiles, desprovistos de

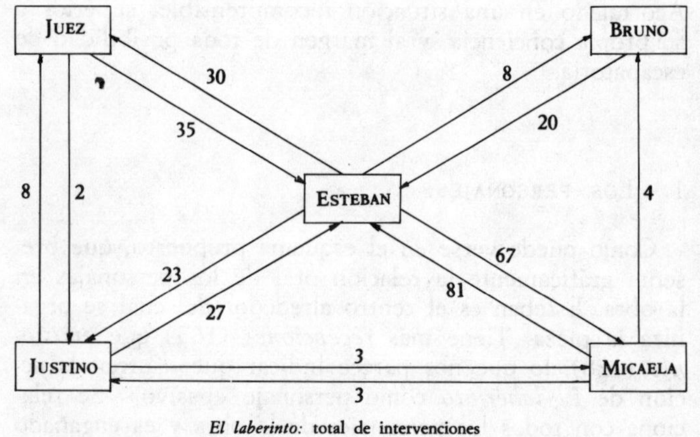


*El laberinto:* total de intervenciones

| | → | ← | total |
|---|---|---|---|
| Esteban | 128 | 163 | total: 291 |
| Micaela | 88 | 70 | total: 158 |
| El Juez | 43 | 38 | total: 81 |
| Justino | 38 | 28 | total: 66 |
| Bruno | 20 | 12 | total: 32 |

toda eficacia, sombras rituales de una ceremonia degradada que ya le ha condenado.

Parece evidente que existe un poder superior, autónomo, que no tiene cuentas que dar a nadie y que se ejerce de una forma total y violenta (puede condenar a muerte, o encarcelar en condiciones miserables) sobre el universo «kafkiano» (porque no-racional) de la obra. Este poder está entre las manos de un personaje, Justino, cuyo nombre es una disminución del adjetivo (que bien hubiera podido sustantivarse) 'justo'.

Si su nombre degrada su «justicia», ya de por sí caricatura infame de cualquier justicia digna, el personaje de Justino, ejecutor y «responsable aparente» del sistema parece ejercer el poder en una «organización» cuya ordenación le escapa. Todo el complejo sistema por el que las mantas proliferan y escapan a su control, así como sus salidas y búsqueda de «mano de obra» suponen que existe una ordenación anónima y autónoma del sistema.

Micaela parece ser el segundo personaje, en importancia, de la obra. Sirve de relator entre el «sistema» de su «padre» y el prisionero, Esteban, a quien engaña sistemática y descaradamente. A veces, presenta el aspecto de policía-interrogador del sistema, capaz de utilizar cualquier argucia para «desenmascarar» y hacer condenar al «acusado».

Como tal «brazo» del sistema es comparable a los guardias del *Triciclo* y a los camilleros que «trabajan» en *Pic-Nic*. Esta función relacionante explica la importancia numérica de sus intervenciones y su condición de «policía del sistema» podría entrañar su no-comunicación con el Juez.

El personaje que «encarna la justicia» tiene un aspecto físico deplorable, como también lo es su conducta. Recuerda, en su actuación, a los tribunales expeditivos de la postguerra y a ciertos jueces sureños encargados de aplicar el peso de la ley «blanca» a los negros en la iconografía de algunos escritores y cineastas norteamericanos. Lo sorprendente del caso es su absoluta impunidad, que se apoya en el poder, apenas contestado, de Justino. Esteban, que ataca levemente el «derecho» de Justino a encadenarlo, nunca se atreve a poner en duda la legitimidad del juez y su proceso. Cae, de esta forma, en el juego del sistema y sufre su condenación. El Juez habla más (43 emisiones) que escucha (38 recepciones), materializando así la «receptividad» de su justicia. Sólo habla con Justino (su jefe) y Esteban (su víctima).

Por su parte, Bruno se dirige en 20 ocasiones a Esteban y sólo recibe en ocho ocasiones el discurso de su compañero de infortunio. Parece compartir un pasado, largo y oscuro de connivencias con Micaela y, a través de ella, con el sistema que le encarcela. A veces, parece mero objeto utilizado por el sistema para condenar a otros y, en ocasiones, se nos presenta como pura víctima de ese sistema, abusado por Micaela y usado por sus cómplices y superiores. Esta última identificación se vería apoyada, como hipótesis, por el análisis cuantitativo de la obra: nunca se relaciona oralmente con los miembros del sistema. Sin embargo, el gesto de su suicidio parece indicar que, de algún modo, colabora —quizá inconscientemente— con el sistema.

## 2. El exilio

Arrabal se ha inspirado, según hemos dicho más arriba, en la obra de Kafka, *América.* Esta novela se sitúa en la perspectiva de una serie que inaugura cronológicamente y que estaría compuesta de dos novelas más, *Le Procès* y *Le Château:*

> C'est une trilogie de la solitude que Kafka nous a laissée là. L'isolement de l'individu parmi les hommes, l'étonnement de cet individu perdu au milieu d'eux, voilà le thème essentiel de ses récits. La situation de l'accusé dans *Le Procès,* dans *Le Château* celle de l'étranger qui n'a pas été invité et, dans *L'Amérique,* la détresse d'un enfant sans expérience, égaré au sein d'un pays où la vie fait rage... [10]

---

[10] Max Brod: «Postface de la premiere édition», en F. Kafka, *L'Amérique,* París, Gallimard, 1965, pág. 263. El texto de Brod adquiere toda su importancia al acompañar la edición de la novela que leyó Arrabal.

Nos parecen, desde el punto de vista de nuestro análisis, especialmente interesantes algunas afirmaciones de Max Brod sobre la novela. Permítasenos citar aquí algunas de esas afirmaciones que creemos imprescindibles para comprender la obra de Arrabal en su perspectiva. Sigue diciendo Brod (a propósito de las tres novelas citadas más arriba):

> Il s'agit dans tous trois d'assigner a l'individu sa place dans une communauté humaine et, comme ce classement doit être opéré avec une justice suprême, de lui marquer aussi sa place dans un royaume de Dieu. Kafka nous montre les formidables résistances auxquelles cette opération expose précisément l'homme juste et scrupuleux. Dans *Le Procès et Le Château,* ce sont les résistances qui l'emportent, et ceci confère à ces deux ouvrages la valeur de tragiques documents. Mais dans *L'Amérique,* l'innocence enfantine, la naïvité et la pureté du héros, parviennent au dernier moment à faire échec à la fatalité. Nous sentons que ce brave Karl, qui a vite gagné notre affection, réussira à atteindre son but malgré toutes les fausses amitieés et les hostilités perfides, qu'il fera un galant homme et se reconciliera avec ses parents [11].

El proyecto de Karl (el héroe de *América)* parece dibujarse de una manera muy prometedora. Sigamos, todavía, el razonamiento de Max Brod:

> Il est impossible de se défendre si les autres n'y mettent pas de la bonne volonté», dit encore ici Kafka avec tristesse et reproche dans cet interrogatoire chez le gérant qui présente tant de démonismes communs avec ceux qui apparaissent dans le jugement décrit par *Le Procès.* Mais ici, la lutte pour le vrai se trouve conduite avec une conscience plus calme et avec une juvénile énergie. A voir ce héros incessamment blackboulé chercher en vain un poste inaccessible à travers les ironies du destin, on songe aux tentatives désespérées de l'expert du *Château;* mais ici, dans *Amerika,* malgré les circonstances qui en affaibliront l'effet, Karl finira par trouver l'engagement rédempteur [12].

Todas estas afirmaciones nos parecen extremadamente peligrosas, porque no acertamos a ver en el texto esa perspectiva esperanzadora. Hay, evidentemente, en el fi-

---

[11] Íd., *op. cit.,* pág. 263.
[12] Íd., *op. cit.,* pág. 263.

nal de la novela de Kafka un proyecto que se está empezando a realizar, pero que se nos presenta como una perspectiva problemática. Karl, camino de Oklahoma, parece seguir una trayectoria, que el texto de Kafka no permite suponer que vaya a desembocar en una solución feliz. Ya al final del capítulo que nos interesa (cap. VIII), Karl parece inquietarse por el hecho de que ninguno de los contratados por el teatro de Oklahoma lleve equipaje. La felicidad que embarga a Giacomo y a Karl se basa en la circunstancia de que nunca habían viajado «aussi insouciamment en Amérique» (pág. 241). Si nos atenemos para establecer el final de la novela al *aditif au texte même du roman* (pág. 242), vemos que la obra de Kafka acaba con estas frases:

> Le premier jour, ils traversèrent de hautes montagnes. De gigantesques masses de pierre d'un noir bleuâtre avançaient jusqu'au train; on se penchait vainement par la portière pour essayer de voir leur sommet; d'étroites vallées s'ouvraient, déchiquetées, ténébreuses; on tendait le doigt dans la direction où elles se perdaient; de larges torrents arrivaient, pareils à de hautes lames sur le fond montueux, rapides et marbres de mille petites vagues d'écume, pour s'abîmer sous les arches des ponts sur lesquels passait le chemin de fer, et leur haleine glacée faisait frissonner la peau [13].

Volvamos al texto de Brod: «Il est possible que *l'Amérique* soit précisément le roman qu'il fallait pour amener à Kafka, par une nouvelle voie —par la voie de l'humanité, de la simplicité et de la compassion— et que sa publication permette désormais aux autres oeuvres de Kafka déjà parues, spécialement a ses deux autres grands romans posthumes, d'atteindre leur effet d'eux-mêmes, sans aucune interprétation» [14].

Precisamente, nosotros pensamos que Arrabal se ha permitido en *El laberinto* una interpretación de la novela *(América)* de Kafka. Fernando Arrabal ha recogido el tema (e incluso el personaje) de Kafka para plantear la radical imposibilidad de perspectiva del individuo en la sociedad actual.

---

[13] Íd., *op. cit.,* págs. 242-243.
[14] Íd., *op. cit.,* pág. 264.

Efectivamente, Bruno (moreno, negro) es, según nuestra interpretación, Karl (que se enrola en el teatro de Oklahoma bajo el nombre de Negro). Al mismo tiempo nos parece que existe una relación estrecha entre Justino, intentando buscar obreros para lavar sus mantas, y el teatro de Oklahoma. Uno y otro acabarán aceptando utilizar a una especie de marginales que encontrarán una perspectiva inesperada: «Que de sans-le-sou et de gens suspects se trouvaient rassemblés ici, qu'on avait reçus comme des rois!» [15]. Además, a Negro (Karl) se le acepta en la perspectiva de su buena calidad como obrero, calidad que no habrá de demostrar hasta su llegada: «C'est un solide garçon, déclare-t-il ensuite en amenant Karl par le bras au directeur. Le directeur inclina la tête en souriant, tendit la main à Karl sans changer de position et dit: «Voilà qui est donc réglé pour le moment; on verra tout ça à Oklahoma. Faites honneur à notre groupe d'embauche» [16].

Nos hace pensar también en esta utilización del tema, la semejanza que existe en ambas obras entre los que «mandan». Justino, parece vivir en una mansión cerrada, separada del resto del mundo. Tiene un servicio de información prácticamente perfecto y dispone de sirvientes a los que utiliza para controlar perfectamente sus dominios. Tiene, incluso, a su servicio la justicia. Lo mismo ocurre en la novela de Kafka. Coinciden también los «terrenos» en que transcurre la acción: desmesurados y contradictorios. Los universos de ambas obras siguen el mismo camino: la exposición de un individuo marginado y acorralado por una organización que sobrepasa su capacidad de comprensión.

Desde nuestro punto de vista, Arrabal inicia *El laberinto* colocando a Negro (Bruno) en el lugar a donde se dirigía al final de la novela de Kafka. Bruno (Negro), que lleva mucho tiempo ya en el laberinto, es, probablemente, un superviviente de aquellos obreros que llegaron encadenados. Esteban encarna la continuación de esta tragedia que es la falta de perspectiva del individuo en la sociedad actual.

[15] Íd., *op. cit.,* pág. 240.
[16] Íd., *op. cit.,* pág. 236.

## 3. La Ceremonia

Como hemos señalado más arriba y en otras ocasiones, pensamos que Arrabal utiliza, para transponer esa incapacidad radical de comunicación entre el individuo y la sociedad capitalista actual, la ceremonia, que, en diversos juegos-rituales va materializando la conciencia trágica y confusa del individuo acorralado.

Desde el punto de vista formal pensamos que Arrabal ha utilizado magistralmente la dosis de discurso novelesco, oponiendo siempre la ruptura dramática de la inadecuación semántica.

Añadiremos, finalmente, a nuestro análisis la reflexión según la cual un gran autor puede (y quizá debe) acercarse a la obra abierta de otro creador importante para, siguiendo el consejo del Arcipreste de Hita, haciéndola suya, enriquecerla.

Encontramos en *El laberinto* un intento de «comprensión» del universo «tecnocrático». El individuo (Esteban) intenta comprender, dialogar racionalmente con un universo irracional y «confuso».

No hay progresión espacial (Esteban vuelve siempre al mismo sitio) porque no existe ningún tipo de perspectiva en la conciencia del exilio que hemos propuesto en la primera parte de nuestra presentación.

El tiempo (que no se puede detener) *transcurre,* pero, para hacerlo pasar, los personajes utilizan una serie de «juegos» cuya explicación sólo podemos situar en el contexto de una ruptura con el tiempo histórico en que prospera el «sistema». Así, encontramos en la obra un *tiempo lineal* (la historia de Esteban) que transcurre dentro de un *tiempo repetitivo,* global, el del sistema laberíntico en el que la historia de Esteban es *una* historia, pues sabemos, por Micaela, que lo mismo ha ocurrido a muchos otros. En cierto sentido, podríamos decir que Arrabal, siguiendo la técnica de Kafka, identifica al público con la perspectiva de Esteban aprisionado en otra realidad global y opresiva, al mismo tiempo que confusa e incomprensible. Esteban se convierte así en un «modelo» de una situación generalizada y, de esta forma, nos resulta una personificación demasiado visible de la mediación socio-histórica. En este sentido, Esteban es un personaje «diferente» en el contexto de la producción arrabaliana.

En esta obra Arrabal clarifica la dicotomía trágica que aparece en toda su obra. Por primera vez, «personifica» la sociedad represiva, cambiante y confusa y, como consecuencia, no aparece el lenguaje ritual que hemos observado en *El triciclo,* apareciendo la mediación estética (ceremonia) a nivel puramente gestual. Estos factores nos parecen estar situados en la perspectiva de un cambio que aparece ya en *Los dos verdugos,* obra en la que, según hemos dicho en otra parte [17], los elementos autobiográficos se presentan apenas traspuestos.

Para terminar esta nota preliminar, queremos insistir en la importancia de esta pequeña obra maestra de Arrabal, poco conocida y representada hasta ahora, que es *El laberinto.* Esperamos que su divulgación en castellano sirva para desvelar su inmensa virulencia y la perfecta organización de su estructura dramática.

---

[17] Véase el estudio de *Los dos verdugos,* incluido en nuestro libro *L'exil et la cérémonie,* París, Col. 10/18, que apareció en 1977.

# Bibliografía[1]

ARATA, Luis Oscar, *The Festive Play of Fernando Arrabal,* Lexington, Kentucky, University of Kentucky Press, 1982.

BERENGUER, Ángel, *L'exil et la cérémonie (Le premier théâtre d'Arrabal),* París, Col. 10/18, 1977 (en prensa), 448 págs.

—— *Baal Babilonia,* de Fernando Arrabal, prólogo y edición del texto castellano, Madrid, Cupsa Editorial, 1977.

—— *Fernando Arrabal: Teatro completo* (vol. 1), prólogo y edición del texto castellano, Madrid, Cupsa Editorial, 1979, 5 volúmenes.

—— *Inquisición* de Fernando Arrabal, prólogo y edición, Granada, Editorial Don Quijote, 1982.

BERENGUER, Ángel, y CHESNEAU, Albert, *Plaidoyer pour une différence (Entretiens avec Arrabal),* Presses Universitaires de Grenoble, 1978.

BERENGUER, Joan, *Bibliographie d'Arrabal,* Presses Universitaires de Grenoble, 1978.

BERENGUER, Joan y Ángel, *Arrabal,* Madrid, Fundamentos, Colección Espiral/Figura, 1979.

---

[1] Limitamos esta bibliografía a los libros dedicados a Fernando Arrabal, o aquellos en que se estudia de alguna manera su teatro, para no alargar demasiado nuestra introducción.

De todas formas, remitimos a la bibliografía citada más adelante, de Joan Berenguer, la más completa que existe hoy sobre la obra y la crítica arrabalianas.

En nuestra «Introducción» se encuentran, también, señalados otros trabajos de importancia sobre el autor o su obra, no recogidos en esta sucinta bibliografía.

Corvin, Michel, *Le Théâtre nouveau en France,* París, P. U. F., 1963, págs. 80-82.

Daetwyler, Jean-Jacques, *Arrabal,* Lausanne, Editores L'Âge d'Homme, 1975.

Doménech, Ricardo, «El teatro desde 1936», en *Historia de la Literatura española (siglos XIX y XX),* Madrid, Guadiana, 1974, págs. 473-476.

Donahue, John, *The Theater of Fernando Arrabal,* Nueva York, N. Y. U. Press, 1980.

Esslin, Martin, *El teatro del absurdo,* Barcelona, Seix Barral, 1966, 348 págs.

*Franzosische Literatur des Gegenwart in Einzeldarstellungen,* Hrsg. von Wolf-Dieter Lange, Stuttgart, Kroner, 1971, 774 páginas.

Jiménez, Salvador, *Españoles de hoy,* Madrid, Editora Nacional, 1966.

Kesting, Marianne, *Panorama des zeitgenosischen Theaters,* Munich, Piper, 1969, 350 págs.

—— *Auf des Suche nach der Realität.* Kritische Schriften zur Modern Literatur, Munich, Piper, 1972, 291 págs.

García Lorenzo, Luciano, *El teatro español de hoy,* Madrid, Planeta, 1975, págs. 141-143.

Gille, Bernard, *Arrabal,* Col. Théâtre de tous les temps, París, Seghers, 1970.

Günter Blöck, *Literatur als Teilhade,* Berlín, 1966, págs. 78-80.

Pillement, Georges, *Le théâtre d'aujourd'hui de Jean-Paul Sartre à Arrabal,* París, Ed. Le Belier, 1970.

Podol, Peter L., *Fernando Arrabal,* Boston, Twayne Publishers, 1978.

*Problèmes d'analyse symbolique,* publicación realizada bajo la dirección de Pierre Pagé y René Legris, Montreal, Les Presses de l'Université du Quebec, 1972, 245 págs.

Raymond-Mundschau, Françoise, *Arrabal,* Classiques du XXe Siècle, París, Ed. Universitaires, 1972, 176 págs.

Schifres, Alain, *Entretiens avec Arrabal,* París, Ed. Pierre Belfond, 1969.

Serreau, Geneviève, *Histoire de «nouveau théâtre»,* Col. Idées, París, Gallimard, 1966, 190 págs.

Torres Monreal, Francisco, *Introducción al teatro de Arrabal,* Murcia, Ed. Godoy, 1981.

*Les Voies de la Création Théâtrale.* Estudios reunidos y presentados por Jean Jacquot, París, Ediciones de C. N. R. S., 1970, 2 vols.

# *Pic - Nic* *

* El título original de esta obra fue *Los soldados* y debió escribirse en 1952, según afirma el mismo Arrabal y aceptan Gille y Raymond. Más adelante, el autor cambió el título de la obra que apareció en francés, en 1961, editada con su segundo volumen de teatro como *Pique-Nique en campagne*. Éste es el último título que Arrabal propone.

## PERSONAJES **

ZAPO [1]
SEÑOR TEPÁN
SEÑORA TEPÁN
ZEPO [2]
PRIMER CAMILLERO
CAMILLERO SEGUNDO

Decorado:

Campo de batalla.

Cruza el escenario, de derecha a izquierda, una alambrada.

Junto a esta alambrada hay unos sacos de tierra.

---

** La versión original de esta obra no contenía sino cuatro personajes: los señores Tepán y los dos soldados. El manuscrito D presenta dos nuevos: el primer «enfermero» y el segundo. Efectivamente, dicho manuscrito francés dice exactamente: «premier infirmier» y «deuxième infirmier» (pág. 176). El manuscrito E, corrige al anterior y cambia levemente la condición de los personajes: «premier brancardier» y «deuxième brancardier» (página 172). El manuscrito D, cambia también los nombres de los soldados, como veremos en las notas que corresponden.

[1] El hijo de los señores Tepán, el soldado Zapo, aparece en el ms. B como Sapo hasta el final de dicho manuscrito. El cambio a Zapo se produce en el ms. D, ya que no aparece ninguna indicación de que su nombre varíe en el ms. C.

[2] El caso de Zepo es bien diferente. Al principio del ms. B (página 1), su nombre es Zote. Tras su aparición en la página 7 de dicho manuscrito mantendrá su nombre original hasta la página 3, en que de pronto se llama Zepo. (Véase la nota 53.)

*(La batalla hace furor. Se oyen tiros, bombazos, ráfagas de ametralladora.* ZAPO, *solo en escena, está acurrucado entre los sacos. Tiene mucho miedo. Cesa el combate. Silencio.*[3] ZAPO *saca de una cesta de tela una madeja de lana y unas agujas. Se pone a hacer un jersey*[4] *que ya tiene bastante avanzado. Suena el timbre del teléfono de campaña que* ZAPO *tiene a su lado.)*

ZAPO.—Diga... Diga...[5] A sus órdenes mi capitán... En efecto, soy el centinela de la cota 47[6]... Sin novedad, mi capitán... Perdone, mi capitán, ¿cuándo comienza otra vez la batalla?... Y las bombas, ¿cuándo las tiro?...[7] ¿Pero, por fin, hacia dónde las tiro, hacia atrás o hacia adelante?... No se ponga usted así conmigo. No lo digo para molestarle... Capitán, me encuentro muy solo. ¿No podría enviarme un compañero?... Aunque sea la cabra... *(El capitán le riñe.)* A sus órdenes... A sus ór-

---

[3] En el ms. B sigue una descripción de Zapo: «Sapo *(sic)* lleva cartucheras, correajes, un casco y un fusil.» El texto aparece corregido en el ms. D.

[4] Hay un paréntesis dentro del texto mismo que dice así, en francés: «(tricoter)».

[5] El ms. B dice: «Allo... Allo...»

[6] El ms. B dice: «"cote" 47...».

[7] El ms. B, añade: «*(Ríe bobaliconamente.)* Voy a matar a muchos...»

denes, mi capitán . (ZAPO *cuelga el teléfono. Refunfuña.)* [9], [10].

*(Silencio. Entra en escena el matrimonio* TEPÁN *con cestas, como si vinieran a pasar un día en el campo. Se dirigen a su hijo,* ZAPO, *que, de espaldas y escondido entre los sacos, no ve lo que pasa.)*

SR. TEPÁN.—*(Ceremoniosamente.)* Hijo, levántate y besa en la frente a tu madre. (ZAPO, *aliviado y sorprendido, se levanta y besa en la frente a su madre con mucho respeto. Quiere hablar. Su padre le interrumpe.)* Y ahora, bésame a mí. *(Lo besa en la frente.)*

ZAPO.—Pero papaítos, ¿cómo os habéis atrevido a venir aquí con lo peligroso que es? Iros inmediatamente.

SR. TEPÁN.—¿Acaso quieres dar a tu padre una lección de guerras y peligros? Esto para mí es un pasatiem-

---

[8] Compárese el texto definitivo con el propuesto en el anterior ms. B: «Pero por fin, ¿hacia dónde las tiro, hacia atrás o hacia adelante?... *(Nervioso.)* No se ponga usted así conmigo, no lo he hecho (el ms. C corrige ya: *no lo digo)* para molestarle... Capitán, me encuentro muy solo *(avergonzado),* ¿no podría enviarme un compañero?... Aunque sea la cabra. *(Le riñe el capitán* —ms. C—)...»

[9] No existe en el ms. B *refunfuña.* Lo añade el ms. C. También añade el mismo ms. la acotación *Silencio,* que desaparece en el ms. D.

[10] En el ms. B (corregido en el ms. D) la acción continuaba: *(De pronto,* SAPO *se sobresalta. Mira hacia la izquierda con angustia. Llama por teléfono.)*

SAPO.—Allo... Allo... Mi capitán. Soy el centinela de la cote 47. El enemigo nos ataca por detrás... Sí, mi capitán... No, no, van vestidos de gris *(el ms. C ha cambiado el color: verde)*... No, no llevan cascos... Yo creo que son espías... Que sí, mi capitán, es cierto... Envíeme refuerzos. Capitán, no me deje solo... *(Sin duda le ha cortado el capitán.)*

(SAPO, *amedrentado, se esconde entre los sacos. Silencio.)*

Como veremos a través de toda la obra, Arrabal corta todas las escenas o situaciones que le parecen reiterativas o demasiado explícitas. Evidentemente, el espectador vería la aparición de los señores Tepán como más natural con esta introducción. El efecto dramático es mucho más vivo sin esta situación, que por lo demás no añadiría ningún elemento nuevo a la que la precede y que sí se mantiene en el texto definitivo para indicar el estado anímico del soldado y su presencia de ánimo.

po. Cuántas veces, sin ir más lejos, he bajado del metro en marcha.

SRA. TEPÁN.—Hemos pensado que te aburrirías, por eso te hemos venido a ver. Tanta guerra te tiene que aburrir.

ZAPO.—Eso depende.

SR. TEPÁN.—Muy bien sé yo lo que pasa. Al principio la cosa de la novedad gusta. Eso de matar y de tirar bombas y de llevar casco, que hace tan elegante, resulta agradable, pero terminará por fastidiarte. En mi tiempo hubiera pasado otra cosa [11]. Las guerras eran mucho más variadas, tenían color. Y, sobre todo, había caballos, muchos caballos. Daba gusto: que el capitán decía: «al ataque», ya estábamos allí todos con el caballo y el traje de color rojo. Eso era bonito. Y luego, unas galopadas con la espada en la mano y ya estábamos frente al enemigo, que también estaba a la altura de las circunstancias, con sus caballos —los caballos nunca faltaban, muchos caballos y muy gorditos— y sus botas de charol y sus trajes verdes.

SRA. TEPÁN.—No, no eran verdes los trajes del enemigo, eran azules. Lo recuerdo muy bien, eran azules.

SR. TEPÁN.—Te digo que eran verdes [12].

SRA. TEPÁN.—No, te repito que eran azules. Cuántas veces, de niñas, nos asomábamos al balcón para ver batallas y yo le decía al vecinito: «Te apuesto una chocolatina [13] a que ganan los azules.» Y los azules eran nuestros enemigos.

---

[11] «En mi tiempo hubiera pasado otra cosa», añadido en el ms. C.

[12] En el ms. B, se decía: «Te digo que eran verdes. *(Soñadora.)* Era un verde esperanza, un verde poético.» Esta frase parecería al autor demasiado obvia e innecesaria para expresar la atracción que sobre la señora Tepán han ejercido siempre los enemigos.

[13] La *chocolatina* del texto aparece en el ms. C. El ms. B decía, de una forma más prosaica: «una patada en el culo». Es evidente en esta obra, como en las demás de Arrabal, su preocupación por un lenguaje expresivo del que esté ausente todo tipo de colorido costumbrista, tan común al teatro español de su tiempo.

SR. TEPÁN.—Bueno, para ti la perra gorda.

SRA. TEPÁN.—Yo siempre he sido muy aficionada a las batallas. Cuando niña, siempre decía que sería, de mayor, coronel de caballería. Mi mamá se opuso, ya conoces sus ideas anticuadas.

SR. TEPÁN.—Tu madre siempre tan burra.

ZAPO.—Perdonadme. Os tenéis que marchar. Está prohibido venir a la guerra si no se es soldado [14].

SR. TEPÁN.—A mí me importa un pito. Nosotros no venimos al frente para hacer la guerra. Sólo queremos pasar un día de campo contigo, aprovechando que es domingo.

SRA. TEPÁN.—Precisamente he preparado una comida muy buena. He hecho una tortilla de patatas que tanto te gusta [15], unos bocadillos de jamón, vino tinto [16], ensalada y pasteles.

ZAPO.—Bueno, lo que queráis, pero si viene el capitán, yo diré que no sabía nada. Menudo se va a poner. Con lo que le molesta a él eso de que haya visitas en la guerra. Él nos repite siempre: «en la guerra, disciplina y bombas, pero nada de visitas».

SR. TEPÁN.—No te preocupes, ya le diré yo un par de cosas a ese capitán.

---

[14] El ms. B decía: (SAPO) «... Está prohibido venir a la guerra si no se es soldado. Nos lo ha repetido muchas veces el capitán. Él dice que es por la cosa de la disciplina. / SEÑOR TEPÁN.—Qué disciplina ni qué ocho cuartos. Nosotros no venimos al frente...»

[15] Dentro del mismo texto, entre paréntesis y toda con mayúsculas, aparece en el ms. B la frase siguiente que, obviamente, el autor dirige a su esposa, Luce, quien debía trabajar la traducción francesa del manuscrito: (LUCE: PON UN PLATO TÍPICO FRANCÉS DE LOS QUE SE TOMAN CUANDO SE VA AL CAMPO). Luce tradujo: «*Du saucisson, des oeufs durs, tu aimes tellement ça.*» Ésta nos parece ser la primera evidencia contrastable materialmente del carácter español del dramaturgo, cuya obra ha sido *siempre* escrita en español y por un español.

[16] En el ms. B, se lee: «vino rojo de Bourdeos (?)» *(sic)*. Es patente que Arrabal redactaba este manuscrito en Francia y, por tanto, después (yo diría muy después) de 1954. La corrección es del ms. D.

ZAPO.—¿Y si comienza otra vez la batalla?

SR. TEPÁN.—¿Te piensas que me voy a asustar? En peores me he visto. Y si aún fuera como antes, cuando había batallas con caballos gordos. Los tiempos han cambiado, ¿comprendes? *(Pausa.)* [17]. Hemos venido en motocicleta. Nadie nos ha dicho nada [18].

ZAPO.—Supondrían que érais los árbitros.

SR. TEPÁN.—Lo malo fue que, como había tantos tanques y jeeps, resultaba muy difícil avanzar.

SRA. TEPÁN.—Y luego, al final, acuérdate aquel cañón que hizo un embotellaje.

SR. TEPÁN.—De las guerras, es bien sabido, se puede esperar todo.

---

[17] La frase «Los tiempos han cambiado, ¿comprendes?», sólo aparece en el ms. D.

[18] En el ms. D ha desaparecido buena parte de la situación escénica propuesta por el ms. B que citamos a continuación:

SR. TEPÁN.—¿Te piensas que me voy a asustar? En peores me he visto. Y si aún fuera como antes cuando había batallas con caballos gordos e incluso hasta con Napoleón.

SRA. TEPÁN.—*(Interrumpiendo.)* Y con ese Cambrone que fue tan valiente que dijo mierda a los ingleses.

SR. TEPÁN.—Eso es, y hasta con Cambrone. Si ahora hubiera batallas de ésas sí sería para tener miedo. Lo de ahora es un juego.

SAPO.—*(Confidencial.)* Pues yo he oído que el enemigo tiene una bomba que puede destruir todo el país.

SR. TEPÁN.—*(Colérico.)* Niño, habla con más respeto de tu patria.

SAPO.—Pero también he oído que nosotros tenemos otra que es capaz de destruir todo el país enemigo.

SRA. TEPÁN.—¿Pero destruirlo para qué?

SAPO.—Pues no sé bien. *(A su padre.)* Tú, que has estado en otras guerras, lo sabrás mejor.

SR. TEPÁN.—*(Reflexiona.)* Pues es... es... pues es para ganar.

SRA. TEPÁN.—¿Ganar qué?

SR. TEPÁN.—Pues ganar la guerra. Está bien claro.

SRA. TEPÁN.—¿Y así se van a dar cuenta de quién ha ganado?

SR. TEPÁN.—Pues claro.

SRA. TEPÁN.—Pues no lo veo claro del todo.

Sra. Tepán.—Bueno, vamos a comer.

Sr. Tepán.—Sí, vamos, que tengo un apetito enorme. A mí, este tufillo de pólvora, me abre el apetito.

Sra. Tepán.—Comeremos aquí mismo, sentados sobre la manta.

---

Sr. Tepán.—Qué bruta eres. Las guerras las gana el que más haya matado al enemigo, o el que más haya destruido. *(Ríe.)* (Esta acotación desaparece en el ms. C.) Pues si hay una bomba que destruye todo el país enemigo, está claro que hemos ganado.

Sra. Tepán.—Pues así las guerras son la mar de feas. (En el ms. C el autor añade entre paréntesis la palabra francesa *moches.)*

Sr. Tepán.—Eso sí. Como las de mi tiempo no habrá ninguna. Son distintas épocas, ¿no lo comprendes?. (Nótese cómo esta frase ha sido parcialmente mantenida en el original definitivo.)

Sra. Tepán.—Sí, eso veo.

Sapo.—¿Y cómo os han dejado entrar a la puerta de la guerra con la vigilancia que hay?

La serie de referencias a militares franceses y el galicismo «que dijo mierda a los ingleses» nos parecen indicar que el autor debía llevar algún tiempo ya en Francia cuando redactaba este ms. B. Por otra parte, nos parece un acierto la supresión de todo elemento histórico identificable, tanto en lo que se refiere a los personajes citados como en la alusión a las bombas que pueden destruirlo todo, y que nos parecen una referencia a la época en que imperaba el terror de una guerra atómica como resultado de la popaganda norteamericana en la que aquel país basaba su política de la guerra fría. Nos parece, desde luego, obvio que el autor ha preferido en sus últimas versiones de la obra quitar toda alusión a la guerra «en general», evitando alusiones concretas a diferentes guerras posibles. En ese proceso selectivo han prevalecido los elementos que destacan una guerra fratricida, de larga duración y fruto de una manipulación ideológica. El texto definitivo de la obra no contiene, tampoco, una réplica de Zapo y la respuesta de su padre tras la frase del señor Tepán que sí aparece en el texto definitivo. Reproducimos todavía el ms. B:

Sr. Tepán.—Hemos venido en motocicleta. Nadie nos ha dicho nada.

Sapo.—¿Nadie os ha dicho nada y eso que íbais sin uniforme? *(Riendo.)* Supondrían que érais los árbitros.

Sr. Tepán.—Lo malo fue que...

El ms. C, dice así:

Sr. Tepán.—Hemos venido en motocicleta. Nadie nos ha dicho nada.

Sapo.—¿Nadie os ha dicho nada y eso que íbais sin uniforme?

Sr. Tepán.—No.

Sapo.—Supondrían que érais los árbitros.

ZAPO.—¿Como con el fusil?

SRA. TEPÁN.—Nada de fusiles. Es de mala educación sentarse a la mesa con fusil. *(Pausa.)* Pero qué sucio estás, hijo mío... ¿Cómo te has puesto así? Enséñame las manos[19].

---

[19] Esta réplica aparece en el ms. 8 en boca del señor Tepán. En el mismo ms. sigue la larga escena familiar que reproducimos a continuación y que el autor ha sabido, muy acertadamente —a causa de su carácter reiterativo—, suprimir en el ms. D:

SR. TEPÁN.—Nada de fusiles. Es de mala educación llevar un fusil a una comida. Déjalo junto a esos sacos.

SAPO.—¿Y si ataca el enemigo?

SR. TEPÁN.—Aquí estoy yo para decirles con quién se juegan los cuartos.

SRA. TEPÁN.—*(Mirando fijamente las botas de su hijo.)* Pero, qué sucio estás, hijo mío... ¿Cómo te has puesto así?

SAPO.—Es la cosa de la guerra, mamá.

SRA. TEPÁN.—A ver, que vea. Túmbate sobre la manta.

(SAPO *se tumba sobre la manta. Su madre lo mira como si se tratara de un niño de pecho.)* (Corregido en el ms. C: *un niño de cinco años.)*

Dentro del mismo texto, y como en el caso de la nota 15, Arrabal intercala el siguiente mensaje a su esposa-traductora: (LUCE, PON EXPRESIONES QUE DIRÍA UNA MADRE A SU HIJO DE CUATRO O CINCO AÑOS.) Nunca conoceremos la traducción de Luce Arrabal, porque el autor decidió suprimir toda esta situación escénica. Continúa el texto del ms. B:

SRA. TEPÁN.—Vamos a ver las rodillitas de mi niño. *(Le descubre las rodillas.)* Uy, qué sucias. ¿Pero qué es lo que has hecho?

SAPO.—*(Avergonzado.)* No, nada, no he hecho nada malo.

SRA. TEPÁN.—Di la verdad a tu mamaíta.

SAPO.—*(Avergonzado.)* Bueno, ayer me arrastré por el suelo, con eso de las maniobras.

SRA. TEPÁN.—Y luego, no te las has lavado esta mañana.

SAPO.—*(Rojo de vergüenza.)* No.

SRA. TEPÁN.—Que no se repita.

SAPO.—Te lo prometo.

SRA. TEPÁN.—A ver cómo tiene la tripita mi niño.

(*La señora* TEPÁN *abre la bragueta del pantalón de* SAPO *para ver su estómago. Inspecciona de cerca.* SAPO *ríe sin poderse contener.*

SRA. TEPÁN.—¿De qué te ríes?

SAPO.—Me haces cosquillas, mamaíta.

SRA. TEPÁN.—¿Que te hago cosquillas?

ZAPO.—*(Avergonzado, se las muestra.)* Me he tenido que arrastrar por el suelo con eso de las maniobras.

SRA. TEPÁN.—Y las orejas, ¿qué?

ZAPO.—Me las he lavado esta mañana [20].

SRA. TEPÁN.—Bueno, pueden pasar. ¿Y los dientes? *(Enseña los dientes.)* Muy bien. ¿Quién le va a dar a su niñito un besito por haberse lavado los dientes? [21]. *(A su marido.)* Dale un beso a tu hijo que se ha lavado bien los dientes. *(El* SR. TEPÁN *besa a su hijo.)* Porque lo que no se te puede consentir es que con el cuento de la guerra te dejes de lavar.

ZAPO.—Sí, mamá. *(Se ponen a comer)* [22].

SR. TEPÁN.—Qué, hijo mío, ¿has matado mucho?

ZAPO.—¿Cuándo?

SR. TEPÁN.—Pues estos días.

ZAPO.—¿Dónde?

SR. TEPÁN.—Pues en esto de la guerra.

---

SAPO.—Sí, con la punta de la nariz. *(Ríe.)*

SRA. TEPÁN.—Pero tienes muy sucia la tripita.

SAPO.—*(Avergonzado.)* Se me ha olvidado lavármela.

SRA. TEPÁN.—Que no te vuelva a ocurrir. Te voy a poner unos polvos de talco. *(La señora* TEPÁN *saca un bote de polvos de talco de una de las cestas y le echa polvos en cantidad.)* Así, así, para mi niño.

[20] Después de preguntarle por las orejas, Zapo responde en el ms. B:

SAPO.—*(Contento.)* Me las he lavado esta mañana.

SRA. TEPÁN.—A ver, quítate el casco para que vea bien. *(Observa.)*

[21] En el ms. B hay una acotación que ha desaparecido en el ms. D:

*(La* SRA. TEPÁN *da dos sonoros besos a su hijo.)*

[22] En el lugar de la acotación definitiva, añadida en el ms. D, en el ms. E, aparece la siguiente: «*(La* SRA. TEPÁN *saca de las cestas las cosas para comer.)*»

ZAPO.—No mucho. He matado poco. Casi nada[23].

SR. TEPÁN.—¿Qué es lo que has matado más, caballos enemigos o soldados?

ZAPO.—No, caballos no. No hay caballos.

SR. TEPÁN.—¿Y soldados?

ZAPO.—A lo mejor.

SR. TEPÁN.—¿A lo mejor? ¿Es que no estás seguro?

ZAPO.—Sí, es que disparo sin mirar. *(Pausa.)* De todas formas, disparo muy poco. Y cada vez que disparo, rezo un *Padrenuestro* por el tío que he matado.

SR. TEPÁN.—Tienes que tener más valor. Como tu padre.

SRA. TEPÁN.—Voy a poner un disco en el gramófono.

*(Pone un disco. Los tres, sentados en el suelo, escuchan)*[24].

---

[23] En el ms. B aparece la siguiente acotación (que desaparece en el ms. D) referida a ZAPO: «*(Humilde.)*»

[24] En lugar de la acotación que encontramos en el texto desde el ms. D, en el ms. B existe una que nos parece altamente significativa:

> *(La* SRA. TEPÁN, *en un viejo gramófono, pone un disco:* un aire parisino tocado con un acordeón o bien *un pasodoble español. Los tres, sentados en el suelo y de espaldas a la derecha del escenario, escuchan el gramófono situado a la izquierda.)*
>
> SR. TEPÁN.—Esto es música, sí señor. Olé (añadido el «olé» en el ms. C). *(Continúa la música.)*
>
> SR. TEPÁN.—Antes, eso era lo que más color daba a los combates: la música. Ya sabíamos, cuando había un buen combate, toda la banda de música se ponía de gala y tocaba marchas militares. Así daba gusto matar. Ahora las cosas han cambiado mucho.

La parte que hemos subrayado en el texto que precede desaparece en el ms. C y queda sólo «un pasodoble español». Nos parece normal que el autor hiciera el cambio (que aparece en el ms. E por primera vez y mantiene la forma anterior en el ms. D) para evitar la connotación demasiado explícita que supone el pasodoble y, al mismo tiempo, para conseguir el efecto de música popular que le interesaba. Es evidente que el pasodoble no podía

SR. TEPÁN.—Esto es música, sí señor.

*(Continúa la música. Entra un soldado enemigo:* ZEPO [25]. *Viste como* ZAPO [26]. *Sólo cambia el color del traje.* ZEPO *va de verde y* ZAPO *de gris.* ZEPO, *extasiado, oye la música a espaldas de la familia* TEPÁN [27]. *Termina el disco. Al ponerse de pie,* ZAPO *descubre a* ZEPO [28]. *Ambos se ponen manos arriba llenos de terror. Los esposos* TEPÁN *los contemplan extrañados.)*

SR. TEPÁN.—¿Qué pasa?

(ZAPO *reacciona. Duda. Por fin, muy decidido, apunta con el fusil a* ZEPO) [29].

---

surtir el mismo efecto ante un público francés que tendría en un escenario español. Por otra parte, como su obra era conocida en francés y de esta lengua vertida a otras, Arrabal deja, en la acotación definitiva, libertad al director para decidir lo que él considera un aire alegre y popular teniendo en cuenta el público a que se dirige.

Sin embargo, no dejaremos de señalar cómo el manuscrito B proponía ya la solución al problema pensando en un público francés. Esto nos hace suponer, una vez más, que dicho ms. fue escrito en Francia.

[25] Aparece ZEPO por primera vez y en el ms. B, como ya hemos señalado, se llama ZOTE. (Véanse notas 2 y 53.)

[26] En lugar de esta frase, en el ms. B. hay toda una descripción:

ZOTE (sic) *va igualmente vestido y armado que* SAPO: *casco, fusil, cartucheras y correajes.* (Véase la nota 3.)

[27] En este punto rompe la acotación la siguiente frase de la señora Tepán: «Y también lo de los cornetas con trompetas de oro y los tamborileros con tambores redondos. Vaya guerras. Yo siempre me asomaba al balcón para verlos. Y les decía adiós con el *pañuelo* y les echaba terrones de azúcar y perras para que pudieran ir al baile. Yo siempre he sido muy patriota.»

Hemos subrayado la palabra pañuelo porque en el ms. B aparece la letra ñ sin la tilde, lo que nos parece indicar que el autor utilizaba una máquina de escribir que no la tenía. He aquí otra observación que apoya la tesis de que dicho ms. fue escrito en Francia, sobre todo teniendo en cuenta que *nunca* en el ms. B aparece una ñ con tilde.

[28] La acotación, corregida en el ms. D, dice así en el ms. B:

*(Al ponerse de pie,* SAPO *descubre a* ZOTE *horrorizado.* ZOTE, *por su parte, también se da cuenta, con horror, de que* SAPO *es un soldado enemigo. Ambos se ponen manos arriba llenos de terror. Los esposos* TEPÁN...)

[29] Ms. B: «Por fin, muy decidido, apunta con el fusil a Zote que permanece manos arriba.»

Zapo.— ¡Manos arriba!

(Zepo *levanta aún más las manos, todavía más amedrentado.* Zapo *no sabe qué hacer*[30]. *De pronto, va hacia* Zepo *y le golpea suavemente en el hombro mientras le dice):*

Zapo.— ¡Pan y tomate para que no te escapes!

Sr. Tepán.—Bueno, ¿y ahora, qué?

Zapo.—Pues ya ves[31], a lo mejor, en premio, me hacen cabo.

Sr. Tepán.—Átale, no sea que se escape.

Zapo.—¿Por qué atarle?

Sr. Tepán.—Pero, ¿es que aún no sabes que a los prisioneros hay que atarles inmediatamente?[32]

Zapo.—¿Cómo le ato?

Sr. Tepán.—Átale las manos[33]

Sra. Tepán.—Sí. Eso sobre todo. Hay que atarle las manos. Siempre he visto que se hace así.

Zapo.—Bueno. *(Al prisionero.)* Haga el favor de poner las manos juntas, que le voy a atar.

Zepo.—No me haga mucho daño.

Zapo.—No[34].

---

[30] El ms. B añade aquí una frase de Zapo:

Zapo.—*(A su padre, muy contento.)* Es mi prisionero. *(Duda, no sabe qué hacer, de pronto, rápidamente, va hacia* Zote *y le golpea suavemente...)*

El ms. D mantiene la frase de Zapo y la primera acotación, pero no la segunda.

[31] Ms. B: «Pues ya ves: tengo un prisionero.»

[32] En el ms. B, cuando su padre le propone atar al prisionero, Zapo le responde también sorprendido y añade a la réplica anotada lo que sigue:

Sapo.—*(Duda.)* Ah, sí.

Sr. Tepán.—Claro, hombre. (Zapo *saca unas cuerdas.)*

[33] En el ms. B se dice: «Átale las manos para que no te arree un puñetazo.»

[34] El texto es como sigue en el ms. B, con la corrección que se señala, subrayada por nosotros, del ms. C:

ZEPO.—Ay, qué daño me hace...

SR. TEPÁN.—Hijo, no seas burro. No maltrates al prisionero.

SRA. TEPÁN.—¿Eso es lo que yo te he enseñado? ¿Cuántas veces te he repetido que hay que ser bueno con todo el mundo? [35]

ZAPO.—Lo había hecho sin mala intención. *(A* ZEPO.) ¿Y así, le hace daño?

ZEPO.—No. Así, no.

SR. TEPÁN.—Diga usted la verdad. Con toda confianza. No se avergüence porque estemos delante. Si le molestan, díganoslo y se las ponemos más suavemente.

ZEPO.—Así está bien.

SR. TEPÁN.—Hijo átale también los pies para que no se escape.

ZAPO.—¿También los pies? Qué de cosas...

SR. TEPÁN.—Pero ¿es que no te han enseñado las ordenanzas?

ZAPO.—Sí.

SR. TEPÁN.—Bueno, pues todo eso se dice en las ordenanzas.

ZAPO.—*(Con muy buenas maneras.)* Por favor tenga la bondad de sentarse en el suelo que le voy a atar los pies [36].

---

SAPO.—No. (SAPO *le ata las manos.)*
ZOTE.—*(Grita.)* Ay, qué daño me hace. Se me corta la circulación de la sangre.

[35] Ms. B:
SAPO.—*(Casi llorando.)* Bueno, no os pongáis conmigo así. Lo había hecho sin mala intención.
(SAPO *le ata las manos de una forma muy débil. Se puede decir que al menor movimiento,* ZOTE *se soltaría las ligaduras.)*
SAPO.—Y así, ¿le hace daño?
ZOTE.—No, así no.

[36] Ms. B: «(SAPO *se dirige a* ZOTE.) / SAPO.—Siéntese en el suelo que le voy a atar los pies.»
En la versión definitiva de la obra, Arrabal insiste mucho, co-

Zepo.—Pero no me haga daño como la primera vez[37].

Sr. Tepán.—Ahora te vas a ganar que te tome tirria.

Zapo.—No me tomará tirria. ¿Le hago daño?[38]

Zepo.—No. Ahora está perfecto[39].

Zapo.—*(Iluminado por una idea.)* Papá, hazme una foto con el prisionero en el suelo y yo con un pie sobre su tripa. ¿Te parece?

---

mo puede verse, en la utilización de formas ceremoniosas que distan mucho de ser adecuadas en la situación descrita en el texto.

[37] Ms. B:

Zote.—Pero no me haga tanto daño como la primera vez. Hágamelo flojito.

Sapo.—Sí.

Sr. Tepán.—¿Ves, hijo, lo que te pasa por ser tan bruto? Ahora te vas a ganar que te tome tirria.

[38] Ms. B:

Sapo.—No me tomará tirria, me portaré bien con él. *(A Zote.)* ¿Me tiene usted tirria?

Zote.—*(Duda.)* No mucha.

Sapo.—*(Humilde.)* Gracias.

*(Le ata los pies.)*

[39] La respuesta de Zepo (Zote) en el ms. B es simplemente: «No.» El ms. D ha añadido la frase que sigue en el texto y suprimido lo que aquí transcribimos:

Sapo.—¿Quiere que se las deje más suaves?

Zote.—No, así está bien.

Sr. Tepán.—Y ahora, lo único que te queda por hacer es amordazarle.

Sapo.—¿Amordazarle?

Sr. Tepán.—Claro, hombre.

Sapo.—¿Para qué?

Sr. Tepán.—Para que no les pueda decir a sus amigos que está aquí.

Sapo.—Pero así no podrá hablar.

Sr. Tepán.—Pues eso es lo que hay que lograr.

Sapo.—Pero, ¿y si sabe chistes?

Sr. Tepán.—Qué pasa, si sabe chistes...

Sapo.—Pues que como estamos pasando un día juntos, él nos podría divertir contándonos chistes.

Sr. Tepán.—Ésa es una buena idea.

Sapo.—*(A Zote.)* Diga, ¿usted sabe chistes?

Zote.—*(Humilde y avergonzado.)* Sí, sé algunos. *(Pausa. Más avergonzado aún.)* Pero son un poco verdes.

Sra. Tepán.—Eso no importa, yo no me asusto.

Sapo.—Entonces, ¿qué hacemos, papá? ¿Lo amordazamos o no?

Sr. Tepán.—No, déjalo así.

Sr. Tepán.—¡Ah, sí! ¡Qué bien va a quedar! [40]

Zepo.—No. Eso no [41].

Sra. Tepán.—Diga usted que sí. No sea testarudo.

Zepo.—No. He dicho que no y es que no.

Sra. Tepán.—Pero total, una foto de nada no tiene importancia para usted y nosotros podríamos colocarla en el comedor junto al diploma de salvador de náufragos que ganó mi marido hace trece años...

Zepo.—No crean que me van a convencer.

Zapo.—Pero, ¿por qué no quiere?

Zepo.—Es que tengo una novia, y si luego ella ve la foto va a pensar que no sé hacer la guerra.

Zapo.—No. Dice usted que no es usted; que lo que hay debajo es una pantera [42].

Sra. Tepán.—Ande, diga que sí.

Zepo.—Bueno. Pero sólo por hacerles un favor [43].

Zapo.—Póngase completamente tumbado.

(Zepo *se tiende sobre el suelo.* Zapo *coloca un pie sobre su tripa y, con aire muy fiero, agarra el fusil.)*

Sra. Tepán.—Saca más el pecho.

---

[40] El ms. B, continúa:

*(El* Sr. Tepán *va a buscar la máquina de fotografía entre las cestas.)*

Sapo.—*(A* Zote, *muy humildemente.)* ¿Me deja usted que me haga una foto con usted?

[41] El ms. B introduce las dos réplicas siguientes:

Sapo.—*(A su padre.)* No quiere que hagamos la foto.

Sr. Tepán.—*(Que ya tiene la máquina en la mano.)* Qué testarudo.

[42] La frase: «que lo que está debajo es una pantera», es una corrección del ms. C. El ms. B, decía: «que es uno que se le parece mucho». El chiste, tan conocido como socorrido, deja paso a un rasgo metafórico de gran calidad expresiva.

[43] El manuscrito B es mucho más explícito:

Zote.—*(Transigente.)* Bueno. Pero sólo por hacerles un favor. *(Pausa.)* Sólo porque me han caído simpáticos.

Sapo.—*(A* Zote.) Póngase completamente tumbado.

ZAPO.—¿Así?

SRA. TEPÁN.—Sí. Eso. Así. Sin respirar.

SR. TEPÁN.—Pon más cara de héroe.

ZAPO.—¿Cómo es la cara de héroe?

SR. TEPÁN.—Es bien sencillo: pon la misma cara que ponía el carnicero cuando contaba sus conquistas amorosas.

ZAPO.—¿Así?

SR. TEPÁN.—Sí, así.

SRA. TEPÁN.—Sobre todo, hincha bien el pecho y no respires.

ZEPO.—Pero, ¿van a terminar de una vez? [44]

SR. TEPÁN.—Tenga un poco de paciencia. A la una, a las dos y... a las tres.

ZAPO.—Tengo que haber salido muy bien.

SRA. TEPÁN.—Sí, tenías el aire muy marcial [45].

SR. TEPÁN.—Sí, has quedado muy bien.

SRA. TEPÁN.—A mí también me han entrado ganas de hacerme una contigo [46].

SR. TEPÁN.—Sí, una nuestra quedará también muy bien.

ZAPO.—Bueno, si queréis yo os la hago.

---

[44] El ms. D ha corregido al ms. B, que decía:
ZOTE.—*(Molesto.)* ¿Pero han terminado ya?
SAPO.—*(Humildísimo.)* No se moleste, señor prisionero, terminamos en seguida.
SR. TEPÁN.—A la una, a las dos, y... a las tres. *(Hace la foto.)*
SAPO.—*(Contento.)* Tengo que haber salido bien.
El último paréntesis es del ms. C.

[45] El ms. B, añadía: «Parecías un coronel de dragones.»

[46] La señora Tepán era más explícita en el ms. B. Su frase continuaba así: ...«con el pie sobre el prisionero».

SRA. TEPÁN.—¿Me dejarás el casco para hacer más militar? [47]

ZEPO.—No quiero más fotos. Con una ya hay de sobra.

ZAPO.—No se ponga usted así. ¿A usted que más le da?

ZEPO.—Nada, no consiento que me hagan más fotos. Es mi última palabra.

SR. TEPÁN.—*(A su mujer.)* No insistáis más. Los prisioneros suelen ser muy suceptibles. Si continuamos así, se disgustará y nos ahogará la fiesta.

ZAPO.—Bueno, ¿y qué hacemos ahora con el prisionero? [48]

---

[47] En el ms. B, Zapo responde a su madre: «Sí. Bueno, colocaros *(sic)*.»

[48] El ms. D ignora lo que aquí reproducimos del ms. B:

SR. TEPÁN.—Yo no sé. Yo lo que sé es que hay que atarle, pero no sé lo que se hace luego con él. ¿Tú sabes? *(Pregunta a su mujer.)*

SRA. TEPÁN.—No. Yo, no.

ZOTE.—Tienen que avisar al capitán para que me lleven al campo de concentración. *(Comenta malhumoradamente.)* Esta gente no sabe ni dónde tiene la mano izquierda.

SAPO.—*(Humilde.)* Gracias, señor prisionero.

ZOTE.—*(Condescendiente.)* Nada, hombre, a mandar.

SAPO.—*(Hablando por teléfono.)* Allo... Allo... *(sic)* A sus órdenes, mi capitán. Soy el centinela de la cote *(sic)* 47... Le llamo porque he cogido un prisionero y no sé qué hacer con él... Es más bien guapo y con los ojos azules... *(El capitán le corta.)* Sí, sí, es soldado... Pues nada, muy fácil. Le puse manos arriba con el fusil y luego le he atado... Mi capitán... Mi capitán... *(Sin duda el capitán le ha cortado.)*

SAPO.—No me ha hecho caso el capitán. Dice que no puede perder tiempo oyendo bromas.

SR. TEPÁN.—En mi tiempo no pasarían estas cosas. Bastaba que hubiera un prisionero para que, inmediatamente, el capitán enviara un caballo para que se le trajera a su presencia.

SAPO.—Es que en aquellos tiempos había muchos caballos.

SR. TEPÁN.—Y muy gordos, hijo. Que daba gusto mirarlos.

SRA. TEPÁN.—Sí, eso es cierto. Qué caballos había entonces... Yo recuerdo que cuando la batalla terminaba, los generales rivales escogían el caballo más gordo y más bonito y se iban a abrazar y a ponerse cruces de guerra en medio del campo de batalla,

SRA. TEPÁN.—Lo podemos invitar a comer. ¿Te parece? [49]

SR. TEPÁN.—Por mí no hay inconveniente.

ZAPO.—*(A ZEPO)* [50]. ¿Qué? ¿Quiere comer con nosotros?

ZEPO.—Pues...

SR. TEPÁN.—Hemos traído un buen tintorro [51].

ZEPO.—Si es así bueno.

---

mientras todas las bandas de música sonaban con todas sus fuerzas.

SR. TEPÁN.—Ahora en las guerras no hay más que barro y sangre. Así es que se pone uno perdido de sucio. Antes daba gusto. Terminada la batalla se iba, con los mismos trajes, a bailar en los palacios esos valses de Viena tan encantadores. *(Tararea un vals de Strauss.)*

SRA. TEPÁN.—Y lo bueno es que como había tantos espías siempre había sorpresas. Cuántas veces me ponía a bailar con un elegante señor de barba que luego resultaba ser una bellísima espía disfrazada.

SAPO.—Pero, por fin, ¿qué hacemos con el prisionero?

Este largo texto suprimido por Arrabal, resultaba una digresión innecesaria y el autor debió juzgar que se perdía en el universo vago de los viejecillos que cuentan batallitas... Su desaparición otorga a la obra esa sobriedad, tan buscada por el autor, en la economía de los medios expresivos empleados. Resulta, sin embargo, esclarecedora la dicha y largamente citada digresión por lo que tiene de evocación de un mundo pasado y perdido al que, de alguna manera —quizá meramente emocional—, se sienten ligados los personajes. Su carácter de personajes «históricos» (tienen un pasado) será raro en el teatro posterior de Fernando Arrabal. Sin embargo, esta evocación del pasado tendrá un alto valor para quien se acerque al teatro de Arrabal desde una metodología sociológica.

[49] En el ms. B hay una pequeña acotación: «*(habla a su marido)*».

[50] Por primera vez, en esta acotación, aparece en el ms. B el nombre de Zepo. Un poco más adelante, hablará, siendo ya designado por su nuevo nombre, por primera vez. (Véanse notas 2, 25 y 53.)

[51] En el ms. B el diálogo es como sigue:

SAPO.—*(A ZEPO.)* Qué, ¿quiere comer con nosotros?

ZOTE (todavía conserva este nombre a pesar de lo dicho en la nota anterior. *Nota del editor).*—Eso depende. ¿Tienen buen vinorro? (Hay en el texto una palabra, entre paréntesis en francés: «(pinard)». *Nota del editor.*)

SR. TEPÁN.—Hemos traído una botella de Bourdeos *(sic).*

SR. TEPÁN.—Usted haga como si estuviera en su casa. Pídanos lo que quiera.

ZEPO.—Bueno.

SR. TEPÁN.—¿Qué?, ¿y usted, ha matado mucho?

ZEPO.—¿Cuándo?

SR. TEPÁN.—Pues estos días.

ZEPO.—¿Dónde?

SR. TEPÁN.—Pues en esto de la guerra.

ZEPO.—No mucho. He matado poco. Casi nada[52].

SR. TEPÁN.—¿Qué es lo que ha matado más, caballos enemigos o soldados?

ZEPO.—No, caballos no. No hay caballos.

SR. TEPÁN.—¿Y soldados?

ZEPO.—A lo mejor.

SR. TEPÁN.—¿A lo mejor? ¿Es que no está seguro?

ZEPO.—Sí, es que disparo sin mirar. *(Pausa.)* De todas formas, disparo muy poco. Y cada vez que disparo, rezo un *Avemaría* por el tío que he matado[53].

---

[52] En el ms. B hay una acotación: «*(Humilde.)*»

[53] Por primera vez, y ya lo hará hasta el final del ms. B, habla Zepo con su nuevo nombre. Desde que apareció éste, en la acotación a que hace referencia la nota 50, Zepo ha intervenido como Zote en ocho ocasiones. No hay en el manuscrito anotación o evidencia de las razones del cambio. Nuestra tesis es que Arrabal, poco a poco, va insistiendo en un aspecto que debía ser extraño al ms. A: la hermandad, identidad o extrema semejanza entre los dos soldados. El nombre de Sapo en relación con Zote debió sugerirle al autor la relación fonética con una pareja de hermanos, por aquellos años muy conocida, de una publicación de humor: los hermanos Zipi y Zape. No hay evidencia textual para esta afirmación, pero sí la hay fonética y significativa. Efectivamente, aquellos dos hermanos eran gemelos y su única diferencia era el color del pelo. Hablaban del mismo modo y actuaban de forma parecida o idéntica a veces. La utilización de dicho mito tiene un sentido muy evidente si tenemos en cuenta la, cada vez mayor, identidad que Arrabal propone en-

Sr. Tepán.—¿Un *Avemaría?* Yo creí que rezaría un *Padrenuestro.*

Zepo.—No. Siempre un *Avemaría. (Pausa.)* Es más corto.

Sr. Tepán.—Ánimo, hombre. Hay que tener más valor.

Sra. Tepán.—*(A* Zepo.) Si quiere usted, le soltamos las ligaduras.

Zepo.—No, déjelo, no tiene importancia.

Sr. Tepán.—No vaya usted ahora a andar con vergüenzas con nosotros. Si quiere que le soltemos las ligaduras, díganoslo.

Sra. Tepán.—Usted póngase lo más cómodo que pueda [54].

Zepo.—Bueno, si se ponen así, suéltenme las ligaduras. Pero sólo se lo digo por darles gusto.

Sr. Tepán.—Hijo, quítaselas. (Zapo *le quita las ligaduras de los pies.)*

Sra. Tepán.—¿Qué, se encuentra usted mejor?

Zepo.—Sí, sin duda. A lo mejor les estoy molestando mucho.

Sr. Tepán.—Nada de molestarnos. Usted, considérese como en su casa. Y si quiere que le soltemos las manos, no tiene nada más que pedírnoslo.

Zepo.—No. Las manos, no. Es pedir demasiado.

Sr. Tepán.—Que no, hombre que no. Ya le digo que no nos molesta en absoluto.

Zepo.—Bueno... entonces, desátenme las manos. Pero sólo para comer, ¿eh?, que no quiero yo que me digan

---

tre Zapo y Zepo. No deben olvidarse, sin embargo, las connotaciones, que ya hemos propuesto en otro lugar, de «sapo», «cepo» y «cero».

[54] En el ms. B, dice el señor Tepán: «No vaya usted ahora a andar con vergüenzas con nosotros, si quiere que le soltemos las ligaduras díganoslo. Usted póngase lo más cómodo que pueda.»

luego que me ofrecen el dedo y me tomo la mano entera.
SR. TEPÁN.—Niño, quítale las ligaduras de las manos.

SRA. TEPÁN.—Qué bien, con lo simpático que es el señor prisionero, vamos a pasar un buen día de campo.

ZEPO.—No tiene usted que decirme «señor prisionero», diga «prisionero» a secas.

SRA. TEPÁN.—¿No le va a molestar?

ZEPO.—No, en absoluto.

SR. TEPÁN.—Desde luego hay que reconocer que es usted modesto [55].

*(Ruido de aviones.)*

ZAPO.—Aviones. Seguramente van a bombardearnos.

*(*ZAPO *y* ZEPO *se esconden, a toda prisa, entre los sacos terreros.)*

ZAPO.—*(A sus padres.)* Poneos al abrigo. Os van a caer las bombas encima.

*(Se impone poco a poco el ruido de los aviones. Inmediatamente empiezan a caer bombas. Explotan cerca, pero ninguna cae en el escenario. Gran estruendo.* ZAPO *y* ZEPO *están acurrucados entre los sacos. El* SR. TEPÁN *habla tranquilamente con su esposa. Ella le responde en un tono también muy tranquilo. No se oye su diálogo a causa del bombardeo. La* SRA. TEPÁN *se dirige a una de las cestas y saca un paraguas. Lo abre. Los* TEPÁN *se cubren con el paraguas como si estuviera lloviendo. Están de pie. Parecen mecerse con una cadencia tranquila apoyándose alternativamente en uno y otro pie mientras hablan de sus cosas. Continúa el bombardeo. Los aviones se van alejando. Silencio. El* SR. TEPÁN *extiende un brazo y lo saca del paraguas para asegurarse de que ya no cae nada del cielo.)*

---

[55] El ms. B, dice:
SR. TEPÁN.—Niño, quítale las ligaduras de las manos.
*(Se las quita.)*
ZEPO.—No olviden de ponérmelas luego.
SR. TEPÁN.—Descuide.
SRA. TEPÁN.—¿Y usted?, ¿por qué es enemigo?

SR. TEPÁN.—*(A su mujer.)* Puedes cerrar ya el paraguas.

*(La* SRA. TEPÁN *lo hace. Ambos se acercan a su hijo y le dan unos golpecitos en el culo con el paraguas.)*

SR. TEPÁN.—Ya podéis salir. El bombardeo ha terminado.

(ZAPO *y* ZEPO *salen de su escondite.)*

ZAPO.—¿No os ha pasado nada?

SR. TEPÁN.—¿Qué querías que le pasara a tu padre? *(Con orgullo.)* Bombitas a mí...

*(Entra, por la izquierda, una pareja de soldados de la Cruz Roja. Llevan una camilla)* [36].

PRIMER CAMILLERO.—¿Hay muertos?

ZAPO.—No. Aquí no.

PRIMER CAMILLERO.—¿Está seguro de haber mirado bien?

ZAPO.—Seguro.

PRIMER CAMILLERO.—¿Y no hay ni un solo muerto?

ZAPO.—Ya le digo que no.

PRIMER CAMILLERO.—¿Ni siquiera un herido?

ZAPO.—No.

CAMILLERO SEGUNDO. — ¡Pues estamos apañados! *(A* ZEPO, *con un tono persuasivo.)* Mire bien por todas partes a ver si encuentra un fiambre.

PRIMER CAMILLERO.—No insistas. Ya te han dicho que no hay.

---

[36] Los manuscritos B y C ignoran completamente el episodio de los camilleros que aparece, por primera vez, en el ms. D y se mantiene en el E. La presencia de los camilleros nos parece muy importante, tanto para destacar el carácter grotesco de la guerra como para resolver el final de la obra con un sentido de continuidad. La escena del bombardeo y el matrimonio abrigado bajo el paraguas, recuerda *Fando y Lis*.

CAMILLERO SEGUNDO.—¡Vaya jugada!

ZAPO.—Lo siento muchísimo. Les aseguro que no lo he hecho a posta.

CAMILLERO SEGUNDO.—Eso dicen todos. Que no hay muertos y que no lo han hecho a posta.

PRIMER CAMILLERO.—Venga, hombre, no molestes al caballero.

SR. TEPÁN.—*(Servicial.)* Si podemos ayudarle lo haremos con gusto. Estamos a sus órdenes.

CAMILLERO SEGUNDO.—Bueno, pues si seguimos así ya verás lo que nos va a decir el capitán.

SR. TEPÁN.—¿Pero qué pasa?

PRIMER CAMILLERO.—Sencillamente, que los demás tienen ya las muñecas rotas a fuerza de transportar cadáveres y heridos y nosotros todavía sin encontrar nada. Y no será porque no hemos buscado...

SR. TEPÁN.—Desde luego que es un problema. *(A* ZAPO.) ¿Estás seguro de que no hay ningún muerto?

ZAPO.—Pues claro que estoy seguro, papá.

SR. TEPÁN.—¿Has mirado bien debajo de los sacos?

ZAPO.—Sí, papá.

SR. TEPÁN.—*(Muy disgustado.)* Lo que te pasa a ti es que no quieres ayudar a estos señores. Con lo agradables que son. ¿No te da vergüenza?

PRIMER CAMILLERO.—No se ponga usted así, hombre. Déjelo tranquilo. Esperemos tener más suerte y que en otra trinchera hayan muerto todos.

SR. TEPÁN.—No sabe cómo me gustaría.

SRA. TEPÁN.—A mí también me encantaría. No puede imaginar cómo aprecio a la gente que ama su trabajo.

SR. TEPÁN.—*(Indignado, a todos.)* Entonces, ¿qué? ¿Hacemos algo o no por estos señores?

ZAPO.—Si de mí dependiera, ya estaría hecho.

ZEPO.—Lo mismo digo.

SR. TEPÁN.—Pero, vamos a ver, ¿ninguno de los dos está ni siquiera herido?

ZAPO[57].—*(Avergonzado.)* No, yo no.

SR. TEPÁN.—*(A* ZEPO.) ¿Y usted?

ZEPO.—*(Avergonzado.)* Yo tampoco. Nunca he tenido suerte...

SRA. TEPÁN.—*(Contenta.)* ¡Ahora que me acuerdo! Esta mañana al pelar las cebollas me di un corte en el dedo. ¿Qué les parece?

SR. TEPÁN.—¡Perfecto! *(Entusiasmado.)* En seguida te llevan.

PRIMER CAMILLERO.—No. Las señoras no cuentan.

SR. TEPÁN.—Pues estamos en lo mismo.

PRIMER CAMILLERO.—No importa.

CAMILLERO SEGUNDO.—A ver si nos desquitamos en las otras trincheras.

*(Empiezan a salir.)*

SR. TEPÁN.—No se preocupen ustedes, si encontramos un muerto, se lo guardamos. Estén ustedes tranquilos que no se lo daremos a otros.

CAMILLERO SEGUNDO.—Muchas gracias, caballero.

SR. TEPÁN.—De nada, amigo. Pues no faltaba más...

*(Los camilleros les dicen adiós al despedirse y los cuatro responden. Salen los camilleros.)*

SRA. TEPÁN.—Esto es lo agradable de salir los domin-

[57] No queremos dejar de destacar el proceso de identificación entre ambos soldados puesto de relieve por el señor Tepán al referirse a uno y otro en los mismos términos.

gos al campo. Siempre se encuentra gente simpática. *(Pausa.)* Y usted, ¿por qué es enemigo?

ZEPO.—No sé de estas cosas[58]. Yo tengo muy poca cultura.

SRA. TEPÁN.—¿Eso es de nacimiento, o se hizo usted enemigo más tarde?

ZEPO.—No sé. Ya le digo que no sé.

SR. TEPÁN[59].—Entonces, ¿cómo ha venido a la guerra?

ZEPO.—Yo estaba un día en mi casa arreglando una plancha eléctrica de mi madre cuando vino un señor y me dijo: «¿Es usted Zepo?[60]. —Sí. Pues que me han dicho que tienes que ir a la guerra.» Y yo entonces le pregunté: «Pero, ¿a qué guerra?» Y él me dijo: «Qué bruto eres, ¿es que no lees los periódicos?» Yo le dije que sí, pero no lo de las guerras...

ZAPO[61].—Igualito, igualito me pasó a mí.

SR. TEPÁN.—Sí, igualmente te vinieron a ti a buscar.

SRA. TEPÁN.—No, no era igual, aquel día tú no estabas arreglando una plancha eléctrica, sino una avería del coche.

SR. TEPÁN.—Digo en lo otro. *(A* ZEPO.) Continúe. ¿Y qué pasó luego?[62]

ZEPO.—Le dije que además tenía novia y que si no iba conmigo al cine los domingos lo iba a pasar muy

---

[58] El ms. C ha añadido «de estas cosas».

[59] Esta réplica es del señor Tepán en el ms. D. Ha sido rectificada del ms. B, en el que pertenecía a la señora Tepán.

[60] El ms. B, dice: «Yo le dije "sí" y él me dijo...»

[61] Hay en el ms. B una acotación referida a Zapo: «*(Interrumpe.)*»

[62] El ms. B, añade a continuación:

ZEPO.—Yo le dije al señor: «pero yo no quiero ir a la guerra, tengo que arreglar la plancha», y él me respondió que eso de la plancha no tenía importancia...

SAPO.—*(Muy contento, interrumpe.)* Igualito, igualito a mí pero con lo del coche.

aburrido. Me respondió que eso de la novia no tenía importancia [63].

ZAPO.—Igualito, igualito que a mí [64].

ZEPO.—Luego bajó mi padre y dijo que yo no podía ir a la guerra porque no tenía caballo.

ZAPO.—Igualito dijo mi padre.

ZEPO.—Pero el señor dijo que no hacía falta caballo [65] y yo le pregunté si podía llevar a mi novia, y me dijo que no. Entonces le pregunté si podía llevar a mi tía [66] para que me hiciera natillas los jueves, que me gustan mucho [67].

---

[63] La última frase del texto ha sido añadida en el ms. D. Zapo en la réplica siguiente reconoce tener novia y extraña que sea ésta la única referencia en toda la obra, tratándose de una visita familiar.

[64] Esta réplica no existe en el ms. B, que, sin embargo, añade en lugar de la última frase de Zepo a que hace referencia la nota anterior:

ZEPO.—(...) Él me dijo que no podía haber excepciones, que todos iban a ir a la guerra. Yo le dije, «¿todos?» Y me dijo «sí, todos los hombres». Y le dije: «¿y para qué quieren tantos?» Él me dijo que era necesario porque la guerra era muy gorda. Yo le dije: «pues no vamos a caber». (El ms. B —corregido en el ms. C— decía en lugar de la última frase: «qué mala leche, hoy me he levantado con el pie izquierdo». *(Nota del editor.)*

SAPO.—*(Interrumpiéndole, muy contento.)* Igualito, igualito que a mí. Oiga, ¿y luego también le dijeron que había que ir a la guerra para lo de la patria?

ZEPO.—Sí.

SAPO.—¿Y para salvar a eso de la humanidad?

ZEPO.—*(Contento.)* Sí.

SAPO.—¿Y para aquello de «salvar los valores»?

ZEPO.—*(Muy contento.)* Sí. Y también me dijeron que había que ir para salvar la civilización.

SAPO.—Igualito, igualito para mí. A mí también me dijeron lo de la civilización.

ZEPO.—Luego le dije que yo no serviría para la guerra, que todos mis amigos me pueden. Él dijo que eso no cambiaba nada. Luego bajó mi padre (...).

[65] El ms. B, añade: «entonces mi padre dijo: 'pues vaya una guerra'».

[66] En el ms. B es la madre y no la tía.

[67] El ms. B no tiene las dos réplicas que siguen en el texto y añade a ésta lo que sigue: «y me dijo que tampoco, que la gue-

SRA. TEPÁN.—*(Dándose cuenta de que ha olvidado algo.)* ¡Ay, las natillas!

ZEPO.—Y me volvió a decir que no.

ZAPO.—Igualito me pasó a mí.

ZEPO.—Y, desde entonces, casi siempre solo en esta trinchera [68].

SRA. TEPÁN.—Yo creo que ya que el señor prisionero y tú os encontráis tan cerca y tan aburridos, podríais reuniros todas las tardes para jugar juntos [69].

ZAPO.—Ay, no mamá. Es un enemigo.

SR. TEPÁN.—Nada, hombre, no tengas miedo.

---

rra no era para las mujeres». En lugar de las dos réplicas que faltan, el ms. B sigue:
SAPO.—Igualito me pasó a mí.
ZEPO.—Luego fui a un cuartel y me pusieron un casco y un fusil, y luego me vine a la guerra.
SR. TEPÁN.—Vaya, hombre, qué mala suerte. Pero no se sienta solo, a mi hijo le pasa lo mismo.

[68] En lugar de la réplica del original, el ms. B dice así:
ZEPO.—Luego fui a un cuartel y me pusieron un casco y un fusil, y luego me vine a la guerra. (El ms. C añade aquí la frase que queda en el texto. *Nota del editor.)*
SR. TEPÁN.—Vaya, hombre, qué mala suerte. Pero no se sienta solo, a mi hijo le pasa lo mismo.

[69] El ms. B, decía: «para jugar partidas de petanca con las bombas». De nuevo aparece aquí una alusión que hace pensar en la redacción «francesa» de esta obra.
A continuación, y antes de la réplica en que Zapo se niega a jugar con Zepo porque es un enemigo, existe en el ms. B la siguiente escena desaparecida en el ms. D.
SAPO.—Bueno. Si él quiere, bueno.
ZEPO.—Bueno, acepto, aunque yo en la petanca soy muy flojo.
SRA. TEPÁN.—Lo que no acabo de comprender es que usted sea enemigo de mi hijo.
SR. TEPÁN.—Está bien claro.
SRA. TEPÁN.—¿Y nuestro hijo?
SR. TEPÁN.—Nuestro hijo es enemigo de él y él es enemigo de nuestro hijo.
SRA. TEPÁN.—Entonces los dos son enemigos.
SR. TEPÁN.—Sí.
SRA. TEPÁN.—¿De quién?
SR. TEPÁN.—Entre sí, enemigos entre sí.
SRA. TEPÁN.—Pero si casi son amigos...
SR. TEPÁN.—Pero son enemigos, está bien claro.

ZAPO.—Es que si supieras lo que el general nos ha contado de los enemigos.

SRA. TEPÁN.—¿Qué ha dicho el general?

ZAPO.—Pues nos ha dicho que los enemigos son muy malos, muy malos muy malos. Dice que cuando cogen prisioneros les ponen chinitas en los zapatos para que cuando anden se hagan daño [70].

SRA. TEPÁN. — ¡Qué barbaridad! ¡Qué malísimos son! [71]

SR. TEPÁN.—*(A ZEPO, indignado.)* ¿Y no le da a usted vergüenza pertenecer a ese ejército de criminales?

---

SRA. TEPÁN.—Pues esta situación se tiene que arreglar: hijo mío, dale un beso a este señor.
SAPO.—Ay, no, mamá, me da mucho miedo: es un enemigo.

[70] El ms. B, con dos correcciones de palabras —que señalaremos en el texto mismo de la cita— del ms. C, introducía aquí una escena brevemente recogida y corregida —como también señalaremos— en el ms. D. Hela aquí:

SAPO.—Pues nos han dicho que los enemigos son muy malos, muy malos, muy malos, pero que muy malos. Dice (el general. *Nota del editor.)* que cuando cogen prisioneros les hacen martirios chinos (el ms. D termina aquí cambiando la frase, según aparece en el texto).
SRA. TEPÁN.—No es posible.
SAPO.—Sí, así nos lo han contado. Dice que, por ejemplo, cogen un prisionero y le ponen chinitas en los zapatos para que cuando ande le haga daño (como puede verse esta frase explica la corrección del ms. D. *Nota del editor)* y todos los días le hacen andar muchos kilómetros. Porque los enemigos son tan malos que en vez de hacer viajar a los enemigos (ms. C: prisioneros) en tren, les obligan a ir andando. Además, para cuidar a los prisioneros hay antropófagos que están siempre hambrientos y por eso, en cuanto se descuidan, se comen el brazo de un prisionero para merendar.
SRA. TEPÁN.—Qué bestias.
SAPO.—Y por si fuera todo esto poco, como son tan malos, con los aviones echan moscas, mosquitos, cucarachas, escarabajos de la patata y..., y..., es una palabra muy rara y no la recuerdo bien, y bac...
ZEPO.—Bacterias.
SAPO.—Eso, y bacterias. Todo eso lo tiran en nuestro campo y en nuestras ciudades para que todos nos pongamos enfermos y cojamos enfermedades malas como catarros, reumatismos (ms. C: diarreas), sarampión y escarlatina.

[71] El ms. B, añadía aquí la siguiente réplica:

ZEPO.—Yo no he hecho nada. Yo no me meto con nadie.

SRA. TEPÁN.—Con esa carita de buena persona, quería engañarnos...

SR. TEPÁN.—Hemos hecho mal en desatarlo, a lo mejor, si nos descuidamos, nos mete unas chinitas en los zapatos [72].

ZEPO.—No se pongan conmigo así.

SR. TEPÁN.—¿Y cómo quiere que nos pongamos? Esto me indigna. Ya sé lo que voy a hacer: voy a ir al capitán y le voy a pedir que me deje entrar en la guerra [73].

ZAPO.—No te van a dejar [74]. Eres demasiado viejo.

SR. TEPÁN.—Pues entonces me compraré un caballo y una espada y vendré a hacer la guerra por mi cuenta.

SRA. TEPÁN.—Muy bien. De ser hombre, yo haría lo mismo [75].

ZEPO.—Señora, no se ponga así conmigo. Además le diré que a nosotros nuestro [76] general nos ha dicho lo mismo de ustedes [77].

SRA. TEPÁN.—¿Cómo se ha atrevido a mentir de esa forma?

ZAPO.—Pero, ¿todo igual?

---

SAPO.—Sí, muy malos. Por eso nos dijo el general que enemigo que viéramos, enemigo que matáramos porque luego, si no, te pondrían chinitas en los zapatos o te comerían los brazos para desayunar.

[72] Como el ms. D no recoge lo que señalamos en las notas 70 y 71, cambia la frase «nos come un brazo» del ms. B por la última que aparece en el texto en boca del señor Tepán.

[73] El ms. B añadía además: «para defenderme de estos bárbaros».

[74] A la frase «eres demasiado viejo», correspondía en el ms. B: «Van a decirte que eres demasiado viejo.»

[75] El ms. B, continuaba así: «Se me ha puesto la carne de gallina al pensar en estos bestias.» Este tipo de frase por su carácter demasiado coloquial tenía que desaparecer (véase la nota 13).

[76] «Nuestro general» es una corrección del ms. C. El ms. B, decía: «el general».

[77] El ms. B, continuaba así:

ZEPO[78].—Exactamente igual[79].

SR. TEPÁN.—¿No sería el mismo el que os habló a los dos? [80]

SRA. TEPÁN.—Pero si es el mismo, por lo menos podría cambiar de discurso. También tiene poca gracia eso de que a todo el mundo le diga las mismas cosas[81].

SR. TEPÁN.—*(A ZEPO, cambiando de tono.)* ¿Quiere otro vasito?

SRA. TEPÁN.—Espero que nuestro almuerzo le haya gustado...

SR. TEPÁN.—Por lo menos ha estado mejor que el del domingo pasado.

ZEPO.—¿Qué les pasó?

SR. TEPÁN.—Pues que salimos al campo, colocamos la

---

SRA. TEPÁN.—¿Cómo lo mismo?
ZEPO.—Sí, nos ha dicho eso de que el enemigo, ustedes, son muy malos, lo de las chinitas en los zapatos, lo de los antropófagos en los campos de concentración, lo de echar con aviones mosquitos, escarabajos y bacterias. Todo igual.

[78] Esta réplica no aparece en el ms. B.

[79] El ms. B continuaba en los términos siguientes:
ZEPO.—Sólo cambió un poco, dijo dos cosas que no ha dicho su capitán *(general* en el ms. C. *Nota del editor):* él dijo que los enemigos, cuando entraban en una ciudad, violaban a todas las mujeres aunque fueran niñas de ocho años...
SAPO.—Se me había olvidado, eso mismo dijo el nuestro.
ZEPO.—Y también, que además de ser muy malos, muy malos, muy malos, los enemigos eran muy feos (una corrección característica del ms. C ha añadido la palabra francesa *vilain,* entre paréntesis, cerca de «feos». *Nota del editor.)*
SAPO.—Ah sí, también lo dijo el mío.

[80] El ms. B seguía así:
SAPO.—Yo no sé.
ZEPO.—Yo, de esas cosas de generales entiendo muy poco. Yo no soy ningún intelectual.

[81] El ms. B introducía la escena siguiente:
ZEPO.—*(Pillín.)* ¿Yo saben lo que creo?
SRA. TEPÁN, SR. TEPÁN y SAPO.—¿Qué?
ZEPO.—¿No van a decir que lo que digo es una tontería?
SRA. TEPÁN, SR. TEPÁN, SAPO.—No.
ZEPO.—Pues yo lo que creo es que todo es mentira.
SRA. TEPÁN, SR. TEPÁN, SAPO.—¿Cómo?

comida encima de la manta y en cuanto nos dimos la vuelta, llegó una vaca y se comió toda la merienda. Hasta las servilletas [82].

Zepo.—¡Vaya una vaca sinvergüenza!

Sr. Tepán.—Sí, pero luego, para desquitarnos, nos comimos la vaca. *(Ríen.)*

Zapo.—*(A Zepo.)* Pues, desde luego se quitarían el hambre...

Sr. Tepán.—¡Salud! *(Beben.)*

Sra. Tepán.—*(A Zepo.)* Y en la trinchera, ¿qué hace usted para distraerse?

Zepo.—Yo, para distraerme, lo que hago es pasarme el tiempo haciendo flores de trapo. Me aburro mucho.

Sra. Tepán.—¿Y qué hace usted con las flores?

Zepo.—Antes se las enviaba a mi novia. Pero un día me dijo que ya había llenado el invernadero y la bodega de flores de trapo y que si no me molestaba que le enviara otra cosa, que ya no sabía qué hacer con tanta flor.

Sra. Tepán.—¿Y qué hizo usted?

Zepo.—Intenté aprender a hacer otra cosa, pero no pude. Así que seguí haciendo flores de trapo para pasar el tiempo.

Sra. Tepán.—¿Y las tira?

Zepo.—No. Ahora les he encontrado una buena utilidad: doy una flor para cada compañero que muere. Así ya sé que por muchas que haga, nunca daré abasto.

---

Zepo.—Bueno, es sólo una cosa que digo así, sin más; no me lo tomen a mal.

Sr. Tepán.—Pues vaya una gracia.

Sra. Tepán.—No te tienes que sorprender tanto. Es sabido que los generales, si bien se miran, son un poco rarillos.

Sr. Tepán.—Pero, mujer, una cosa es ser rarillos y otra es contar lo de los antropófagos.

Sra. Tepán.—*(A Zepo.)* Pues estará usted muerto de miedo con todo lo que le han contado.

Zepo.—Bah, no crea usted, uno termina por acostumbrarse. Yo para distraerme lo que hago es pasarme el tiempo haciendo flores de trapo. Me aburro mucho.

[82] El episodio de la vaca aparece, por primera vez, en el ms. D.

SR. TEPÁN.—Pues ha encontrado una buena solución.

ZEPO.—*(Tímido.)* Sí.

ZAPO.—Pues yo me distraigo haciendo jerseys[83].

SRA. TEPÁN.—Pero, oiga, ¿es que todos los soldados se aburren tanto como usted?

ZEPO.—Eso depende de lo que hagan para divertirse[84].

ZAPO.—En mi lado ocurre lo mismo[85].

SR. TEPÁN.—Pues entonces podemos hacer una cosa: parar la guerra.

---

[83] En el ms. B aparecía el diálogo siguiente entre Zapo y Zepo:
SAPO.—Pues yo me distraigo haciendo jerseys. Mira *(sic)* este que estoy haciendo ahora.
(SAPO *le presenta la cestita de tela en la que tiene los ovillos, las agujas y el jersey a medio hacer.)*
ZEPO.—Uy qué mono te (el ms. C corrige: «le», y mantiene siempre el «usted». *Nota del editor) está quedando.*
SAPO.—Sí, no me puedo quejar.
ZEPO.—Quizá un poco fruncidito.
SAPO.—No, no crea.
ZEPO.—¿Y qué punto hace?
SAPO.—El punto inglés de tres por cuatro.
ZEPO.—Yo creía que para jerseys sería mejor el cuatro por ocho.
SAPO.—No, ese punto queda mal. Me hice un jersey con ese método y me salió una bufanda.
ZEPO.—Ah, sí. Es así. *(Pausa.)* ¿Y qué ovillos emplea?
SAPO.—Mírelos usted mismo.
(ZEPO *mete la mano en la talega y saca una cosa.*)
ZEPO.—¿Éste?
SAPO.—No, ése no es un ovillo, es una bomba.
ZEPO.—*(Saca otra cosa.)* ¿Éste?
SAPO.—Sí, ya ve, de muy buena calidad.
ZEPO.—Si es lo que digo yo siempre que voy a hacer el mercado: más vale comprar una cosa cara pero buena que no barata y que luego no sirva para nada.
Como puede fácilmente apreciarse, el tono de este diálogo así como su contenido resultan fuera del contexto de la obra el uno y absolutamente ineficaz el segundo. Tanto el carácter de desinterés por las cosas de la guerra como la comunidad de intereses de los personajes aparecen sobradamente en la redacción definitiva. Debe, sin embargo, señalarse el aspecto metamórfico del lenguaje femenino utilizado por los soldados aquí.

[84] El ms. B, añadía:
SRA. TEPÁN.—¿Es que a ninguno le gusta lo de la guerra?
ZEPO.—No, a ninguno.

[85] El ms. B decía a continuación:

ZEPO.—¿Cómo?

SR. TEPÁN.—Pues muy sencillo. Tú [86] le dices a todos los soldados de nuestro ejército que los soldados enemigos no quieren hacer la guerra, y usted le dice lo mismo a sus amigos. Y [87] cada uno se vuelve a su casa.

ZAPO [88].—¡Formidable!

SRA. TEPÁN.—Y así [89] podrá usted terminar de arreglar la plancha eléctrica.

ZAPO.—¿Cómo no se nos habrá ocurrido antes una idea tan buena para terminar con este lío de la guerra?

SRA. TEPÁN.—Estas ideas sólo las puede tener tu padre. No olvides que es universitario y filatélico [90].

ZEPO.—Oiga, pero si paramos así la guerra, ¿qué va a pasar con los generales y los cabos? [91]

---

ZEPO.—A todos les pasa poco más o menos como a mí. Un buen día los fueron a buscar diciéndoles que había que ir a la guerra.

SR. TEPÁN.—¿Pero a ninguno le gusta hacer la guerra?

ZEPO y SAPO.—No, a ninguno.

Esta parte del texto suprimida por Arrabal en el ms. D, si bien no añade nada a la obra, indica claramente la proposición del señor Tepán que va a seguir.

[86] En el ms. B aparece la siguiente acotación: «(*señala a* SAPO).»

[87] El señor Tepán continúa en el ms. B: «Y entonces se reúnen todos aquí, en el centro, se dan la mano y se va cada uno a su casa.»

Es interesante señalar cómo, para Arrabal y sus personajes, el centro de la guerra se sitúa, precisamente, «aquí», en el escenario.

[88] En el ms. B no es sólo Zapo quien responde. Dice dicho manuscrito:

SAPO, ZEPO, SRA. TEPÁN.—*(Entusiasmados.)* ¡Formidable!

[89] En el ms. B, la señora Tepán añade aquí: ... «ya no habrá guerra y»...

[90] Existen varios cambios en esta réplica de los diferentes manuscritos, según señalamos a continuación subrayando la parte cambiada:

SRA. TEPÁN.—Estas ideas sólo las puede tener tu padre *(respetuosamente)* (desaparece en el ms. D), no olvides que es *ancien de l'École Normal Superieure* (cambia en ms. D y en esta versión definitiva de la obra) *y filatélico* (aparece en el ms. C).

[91] El ms. D ha suprimido lo que sigue del ms. B:

ZEPO.—Oiga, pero si paramos así la guerra, ¿qué va a pasar con los capitanes y los generales, y los cabos, y los mariscales?

SRA. TEPÁN.—Les daremos unas panoplias para que se queden tranquilos [92].

ZEPO.—Muy buena idea.

SR. TEPÁN.—¿Veis qué fácil? Ya está todo arreglado [93].

ZEPO,—Tendremos un éxito formidable.

ZAPO.—Qué contentos se van a poner mis amigos [94].

SAPO.—Es verdad, se van a aburrir mucho con eso de no poder matar.

SR. TEPÁN.—Se puede hacer una cosa: comprar un trozo de selva y enviarles allí para que maten leones y panteras y gorilas e incluso todos los viajantes de comercio que se pierdan por allí.

SRA. TEPÁN.—Pero no habrá dinero para comprar un trozo de selva.

SR. TEPÁN.—Sí mujer, para eso se venderán los cañones y los tanques y los cascos *de la guerra* (añadido en el ms. C).

SRA. TEPÁN.—No, los cascos no. Los cascos, que se queden con ellos los soldados, que hace muy chic *(sic)*.

SR. TEPÁN.—Bueno, si quieres tú...

SRA. TEPÁN.—¿Pero habrá suficiente dinero?

SR. TEPÁN.—Yo creo que sí. ¿Cuántos tanques hay en la guerra?

SAPO.—En mi lado muchos, pero muchos, muchos, infinitos. Y todos muy gordos.

SR. TEPÁN.—¿Y en su lado?

ZEPO.—También infinitos y todos muy gordos también.

SR. TEPÁN.—Pues entonces los venderemos al peso a un trapero y se sacará todo el dinero necesario.

SAPO.—Pero yo he oído que a los que más les gusta eso de la guerra es a los señores importantes de la nación, a los... ¿cómo se llaman?... eso a los ministros y a los jefes supremos.

ZEPO.—En mi nación dicen que pasa lo mismo. Estos señores, dicen, cuando se les lleva la contraria en eso de las guerras se ponen muy enfadados.

SR. TEPÁN.—Bueno, pues entonces lo que haremos será regalarles a todos guitarras y castañuelas para que se alegren y así ya no tendrán la mala leche de gustarles estas guerras de ahora en que ni siquiera hay caballos.

[92] Esta réplica no existe hasta el ms. D y sustituye todo lo que acabamos de citar del ms. B.

[93] El ms. B continuaba después de esta intervención del señor Tepán así:

(SR. TEPÁN)... En cuanto terminemos de comer, vais cada uno a vuestro lado, contáis el plan a vuestros amigos y ya está la paz; y luego a divertirnos.

ZEPO, SAPO, SRA. TEPÁN.—¡Colosal! ¡Formidable!

[94] En el ms. B sigue otra réplica de Zepo: «Y los míos.» Ha sido suprimida en el ms. D.

Sra. Tepán.—¿Qué os parece si para celebrarlo bailamos el pasodoble de antes?

Zepo.—Muy bien.

Zapo.—Sí, pon el disco, mamá.

*(La* Sra. Tepán *pone un disco. Expectación. No se oye nada.)*

Sr. Tepán.—No se oye nada.

Sra. Tepán.—*(Va al gramófono.)* ¡Ah!, es que me había confundido. En vez de poner un disco, había puesto una boina.

*(Pone el disco. Suena un pasodoble. Bailan, llenos de alegría,* Zapo *con* Zepo *y la* Sra. Tepán *con su marido. Suena el teléfono de campaña. Ninguno de los cuatro lo oye. Siguen, muy animados, bailando. El teléfono suena otra vez. Continúa el baile. Comienza de nuevo la batalla con gran ruido de bombazos, tiros y ametralladoras. Ellos no se dan cuenta de nada y continúan bailando alegremente. Una ráfaga de ametralladora los siega a los cuatro. Caen al suelo, muertos. Sin duda, una bala ha rozado el gramófono: el disco repite y repite, sin salir del mismo surco. Se oye durante un rato el disco rayado, que continuará hasta el final de la obra*[95]*. Entran*[96]*, por la izquierda, los dos camilleros. Llevan la camilla vacía. Inmediatamente, cae el*

TELÓN[97]

---

[95] La frase «que continuará hasta el final de la obra» ha sido añadida en el ms. D.

[96] Los manuscritos B y C terminaban la obra en la frase anterior de la siguiente forma:

*(Se oye durante un rato el disco rayado.)*

TELÓN

Evidentemente, la aparición de los camilleros es del ms. D y viene a poner punto final a la obra indicando la futilidad del sueño liberador de los personajes de esta tragedia de la sinrazón bélica.

[97] En las dos ediciones francesas (ms. D y ms. E), la obra aparece fechada en Madrid durante el año 1952. Como ya hemos dicho esta fecha debe atribuirse al ms. A, pero no corresponde a las versiones originales (ms. B y ms. C) ni, mucho menos, a los ms. D y E.

# *El triciclo*

## PERSONAJES [1]

APAL.
CLIMANDO.
EL VIEJO DE LA FLAUTA [2].
MITA.
EL HOMBRE DE LOS BILLETES.
UN GUARDIA.
EL JEFE [3].

La acción, en la orilla del río canalizado de una gran ciudad [4]. Borde con argollas. Calzada de unos diez metros de anchura. Jardín al fondo, separado de la calzada por una tapia baja. Banco continuo de piedra... [5]

---

[1] La presentación de los personajes que ofrecemos en esta edición sigue la propuesta por Arrabal en las dos ediciones francesas y en las dos españolas, que corrigen ya al manuscrito de las dos versiones (A y B) que utilizamos. En el que llamamos ms. A, aparece así la presentación de los personajes:

PERSONAJES

Apal
y sus amigos: Climando,
El viejo de la flauta y
Mita
También intervienen: El hombre de los billetes y
dos guardias.

Nos ha parecido importante destacar esta diferente presentación porque, en cierto sentido, propone como personaje principal a Apal, contrariamente a lo que suele ser la opinión de críticos y estudiosos. Bien es verdad que también en la versión definitiva Apal aparece como el primero de los personajes.

[2] El Viejo de la flauta se llamó también «Viejo del violín» (véase la nota núm. 30) y en todas las ediciones de la obra aparece como «Le vieux» o «Viejo» simplemente en el texto.

[3] El personaje del «Jefe» aparece como tal en las dos ediciones francesas de la obra, pero no en el ms. A ni en las dos ediciones francesas. En ellas, Guardia y Jefe son «Premier Agent» y «Deuxième Agent».

[4] El manuscrito A decía: «de una capital europea» y ha sido corregido por el ms. B («de una gran ciudad»).

[5] El ms. B ha suprimido una frase que añadía el ms. A: «Decorado: se sugiere que sea muy sencillo.»

## PRIMER ACTO

*Atardecer.*
*Acostado en el banco está* APAL, *un individuo pobremente vestido.*

VOZ.—Apaaaal... Apaaaaal... Apaaaaal.

*(La voz proviene del jardín. Alguien lo cruza, llamando*[6] *a* APAL, *sin ser visto. Entre llamada y llamada se oye el tintineo de unas campanillas. La voz cada vez se oye menos hasta perderse.*
*Silencio corto.*
*De nuevo se vuelve a oír la voz y el tintineo de las campanillas)*[7].

VOZ.—Apaaaal... Apaaaaaal... Apaaaaaal.

*(La voz se oye cada vez más cercana hasta que entra en escena* CLIMANDO *montado en un triciclo oxidado y viejísimo que lleva delante una caja decorada con personajes de Walt Disney descoloridos para poder subir en ella a seis niños. Una serie de campanitas cuelgan de una barra que cruza la caja.)*

CLIMANDO.—*(Bajándose del triciclo.)* Apal, Apal, hombre, despierta. *(Le sacude bruscamente.)*

*(*APAL *se reanima y rápidamente*[8], *como un muñeco mecánico, sube en el triciclo.)*

---

[6] Las dos ediciones españolas cambian el original español que manejamos y que sí siguen las dos ediciones francesas. En las españolas se dice: «Alguien llama a Apal sin ser visto.»

[7] Lo mismo que señalamos en la nota anterior ocurre aquí. Las ediciones castellanas suprimen «de las campanillas».

[8] «Rápidamente» desaparece de ambas ediciones españolas aun-

CLIMANDO.—¿Cómo es que no estabas en la fuente?

APAL.—Tenía sueño.

(APAL *se marcha en el triciclo. A los pocos instantes vuelve a entrar. Se baja del triciclo y se tumba de nuevo en el banco.)*

CLIMANDO.—¿Es que no vas al parque?

APAL.—Tengo sueño.

CLIMANDO.—Eres un carota.

APAL.—Mmm.

CLIMANDO.—Además tenemos que pagar el plazo del triciclo y no tenemos nada.

APAL.—Déjame dormir.

CLIMANDO.—Bueno, menos mal que ya mucho negocio no ibas a hacer. Se han ido casi todos los chavales.

*(Entra el* VIEJO DE LA FLAUTA.)

VIEJO DE LA FLAUTA.—¡Hola, muchachos! Me voy a sentar aquí, que estoy para el arrastre.

CLIMANDO.—Pues yo también estoy bueno.

(CLIMANDO *se tumba*[9] *junto al río y el* VIEJO DE LA FLAUTA *se sienta en el banco estirando las piernas.)*

*(Pausa larga).*

VIEJO DE LA FLAUTA.—Eso es del triciclo.

CLIMANDO.—¿El qué?

VIEJO.—Lo del cansancio.

CLIMANDO.—Claro, como que me he pasado toda la tarde llevando niños. Me duelen sobre todo los sobacos.

---

que, como en los casos anteriores, sí aparezca en el original castellano y en las dos ediciones francesas.

[9] Una y otra edición española proponen: «Climando se sienta junto al río y el hombre de la flauta se sienta en el banco...» Seguimos aquí el original ms. A.

VIEJO.—Eso será de llevar alpargatas. A mí me ocurre una cosa muy parecida, de tanto tocar la flauta me duelen las rodillas.

*(Ambos hablan precipitadamente.)*

CLIMANDO.—Eso será de usar sombrero. A mí me ocurre una cosa muy parecida, de tanto ayunar me duelen las uñas.

VIEJO.—*(Disgustadísimo.)* Eso será de tomar agua de la fuente de la plaza. A mí me ocurre una cosa parecida, de tanto usar pantalones me duelen las cejas.

CLIMANDO.—*(Agresivo.)* Eso será de no estar casado. A mí me ocurre una cosa parecida, de tanto dormir me duelen los pañuelos.

VIEJO.—*(Violento.)* Eso será de no comprar billetes de lotería. A mí me ocurre una cosa muy parecida, de tanto andar me duelen todos los pelos de la cabeza.

CLIMANDO.—*(Alborozado.)* ¡Falso! ¡Falso!

VIEJO.—¿Falso?

CLIMANDO.—Sí, sí, es falso, a usted no le pueden doler todos los pelos de la cabeza porque es calvo.

VIEJO.—Me has hecho trampa.

CLIMANDO.—No, no, si quiere comenzamos otra vez.

VIEJO.—Imposible. Tú razonas mejor que yo y con la razón siempre se gana.

CLIMANDO.—¿No dirá usted que yo me he aprovechado de usted? Si quiere le doy una vuelta en el triciclo.

VIEJO.—*(Tiernísimo.)* ¿Una vuelta en el triciclo? ¿Y me dejarás acariciar a los niños?

CLIMANDO.—Sí, siempre que no les quite los bocadillos.

VIEJO.—¿Te das cuenta cómo me tienes tirria? ¿Por qué tienes que meter los bocadillos? Te das cuenta, ¿eh? (CLIMANDO *se avergüenza.)* No agaches la cabeza, no la agaches. *(Contento.)* ¿Reconoces entonces que me tratas mal?

CLIMANDO. — *(Humildísimo.)* Sí... *(Con evidencia.)* Pero le he prometido dejarle dar una vuelta en el triciclo. No puedo portarme mejor.

VIEJO.—*(Dulcemente.)* Una vuelta en el triciclo, acariciando a los niños. Les pasaré la mano por la cabeza y les diré... y les diré... *(Agresivo.)* Oye, ¿me dejarás tocar las campanillas?

CLIMANDO.—No, porque usted ya tiene que tocar la flauta y nunca se ha visto que se toquen dos instrumentos a la vez.

VIEJO.—No me dejas porque no tengo billetes[10]. ¡Adiós! *(Se marcha muy enfadado al final del banco y mira en dirección contraria a* CLIMANDO.) Y luego no digas que si «tajuntas», ni que si me vas a dar una sardina, ni que si me vas a traer un buchecito de agua para cuando tenga sed.

CLIMANDO.—Más quisiera el gato que lamer el plato.

(CLIMANDO *se tumba junto al río a pescar. Tira un hilo con un anzuelo al agua.)*

CLIMANDO.—*(Canturreando muy fuerte y deletreando perfectamente.)* Además Apal y yo lo vamos a pasar muy bien porque hemos encontrado un procedimiento estupendo. No dejaremos que nadie venga con nosotros.

VIEJO.—*(Canturreando también.)* Yo lo voy a pasar muy bien con otro procedimiento. A nadie le diré nada. Que se chinchen los muy tontos que no me dejan montar en triciclo.

*(Pausa.)*

CLIMANDO.—Hemos encontrado una fórmula para que nadie nos persiga. Así ya no tendremos que huir de un sitio para otro como ahora.

---

[10] En todas las ediciones de la obra aparece: «je n'ai ni billets de banque ni raison», «no tengo billetes ni razón». En el ms. A se decía: «no tengo ni billetes ni razón». El ms. B ha suprimido lo que no aparece en nuestra edición.

VIEJO.—Me extraña muchísimo que Apal haga algo.

(APAL *se despierta de nuevo. Da un par de carreras alrededor de la escena. Luego se golpea con sus manos cruzando los brazos, las espaldas.)*

VIEJO.—Me marcho con viento fresco. *(Sale.)*

CLIMANDO.—*(A* APAL, *sin mirarle.)* ¿Tienes frío?

APAL.—Sí [11].

CLIMANDO.—Si quieres vamos a dormir a la puerta del metro de la plaza.

APAL.—Hay guardias. (APAL *habla siempre con desgana.)*

CLIMANDO.—Es verdad. Bueno, pues, podemos acostarnos junto a las cocinas del Hotel Mayor.

APAL.—Portero.

CLIMANDO.—Es verdad, el portero ese la ha tomado con nosotros y el jabalí de él nos echa agua. *(Pausa.)* Podemos colarnos en un cine.

APAL.—Muy difícil.

CLIMANDO.—Eso es por no ser invisibles. ¡Mira que si fuéramos invisibles! Apal, si yo fuera invisible [12] iría a dormir a la portería del Palacio Verde. Sobre la alfombra. ¡Qué bien lo iba a pasar! Pero ¿qué podemos hacer para dormir calientes?

APAL.—Morirnos.

CLIMANDO.—¿Morirnos?

APAL.—Como no tenemos billetes iremos al infierno.

CLIMANDO.—Es que me da miedo.

---

[11] Las dos ediciones francesas siguen el original castellano del ms. A que aquí proponemos. Las ediciones españolas suprimen la intervención anotada de Apal y la de Climando que la precede.

[12] El ms. A, decía: «me iría»; ha sido corregido por el ms. B.

APAL.—A mí también.

CLIMANDO.—Pero no somos tan pobres, tenemos el triciclo. *(Pausa.)* Lo malo es que como mañana no paguemos el plazo nos lo quitan. Y aún estamos sin nada.

APAL.—En casos peores hemos estado.

CLIMANDO.—Lo peor es lo del frío. Podemos hacer una cosa: dormiremos juntos y cuando tú me digas «Climando tengo frío en el pie» yo echaré aliento sobre él. Y cuando yo te diga «Apal tengo frío en las manos» tú me echas tu aliento sobre mis manos.

APAL.—Es molesto.

CLIMANDO.—Menos da una piedra.

APAL.—Voy a dormir otro rato.

CLIMANDO.—Tú no haces otra cosa en todo el día.

(CLIMANDO *silba mientras tira el cordel al agua intentando pescar. Entra* MITA, *mujer joven vestida con andrajos negros)* [13].

CLIMANDO.—Hola, Mita.

MITA.—*Hola. (Se sienta junto a* CLIMANDO.)

CLIMANDO.—¡Qué triste estás!

MITA.—*(Hace un gesto vago.)*

CLIMANDO.—Para que no estés triste te debería de dar un beso. *(Pausa.)* Me gustan tus besos más que el tufillo de la pastelería de la Avenida.

MITA.—A mí casi me ocurre lo mismo contigo. Pero no es para tanto.

CLIMANDO.—Eso es que te gustan más las rosquillas que mis besos.

MITA.—Claro.

---

[13] El ms. A, también corregido por el ms. B, añadía: «Puede ser guapa.»

CLIMANDO.—A mí me ocurre lo mismo.

MITA.—Somos iguales.

CLIMANDO.—Hemos nacido el uno para el otro. *(Alborozado.)* A los dos nos gustan más las rosquillas que los besos.

MITA.—Pero yo estoy muy triste.

CLIMANDO.—¿Qué te pasa?

MITA.—Nada.

CLIMANDO.—Pero ¿nada, nada?

MITA.—Sí, nada, nada.

CLIMANDO.—Pero ¿nada, nada, nada?

MITA.—Sí, nada, nada, nada.

CLIMANDO.—¡Huy! Qué triste tienes que estar.

MITA.—Quisiera suicidarme de tan triste como estoy.

CLIMANDO.—¿De verdad?

MITA.—Sí.

CLIMANDO.—¿Por qué?

MITA.—No sé, por nada..., así dejaría de estar triste.

CLIMANDO.—¡Ah!, pues, es cierto. No había caído.

MITA.—¡Si yo tuviera valor!

CLIMANDO.—*(Después de pensar largo rato.)* Está claro. Pues suicídate.

MITA.—¿Verdad que es lo mejor?

CLIMANDO.—Claro que es lo mejor. Lo veo muy bien. Yo lo iba a sentir porque te quiero mucho, más que al triciclo, y tus besos casi son mejores que bocadillos de anchoas. Pero, Mita, si vas a ser más dichosa suicidándote, suicídate cuanto antes.

MITA.—¡Qué bueno eres! ¡Qué consejos me das!

CLIMANDO.—Como que a ti y al viejo de la flauta, aunque es un cascarrabias, y a Apal son las personas que más quiero del mundo entero. Suicídate, Mita, no tengas miedo.

MITA.—Y tú, ¿qué?

CLIMANDO.—Yo no he pensado en eso. Además, mañana tengo que pagar el plazo del triciclo. No puedo suicidarme. Díselo a Apal, a lo mejor también quiere suicidarse.

MITA.—Apal, no. Él siempre duerme.

CLIMANDO.—Pues díselo al viejo de la flauta.

MITA.—Está ya muy viejo para suicidarse.

CLIMANDO.—Es verdad, nunca se ha visto. Sería muy feo.

MITA.—Y como sólo se podría suicidar con la flauta, fíjate que mal resultaría y qué difícil.

CLIMANDO.—Bueno, también podría subirse a un tejado, taparse los ojos y cuando más descuidado estuviera ¡paff!, muerto.

MITA.—¿Y si no tiene vértigo? Cuando se es viejo ya no se tiene ni vértigo siquiera [14].

CLIMANDO.—Es una lata. *(Pausa.)* Y tú, ¿cómo te vas a suicidar?

MITA.—Se me ha olvidado.

CLIMANDO.—Siempre te olvidas de todo. ¿Te acuerdas de aquel día en que cuando ibas por la calle Menor del brazo de Apal te encontraste un tranviario y le dijiste «oiga, no se marche, que mañana es mi santo», y entonces el tranviario se marchó carretera adelante sin hacerte caso?

MITA.—Eso no quiere decir que me olvide de las cosas.

---

[14] El ms. B incluye una frase que luego suprime: «No es un buen método.»

CLIMANDO.—¡Atiza! Pues es verdad. *(Pausa.)* Lo peor de todo es que cuando te suicides no podré acariciar tus rodillas.

MITA.—Se las acariciarás a Cepina la de los churros.

CLIMANDO.—¿Y quién me dice a mí que ella tiene unas rodillas tan bonitas como las tuyas?

MITA.—Mis rodillas ya sé que son bonitas, pero las de ella tampoco están mal. Todas las mañanas se las lava con agua y yerbas.

CLIMANDO.—No serán como las tuyas, creo yo... Déjame que las acaricie otra vez. (MITA *sube un poco las faldas y* CLIMANDO *le acaricia las rodillas.)* Me gustan tus rodillas porque son suaves, y lisas, y grandes, y blancas, como un plato de loza pero blando. Además no están arrugadas como las mías. Ya verás que feas.

(CLIMANDO *se comienza a quitar una bota.)*

MITA.—¿Por qué te quitas la bota para enseñarme la rodilla?

CLIMANDO.—Es que el pantalón tiene que estar dentro de la bota para no tener frío.

*(Por fin termina de quitarse la bota y se sube el pantalón hasta descubrir la rodilla.)*

CLIMANDO.—Mira, toca, toca, ya verás.

MITA.—*(Después de tocarlas.)* ¡Puff! Qué feas. Qué arrugadas.

CLIMANDO.—Y eso que me las has visto hoy que he comido un trozo de pan mojado en aceite de atún. Otros días ya verías lo que era bueno.

MITA.—Además las tienes muy sucias.

CLIMANDO.—Eso es de no lavármelas.

MITA.—¡Ah!

(APAL, *seguramente para ponerse en una postura mejor, cambia de sitio.)*

CLIMANDO.—Apal, ¿cuándo vas a dejar de dormir?

APAL.—Mmm.

MITA.—Déjale, hombre, ya sabes que tiene que dormir dieciocho horas al día por lo menos.

CLIMANDO.—Es que el menor día se va a morir de tanto dormir.

MITA.—A él no le importa nada. Lo mejor será los sueños que tenga.

CLIMANDO.—Seguramente soñará que está durmiendo.

MITA.—Qué bien lo tiene que pasar.

CLIMANDO.—Estupendo. Y como cuando está despierto nunca se preocupa por nada, no puede vivir mejor. Mucho peor lo pasamos nosotros que siempre tenemos que huir de los guardias y de los porteros y de los hombres con billetes. Y lo peor de todo, que no tenemos dinero para pagar el plazo del triciclo. *(Pausa.)* Nos llevarán a la cárcel.

MITA.—En la cárcel lo pasaremos muy mal. Dicen que hay chinches y lo peor, que hay huelgas de hambre cada dos por tres, y si te descuidas te mueres.

CLIMANDO.—De eso tú no te tienes que preocupar. El triciclo no es tuyo..., y, además, tú te vas a suicidar.

MITA.—Ya se me había olvidado.

CLIMANDO.—Te das cuenta cómo te olvidas de todo.

MITA.—Sólo me he olvidado que tengo que suicidarme.

CLIMANDO.—Y las demás cosas también. Lo que ocurre es que las olvidas.

MITA.—Lo del suicidio lo reconozco, lo demás, no.

CLIMANDO.—Pues no te creas que es una tontería. Por ahí se empieza. Por ejemplo, yo tenía un amigo que usaba tirantes los domingos y los días de diario correa, por eso los domingos bebía con más frecuencia que los demás días.

MITA.—Sí, desde luego. Pero ¿qué debo de hacer para acordarme que me tengo que suicidar?

CLIMANDO.—Apúntalo o haz un nudo en el pañuelo.

MITA.—¿Me acordaré?

CLIMANDO.—Por la cuenta que te tiene. Piensa que sólo serás dichosa suicidándote.

MITA.—¿Sí?

CLIMANDO.—Claro. Así que ya lo sabes, a suicidarte [15] cuanto antes.

MITA.—Y tú, ¿no lo vas a sentir?

CLIMANDO.—*(Tierno.)* ¿Yo?, Mita, sí, mucho, muchísimo. Con lo que te quiero a ti. A ti y a tus rodillas blancas y lisas y grandes.

MITA.—Yo también te quiero a ti aunque tú eres más bien feo [16].

CLIMANDO [17].—Si quieres, Mita, te dejo llevar el triciclo al garaje.

MITA.—¿De verdad?

---

[15] Las ediciones españolas dicen «suicidarse» donde nosotros, con el original castellano, proponemos «suicidarte».

[16] El ms. A ha sido corregido por el B donde decía: «Yo también te quiero a ti aunque eres más feo que...» (La palabra resulta ilegible en el original.)

[17] En este punto de la obra existe una gran diferencia entre los manuscritos A y B, y todas las ediciones de la obra, a partir de la primera francesa. Como veremos más tarde (en la nota número 18), la versión original de esta obra se dividía en tres cuadros. Arrabal terminaba el primero de la siguiente manera:

MITA.—Yo también te quiero a ti, aunque tú eres más bien feo.
CLIMANDO.—Si quieres, Mita, te doy una vuelta en el triciclo.
MITA.—Sí, Climando.
(CLIMANDO *la sube en el triciclo, en el cajoncito, que queda un poco pequeño para ella.)*
CLIMANDO.—¿Cuántas vueltas quieres que te dé?
MITA.—Tres.
CLIMANDO.—¿Por qué tres?
MITA.—(En el ms. A.) Porque es múltiplo de tres.
(En el ms. B.) Porque es un número muy bonito.

(CLIMANDO *asiente contento.)*

MITA.—¡Qué suerte! *(Pausa.)* ¿Y me vas a dejar conducir con una sola mano?

CLIMANDO.—¿Con una sola mano? *(Reflexiona.)* Bueno. *(Piensa.)* ¿Y qué vas a hacer con la otra?

MITA.—Me meteré un dedo en la nariz.

CLIMANDO.—¡Menuda eres! Lo sabes hacer todo.

MITA.—Si quieres conduzco con los ojos cerrados.

CLIMANDO.—No. Te caerías al río y los peces te comerían viva.

MITA.—¡Qué miedo!

CLIMANDO.—Hay que decírtelo todo. Si no estuviera contigo la que se armaría.

MITA.—Bueno. Llevaré el triciclo al garaje. Sin cerrar los ojos.

CLIMANDO.—Y vuelve en seguida. El garaje está ahí: no puedes tardar más de dos minutos.

MITA.—No te preocupes.

CLIMANDO.—No vayas a entretenerte mirando, detrás de los árboles, orinar a los hombres.

---

*(Una y otra solución aparecen tachadas en el original y, finalmente, el autor se decide por la primera.)*
Porque es múltiplo de tres.
*(Mientras dan vueltas.)*
CLIMANDO.—Mañana ya no podré darte vueltas.
MITA.—¿Por qué?
CLIMANDO.—Porque me habrán quitado el triciclo por no pagar el plazo, y estaré en la cárcel, y tú te habrás suicidado.
MITA.—Entonces, vamos a aprovecharnos y daremos más de tres vueltas. Luego te llevo yo a ti. (MITA *toca la campanilla del triciclo.)*
Así acaba el primitivo primer cuadro desaparecido en la versión definitiva. Debemos destacar cómo el autor suprime este diálogo que hubiera restado coherencia a la obra porque implicaría una conciencia precisa en Climando del funcionamiento del «sistema».

MITA.—No. Te lo juro. Volveré en seguida.

CLIMANDO.—¡Hasta luego!

(MITA *sube en el triciclo y sale*[18]. *Se oyen las campanillas.* CLIMANDO *duda. Piensa paseándose a lo largo de la orilla. Por fin, se dirige a* APAL *y le despierta.)*

CLIMANDO.—Apal, que ya has dormido hoy tus dieciocho horas[19].

APAL.—Mmmm.

CLIMANDO.—Venga, hombre, despiértate.

APAL.—Mmm.

CLIMANDO.—¡Qué dormilón eres! Venga hombre, levántate, despiértate.

(APAL *se incorpora poco a poco.)*

APAL.—¿Qué pasa?

CLIMANDO.—Que tenemos que encontrar el dinero para pagar el plazo del triciclo.

APAL.—¿Dónde?

CLIMANDO.—Pues eso, que no sé en dónde.

APAL.—Da lo mismo.

CLIMANDO.—Es que nos meterán en la cárcel.

APAL.—Porque pueden.

---

[18] Toda la conversación entre Mita y Climando, comprendida entre las notas 17 y 18 es posterior al manuscrito que utilizamos y aparece por primera vez en la edición francesa de 1961. En este lugar colocaba el autor el inicio del segundo cuadro. Nótese que la denominación definitiva será la de Acto en lugar de la original, «Cuadro». Por otra parte, ha desaparecido en la versión final algo de lo que iniciaba este «segundo cuadro».

[19] Antes de proponer esta intervención de Climando, el ms. A (no corregido por el B), decía:

CUADRO SEGUNDO

*Noche.*

(APAL *duerme tumbado.* CLIMANDO, *de pie, junto a él.)*

Y seguía la intervención anotada en nuestra edición.

CLIMANDO.—Y nos quitarán el triciclo.

APAL.—Porque pueden.

CLIMANDO.—Y tú y yo, ¿qué vamos a hacer?

APAL.—Yo dormir.

CLIMANDO.—Hay que pensar algo.

APAL.—Yo tengo que dormir, cuando pienso me entra hambre y frío.

CLIMANDO.—Sí, es lo malo de pensar.

APAL.—Y, sobre todo, que las cosas que se piensan son muy aburridas.

CLIMANDO.—¿Por qué no piensas en chistes?

APAL.—No sé.

CLIMANDO.—Eso sí que es malo. *(Pausa.)* ¿Pero no se te ocurre nada para poder pagar el triciclo?

APAL.—No.

*(Entra* MITA. APAL *aprovecha la llegada de la mujer para ponerse a dormir.)*

MITA.—*(Se dirige a* CLIMANDO.) Mira. *(Señala a la derecha.)*

CLIMANDO.—Vaya tío. ¿Qué hace ahí?

MITA.—Me viene siguiendo. También le deben de gustar mis rodillas.

CLIMANDO.—No. A ése no. Tiene mal aspecto. A los hombres de mal aspecto no les gustan tus rodillas.

MITA.—Pero me sigue.

CLIMANDO.—No tengas miedo. No se atreverá a meterse [20] con los dos. En todo caso, si nos puede, llamamos a Apal para que nos ayude.

---

[20] Las ediciones españolas olvidan «a meterse» que sí aparece en la primera versión del ms. A.

MITA.—¿No ves que Apal está dormido?

CLIMANDO.—Le despertamos.

MITA.—Bueno, será mejor.

CLIMANDO.—*(Mirando a la derecha.)* Se ha parado.

MITA.—*(Señalando.)* Nos mira.

CLIMANDO.—¿Te ha dicho algo?

MITA.—No, sólo me ha enseñado la cartera.

CLIMANDO.—¿Tenía muchos billetes?

MITA.—La cartera llena.

CLIMANDO.—Entonces, ¿por qué te perseguirá? ¡Qué hambrón! Cuanto más se tiene más se quiere. Fíjate, encima de que tiene la cartera llena de billetes te quiere a ti.

MITA.—Sí, es un exagerado.

CLIMANDO.—Pues no le alabo el gusto, con lo sucia que estás hoy.

MITA.—Es verdad, estoy muy sucia.

CLIMANDO.—Además, tú no le puedes gustar. Él no conoce las mejores cosas de ti. Él no sabrá que tú sabes andar metida en un barril, ni que dibujas con los dedos de los pies en la arena, ni que haces pajaritas de papel. Como él no sabe estas cosas tú no le puedes gustar.

MITA.—Sí, claro.

CLIMANDO.—¡Pues vaya con el hombre! *(Pausa larga.)* ¿Te acuerdas que yo te conocí despegando anuncios de las paredes? ¡Cuándo va a tener él una alegría parecida contigo! Yo te llevé el saco [21] la mitad del camino hasta el almacén [22] del Zarpo y tú me llevaste el mío la otra mitad. Y luego nos repartimos el dinero y compramos

[21] En el ms. A aparece «saco» en lugar de «carro» como proponen las ediciones españolas. Las dos ediciones francesas siguen el original que también proponemos aquí.

[22] Seguimos, en este caso, la versión de las ediciones españolas

cacahuetes[23]. Él, ¿qué más querrá? Si tiene tantos billetes habrá comprado cacahuetes hasta hartarse y por eso será ya bastante dichoso.

MITA.—Lo malo es que los hombres que tienen billetes llevan unos trajes muy feos y se afeitan mucho, por eso tienen la cara que parece un trozo de tela de seda. ¡Un asco! Y respiran muy mal, que es lo peor. Y se cansan mucho. ¡Un asco! Si yo tuviera muchos billetes llevaría la misma ropa que ahora y comería muchos bocadillos de sardinas y todas las noches de frío dormiría al calor, pero en verano me vendría a dormir al río.

CLIMANDO.—Eso dices ahora, pero luego si tuvieras muchos billetes todo sería tener cosas tontas y feas que no sirven para nada[24]. Por ejemplo, a Titano, el hijo de Malin[25], le dio una pulmonía cuando tenía cinco meses y luego cuando tuvo seis años se cayó por las escaleras.

---

en lugar de la que propone el ms. A («hasta la tienda del Zarpo») y que siguen las ediciones francesas, porque así aparece corregido en el ms. B.

[23] Lo mismo ocurre aquí. El ms. A, decía: «compramos cacahuetes a la tía Simplicia». Las ediciones francesas siguen esta versión («on a acheté des cacahuètes à la mère Simplicie»), pero no las españolas que respetan la corrección posterior del ms. B.

[24] Algo muy similar a lo que venimos anotando en las dos anteriores, ocurre en ésta. El ms. A, decía:

CLIMANDO.—Eso dices ahora, pero luego, si tuvieras muchos billetes todo sería tener cosas tontas y feas que no sirven para nada.

MITA.—Puede ser.

CLIMANDO.—No lo dudes. Que todos prometen mucho y luego se hacen ricos y no se acuerdan de nada.

Esta misma versión aparece en las dos ediciones francesas.

Sin embargo, las ediciones españolas siguen la corrección manuscrita hecha al A por el ms. B, que es la que proponemos en esta edición.

[25] El mismo proceso continúa aquí. El primer manuscrito dice: «Por ejemplo, a Vicentito, el hijo de la Moscona...» El ms. B ha corregido: «Por ejemplo, a Titano, el hijo de Malin...» Así aparece en las dos ediciones españolas, pero no en las francesas. «Par exemple, le petit Vincent, le fils de Moscona...»

Permítasenos hacer aquí un corto paréntesis para intentar dar una explicación coherente a las diferentes versiones publicadas y a la peculiar forma en que Fernando Arrabal seleccionó los textos que las cuatro ediciones, francesas y españolas, proponen. En primer lugar, hemos de tener en cuenta que el hecho de po-

MITA.—Las desgracias nunca vienen solas.

CLIMANDO.—La peor desgracia es morirse de hambre y ésa siempre viene sola.

MITA.—¡Ah! Pues es verdad.

CLIMANDO.—Yo por eso quiero que cuando me muera echen al río mi cordel de pescar para que los peces se lo coman y que el viejo de la flauta toque una pieza triste o alegre mientras tanto.

MITA.—*(Mira a la derecha.)* Oye, date cuenta cómo nos mira.

CLIMANDO.—Pues es verdad. Será cochino el tío.

MITA.—¿Es que pensará estar ahí toda la noche?

CLIMANDO.—Esa gente que tiene billetes es muy pesada. Parece que no tienen otra cosa que hacer. *(Pausa.)* Casi me da pena de él.

MITA.—Si es verdad, pobrecillo.

---

der manejar los manuscritos A y B, nos colocan en una situación privilegiada para establecer la trayectoria de las diferentes versiones.

Sabiendo que Arrabal escribe todos sus originales en español y que Luce Moreau, su esposa, hace las traducciones que aparecen en francés, creemos que Arrabal partía, para enviar a España, del ms. A corregido por el ms. B. sin tener en cuenta el manuscrito de la traducción francesa cuyas correcciones y cambios no afectan a la que podríamos llamar *familia de manuscritos castellanos.* Así, nos parece que se explica por qué los manuscritos castellanos siguen el ms. B y los franceses el A en las ocasiones que preceden. En cierto sentido, se podrá decir que la familia castellana y la familia francesa de manuscritos de esta obra tienen un desarrollo autónomo, en relación con su publicación, desde el momento en que se establece la traducción definitiva del texto al francés.

Por otra parte, nos parece claro el interés de Arrabal por dar al texto castellano un carácter más amplio, menos sujeto a la versión «fotográfica» de la realidad española. De aquí, precisamente, que el autor evite nombres que recuerden a personajes de su experiencia infantil o adolescente y proponga en la edición española otros menos «reconocibles». Su actitud en esta obra está dentro de su preocupación por «crear» nombres no identificables al margen del suyo propio y el de su esposa.

CLIMANDO.—Claro, pobrecillo. Y todo porque tendrá ganas de darte un beso. *(La mira fijamente.)* No seas mala mujer, ve con él.

MITA.—*(Conmovida.)* Mírale qué triste está.

CLIMANDO.—Es verdad. Y todo por tu culpa. ¿No te da pena de él?

MITA.—Sí, mucha. Pero es muy feo.

CLIMANDO.—Entonces te dará más lástima aún.

MITA.—Sí, pero más asco.

CLIMANDO.—Piensa que soy yo. Si cierras los ojos no notarás la diferencia.

MITA.—Sí.

CLIMANDO.—Claro mujer.

MITA.—Pero tiene billetes.

CLIMANDO.—Pues es verdad, no me acordaba.

MITA.—Teniendo billetes lo mismo le dará besarme a mí que a otra. Con los billetes se puede comprar lo que quiera incluso mil latas de anchoas.

CLIMANDO.—Se me ocurre una cosa. ¿Por qué no le quitamos los billetes que lleva en la cartera?

MITA.—¿Y qué vamos a hacer con tantos?

CLIMANDO.—Le podemos quitar sólo los que necesitamos para pagar el plazo del triciclo.

MITA.—¿Sólo?

CLIMANDO.—Le podemos también quitar algo para comprar cuatro bocadillos, uno para Apal, otro para el viejo, otro para ti y otro para mí.

MITA.—Y un brasero.

CLIMANDO.—Y... *(Contrariado.)* No vamos a pedir más porque si no nos convertimos en tortugas.

MITA.—Es lo malo de pedir.

CLIMANDO.—Oye, ¿cómo le quitamos los billetes?

MITA.—No sé, tú sabrás mejor que eres hombre.

CLIMANDO.—Le podemos decir, «oiga, señor, ¿de qué color es su cartera?», y él nos dirá, «verde», y yo le diré que es roja, y el dirá, «no, no, es verde», y yo le diré, «falso, es roja», y él, es verde, y yo, roja, y él, verde, y yo, roja. Hasta que para convencerme la saque. Y entonces se la quitamos y salimos corriendo. Como él es un hombre que tiene muchos billetes no sabrá correr o correrá como un pato y no nos podrá alcanzar nunca.

MITA.—Pero, ¿y si su cartera es roja?

CLIMANDO.—Sí, eso es peor.

MITA.—Hay que pensar en todo.

CLIMANDO.—Mejor será que consultemos con Apal.

MITA.—Sí, será mejor.

CLIMANDO.—Apal, Apal, Apal. *(Le zarandea.)* Que ya has dormido dieciocho horas.

APAL.—Mmm.

CLIMANDO.—Venga, hombre, despiértate.

(APAL *se incorpora.)*

APAL.—¿Qué?

CLIMANDO.—*(Señalando.)* ¿Ves a aquel tiparraco?

APAL.—Sí.

CLIMANDO.—Tiene muchos billetes.

APAL.—Bien.

CLIMANDO.—Tenemos que quitárselos para poder pagar el plazo [26] del triciclo.

APAL.—Mmm.

---

[26] El texto que proponemos es el que aparece en el ms. A,

CLIMANDO.—Está ahí porque le gusta Mita.

APAL.—Mmm.

CLIMANDO.—¿Cómo se los quitamos?

APAL.—No sé.

CLIMANDO.—¿No se te ocurre nada? Haz un esfuerzo como si fueras a buscar un sitio para dormir.

APAL.—*(Pausa.)* Matándole.

CLIMANDO.—¿Matándole?

MITA.—Es mucho.

CLIMANDO.—*(Encarándose con* MITA.) No digas que te da miedo. O es que ahora va a resultar que eres supersticiosa o que te dan miedo los muertos. Tú ayer te ibas a suicidar.

MITA.—Es diferente.

CLIMANDO.—No creas que hay mucha diferencia. Total, de una muerte se trata en los dos casos.

MITA.—Pero una era la mía.

CLIMANDO.—Peor aún. Qué bien recuerdo el día que caí por las escaleras.

MITA.—Que se va a dormir Apal otra vez.

CLIMANDO.—Apal, ¿y cómo le matamos?

APAL.—Muy sencillo.

MITA.—Claro hombre, más sencillo no puede ser, somos tres.

CLIMANDO.—Es que eso de matarle no me gusta. Es una forma de robarle [27] muy larga.

---

que no ha sido corregido por el ms. B. Las ediciones castellanas dicen: «Tenemos que quitárselos para poder pagar el triciclo.» La 1.ª edición francesa por su parte no alude a pagar «plazos», sino a pagos periódicos por «alquiler»: «Il faut qu'on le lui prenne pour payer la location du triporteur» (1, pág. 124, y 2, página 127; que corrige: «l'échéance du triporteur...»

[27] El manuscrito A decía aquí: «Es una forma de matarle muy

MITA.—Es la única forma de que nadie se entere. Si no le matamos, en seguida iría al juez a pedirle que nos encerrara, y como seguramente tiene más billetes en casa podrá hacer lo que quiera.

CLIMANDO.—Qué mala idea.

MITA.—Además, seguramente tendrá ganas de suicidarse.

CLIMANDO.—No había caído.

MITA.—Le ahorraremos el trabajo.

CLIMANDO.—*(A* APAL.*)* Sí, Apal..., no te duermas, hombre.

APAL.—Escucho.

CLIMANDO.—Que sí, que le matamos.

APAL.—Bien.

CLIMANDO.—Pero ¿cómo?

APAL.—*(Señala la tapia.)* Desde ahí detrás.

CLIMANDO.—¿Saltamos sobre él?

APAL.—Sí, Mita que se quede aquí para reclamarlo.

(CLIMANDO *y* APAL *inician el mutis.)*

MITA.—Me da miedo.

CLIMANDO.—No seas tonta, piensa en el triciclo y en los bocadillos de anchoas y en que él se quiere suicidar. No te muevas, no te muevas *(retrocede hasta el lateral paso a paso, cantarín).* No te muevas. Un pajarito. No te muevas.

*(Pausa larga con* MITA *sola en escena.* MITA *levanta, coquetonamente, un poco los andrajos que cubren su rodilla. Luego los baja con rabia. Después entra lenta-*

---

larga.» La corrección del ms. B que aparece en todas las ediciones de la obra («Es una forma de robarle muy larga») nos proporciona una de las imágenes más bellas de la obra.

*mente el hombre de los billetes. Antes de que se acerque a* MITA *la luz va disminuyendo, poco a poco, hasta la oscuridad total)*[28].

TELÓN

[28] Aquí terminaba el segundo cuadro de la obra original. El ms. A, decía: «Después entra lentamente el hombre de los billetes. Antes de que se acerque llegue *(sic)* al sitio de Mita cae el

TELÓN»

El ms. B ha suprimido la última frase y así aparece el texto en las dos ediciones francesas («Después entra, lentamente, EL HOMBRE DE LOS BILLETES»). Sin embargo, las dos ediciones francesas proponen el final original del cuadro que aquí conservamos, si bien de distinta manera.

La primera edición dice: «L'homme aux billets entre lentement. Avant qu'il n'arrive près de Mita la lumière baisse petit à petit jusqu'au noir. Rideau» (pág. 127).

Por su parte, la segunda edición francesa (pág. 130), propone: «L'homme aux billets entre lentement. Avant qu'il arrive près de Mita la lumière baisse petit à petit jusqu'à ce que la scène redevienne sombre. Rideau.»

## SEGUNDO ACTO

*La mañana del día siguiente.*
*El banco está manchado de sangre. Hay, también, un reguero de sangre desde el banco al río.*
APAL *duerme.*
*A los pocos instantes de levantado el telón entra el* VIEJO DE LA FLAUTA[29].

VIEJO DE LA FLAUTA.—Oye, Apal, ¿has visto esto? *(Señala las manchas.)* ¡Vaya manchas! *(El* VIEJO DE LA FLAUTA *las recorre y las husmea.)* Aquí han matado a un animal, ¿no crees? *(Pausa.)* Pero como no sea un elefante... ¡Qué cantidad de sangre! Apal, ¿cuándo vas a dejar de dormir?

APAL.—*(Sin levantarse.)* Qué pasa.

VIEJO DE LA FLAUTA[30].—Mira que cantidad tan tremenda de sangre.

APAL.—No me molestes.

---

[29] Esta última frase aparece en el ms. A y no ha sido corregida en el ms. B. También está en las dos ediciones francesas (páginas 129 y 131), aunque no se encuentra en las españolas (págs. 13 y 29).

[30] En el ms. A y en las cuatro siguientes réplicas que le corresponden al VIEJO DE LA FLAUTA, se puede leer: «VIEJO DEL VIOLÍN». El ms. B ha corregido esta diferencia.

Nos parece importante señalar aquí que este manuscrito no ha debido ser el primero de esta obra. Aunque sea a nivel de autógrafo y sólo en esbozo debió existir uno anterior, como es el caso del ms. A de *Pic-Nic,* que Arrabal utilizaba para establecer el texto (a veces el primer texto) definitivo de su original. De aquí, estas vacilaciones en algo tan simple como el nombre de un personaje, que debía ser diferente en el texto anterior.

VIEJO DE LA FLAUTA.—Pero, hombre. ¿No te das cuenta de que hay mucha sangre?

APAL.—Sí, ya lo veo.

VIEJO DE LA FLAUTA.—Habrá que hacer algo.

APAL.—Déjame tranquilo que tengo mucho sueño.

VIEJO DE LA FLAUTA.—Eres la monda. Bueno, yo me marcho, no quiero saber nada. La sangre me da sed y ahora el agua está muy fría y el vino muy caro. Adiós, Apal.

APAL.—Mmmm.

*(El* VIEJO DE LA FLAUTA *se marcha.* APAL *da un par de carreras procurando no pisar la sangre. Luego se golpea las espaldas y de nuevo se tumba para dormir. Silencio.*
*Se oye el tintineo de las campanillas del triciclo. Después entran* MITA *y* CLIMANDO *montados en el triciclo.)*

CLIMANDO.—*(Gritando muy contento.)* Apal, Apal, ya he pagado el plazo del triciclo.

APAL.—¿Es que no me vais a dejar dormir?

MITA.—Claro, hombre, déjale dormir que ayer trabajó mucho.

CLIMANDO.—Es verdad.

MITA.—Es que cualquiera se cree que matar a alguien es cosa de nada.

CLIMANDO.—Lo que yo creo es que se podía haber puesto a dormir en otro sitio.

MITA.—No, porque la sangre da buena suerte.

CLIMANDO.—No, es la sal la que da buena suerte.

MITA.—No, no, lo recuerdo muy bien: La sangre en el suelo da buena suerte al polluelo.

CLIMANDO.—Pero Apal no es un polluelo.

MITA.—Es un decir.

CLIMANDO.—¡Ah!

MITA.—No le hemos dado el bocadillo.

CLIMANDO.—Es verdad.

MITA.—Llámale.

CLIMANDO.—Apal, Apal.

APAL.—¿Qué pasa?

CLIMANDO.—Te hemos comprado un bocadillo.

APAL.—Gracias.

(APAL *come.)*

CLIMANDO.—¿Está bueno?

APAL.—Sí.

CLIMANDO.—Nos ha costado medio billete.

APAL.—Está bien.

CLIMANDO.—Aún nos quedan diez billetes más.

APAL.—Sí.

MITA.—Y hemos pagado el plazo del triciclo.

CLIMANDO.—Ahora, viviremos tranquilos.

APAL.—Puede ser.

*(Entra el* VIEJO DE LA FLAUTA.)

VIEJO DE LA FLAUTA.—Allí hay muchos guardias *(señala a la derecha).*

CLIMANDO.—¿Para qué?

VIEJO.—No sé.

CLIMANDO.—Habrá un desfile.

VIEJO.—No, porque en los desfiles llevan tanques.

CLIMANDO.—Pero también puede haber un desfile sin tanques.

VIEJO.—Imposible. Los tanques son necesarios para allanar el camino.

CLIMANDO.—No, para allanar el camino en los desfiles llevan banderas.

VIEJO.—Nunca. Las banderas son para que no se vean los soldados altos.

CLIMANDO.—Los soldados altos llevan trajes cortos para disimular.

VIEJO.—Mentira otra vez. Los trajes cortos son para los soldados que no tienen pelos en las piernas.

CLIMANDO—Falso. Falso. Los soldados que no tienen pelos en las piernas no son soldados. Son soldadas. Y como no hay soldadas es falso lo que me decía.

VIEJO.—Me has hecho trampa otra vez.

CLIMANDO.—Si quiere comenzamos de nuevo.

VIEJO.—No, porque tú razonas mejor que yo y con la razón siempre se gana.

CLIMANDO.—Usted siempre anda con estos cuentos, pero la verdad es que me tiene miedo. Lo demás son disculpas.

VIEJO.—No son disculpas, son verdades. Tú siempre me haces trampas.

CLIMANDO.—No, no, no y no. Además usted recordará que en la calle del Peine había una fuente. Bueno, pues esa fuente [31] se inundó el otro día cuando se cayó en ella un carro de paja.

---

[31] Las dos ediciones españolas dicen: «Además usted recordará que en la calle del Peine había una fuente. Se inundó el otro día cuando se cayó en ella un carro de paja.» Nosotros seguimos el ms. A que no ha sido corregido por el B como indican las dos ediciones nombradas (págs. 13 y 32). Siguen el ms. A las dos ediciones francesas (págs. 132 y 135).

VIEJO.—Eso me lo dices para impresionarme. Pero bien sabes tú que me haces trampas.

CLIMANDO.—Si quiere le doy ventaja.

VIEJO.—¿Qué ventaja?

CLIMANDO. — Pues... pues... pues... *(Silencio.)* Pues... no sé.

VIEJO.—¿Lo ves cómo no me la quieres dar? [32] ¿Lo ves cómo te achantas en seguida? ¿Te das cuenta de que me tienes tirria? ¿Lo ves? ¿Lo ves? (CLIMANDO *se avergüenza.)* No humilles la cabeza. No la agaches. *(Muy contento.)* ¿Reconoces entonces que me haces trampas y que me tratas perramente mal? Di, ¿lo reconoces?

CLIMANDO.—*(Humildísimo.)* Sí, lo reconozco.

VIEJO.—Ya sabía yo.

CLIMANDO.—*(Recobra su normalidad.)* Pero le he prometido una ventaja... Ya sé cuál le voy a dar... De cada palabra que diga suprimiré dos letras.

VIEJO.—¿Dos letras?

*(El* VIEJO *piensa durante unos instantes.)*

VIEJO.—*(Alborozado.)* Dos letras, ¿eh? ¿Y en la palabra y? ¿Y en la palabra a? ¿Y en la palabra ssss? ¿Y en la palabra tttt? ¿Y en la palabra o? ¿Y en la palabra ddd? ¿Y en la palabra ggg? ¿Y en la palabra e? ¿Y en la palabra lll? Y lo que es mucho peor ¿Y en la palabra ...? *(No emite ningún sonido.)*

CLIMANDO.—¿Cuál?

VIEJO.—En la palabra... *(Hace un gesto de decir algo, pero no emite ningún sonido.)*

---

[32] Las dos ediciones castellanas cometen la misma errata (páginas 13 y 33) en esta frase, que aparece así: «¿Lo ves cómo no me la quieres decir?»
Este ejemplo. entre los otros ya expuestos, demuestran que la primera edición española fue directamente copiada por la segunda.

CLIMANDO.—¿Cuál?

MITA.—¿No oyes que es la hache?

CLIMANDO.—¡Ah!

VIEJO.—¿Qué me dices a eso? ¿Qué me dices? Querías hacerme trampas otra vez. ¿Qué creías que yo me chupo la flauta, o que no tengo cordones en los zapatos? ¿Eh? Dime.

CLIMANDO.—Es que usted es más viejo y como se va a morir antes que yo discute con más valor. Así ya me podrá ganar. Y sobre todo, que tiene muchísima más experiencia que yo.

MITA.—Es que discutís muy mal. Como si fuerais militares sin graduación.

CLIMANDO.—Tú no te metas en esto.

VIEJO.—Claro, no te metas. Que las mujeres lo único que sabéis hacer son máquinas de coser.

*(Hablan precipitadamente: a gritos.)*

CLIMANDO.—Y tenedores.

VIEJO.—Eso, y tenedores, es lo único que sabéis hacer.

CLIMANDO.—Y llaves.

VIEJO.—Eso, y llaves, es lo único que sabéis hacer.

CLIMANDO.—Y hijos que parecen caballos.

VIEJO.—Eso, y hijos que parecen caballos, es lo único que sabéis hacer.

CLIMANDO.—Y ceniceros.

VIEJO.—Y ceniceros, eso es, es lo único.

CLIMANDO.—Y guerras.

VIEJO.—Eso, y guerras.

CLIMANDO.—Y mantas.

VIEJO.—Eso, y mantas.

CLIMANDO.—Y bodas.

VIEJO.—Eso, y bodas.

CLIMANDO.—Y corbatas.

VIEJO.—Eso, y corbatas.

CLIMANDO.—Y Emperadores.

VIEJO.—Eso, y Emperadores.

CLIMANDO.—Y retretes.

VIEJO.—Eso, y retretes.

CLIMANDO.—Y billetes.

VIEJO.—Y billetes.

CLIMANDO.—Y billetes.

VIEJO.—Y billetes.

CLIMANDO.—Y billetes.

VIEJO.—Y billetes.

CLIMANDO.—Y billetes.

VIEJO.—Y billetes.

CLIMANDO.—Y billetes.

*(Siguen repitiendo «y billetes» hasta que agotados por el esfuerzo caen al suelo.)*

MITA.—Claro, así ya podéis presumir de discutidores.

VIEJO.—*(Titubeando.)* Nos... ha... ga... na... do... ella.

MITA.—Venga, reanimaros hombres.

VIEJO.—*(Tumbado en el suelo aún.)* No... po... de... mos.

MITA.—Si queréis os doy un beso.

(MITA *acerca sus labios hacia los del* VIEJO. *Ellos en-*

*tonces, haciendo un esfuerzo, dirigen sus cabezas vacilantes hacia ella. Pero* MITA *se retira. Ellos caen desesperados. El juego se repite varias veces.)*

VIEJO.—De... ja... nos... en... paz... Mi... ta.

MITA.—*(Se sienta en el banco.)* Una, dos y tres, el que no se reanime es un ciempiés.

(CLIMANDO *y el* VIEJO DE LA FLAUTA, *con gran esfuerzo, se levantan.)*

CLIMANDO.—*(En tono de súplica.)* Mita, ¿por qué nos tratas tan mal? ¿Qué te hemos hecho? Mita, yo te quiero mucho.

MITA.—Y yo también a ti.

VIEJO.—Y yo también te quiero.

MITA.—Y yo a usted también.

CLIMANDO.—Y Apal también te quiere.

VIEJO.—Y los guardias también.

MITA.—Sí, y yo también quiero a Apal y a los guardias.

CLIMANDO.—¿Los guardias?

MITA.—Sí, los guardias.

CLIMANDO.—Pero ¿qué hacen los guardias?

MITA.—Desfilar.

CLIMANDO.—*(Al* VIEJO DE LA FLAUTA.*)* Oiga, vaya a ver qué hacen los guardias.

VIEJO.—¿Y qué me das?

CLIMANDO.—Nada [33].

VIEJO.—Bueno. Hasta luego.

*(Sale.)*

---

[33] La intervención que aquí anotamos de Climando, no existía en el ms. A y ha sido añadida en el ms. B.

MITA.—¿Es que hoy no vas a ir al parque a pasear a los niños?

CLIMANDO.—No, hoy es fiesta.

MITA.—Así no tendrás nunca billetes.

CLIMANDO.—Pero tendré mucho sol y mucha arena para hacer montones y muchas hojas de los árboles.

MITA.—Pero no podrás comprar un tiesto.

CLIMANDO.—A mí lo que me gustan son los terrones de azúcar. ¡Tan blanquitos y tan duritos!

*(Entra el* VIEJO *corriendo.)*

VIEJO.—*(Habla muy de prisa.)* Los guardias vienen a por vosotros.

CLIMANDO.—¿A por nosotros?

VIEJO.—*(Señalando a* CLIMANDO.) Te buscan a ti y a Apal. Han dicho que tendréis que estar quietos aquí hasta que venga el jefe.

CLIMANDO.—¿Por qué?

MITA.—Es que nunca haces caso a los guardias.

CLIMANDO.—Si es que nunca les entiendo.

MITA.—Pues haz un esfuerzo. Yo tampoco les entiendo. Y lo que hago es que cuando veo a uno por una calle me voy por otra. Por ejemplo, ayer iba yo recogiendo papeles del suelo cuando de pronto vi una manzana, pues ni corta ni perezosa me la comí. Pero tú, ¡ya!, ¡ya! Cuando ves a un guardia te quedas tan tranquilo como si fuera de tu familia.

CLIMANDO.—Lo hago por costumbre.

MITA.—Pues vaya costumbre. No te creas que es ninguna disculpa.

VIEJO.—Desde luego.

CLIMANDO.—Pero yo me porto bien.

VIEJO.—*(Canturreando.)* Sí, sí, bien. *(En tono normal.)* Y si no que me lo pregunten a mí. ¿Y de las trampas que me haces qué dices?

CLIMANDO.—Es verdad. Pero no lo hago por fastidiarle. Para fastidiarle podría echarle agua cuando duerme, por ejemplo[31].

VIEJO.—Sí, sí, lo reconozco, peor sería eso.

MITA.—Pero entonces, ¿qué cosas malas has hecho? Recuerda.

CLIMANDO.—*(Contando con los dedos.)* Lo de los guardias, lo de las trampas al viejo, lo de... *(Silencio.)* No recuerdo más.

MITA.—Haz un esfuerzo, hombre.

CLIMANDO.—¡Ah!, ya sé. Un día... *(Se calla.)*

*(Silencio.)*

MITA.—¿Qué?

VIEJO.—Continúa.

MITA.—Sigue, Climando, sigue.

VIEJO.—Continúa.

*(Pausa expectante.)*

VIEJO.—Sigue, ¿qué?, ¿qué?

MITA.—Anímate, Climando.

CLIMANDO.—Pues que un día *(los dos siguen sus palabras con cabeceos)*... Es que me da mucha pena.

MITA.—Anda, no te dé pena.

---

[31] Seguimos aquí el tratamiento respetuoso de «usted» que Climando tiene durante toda la obra y proponen las ediciones francesas (págs. 140 y 141). Las ediciones españolas (págs. 16 y 38) difieren en este caso. La primera tutea y la segunda corrige como nosotros. Ésta es la única diferencia que observamos entre una y otra edición y se explica más por la lógica de un buen linotipista que por el uso de otro manuscrito que hay que descartar a causa de las coincidencias de erratas ya señaladas.

VIEJO.—Ahora resulta que te va a dar pena. ¿A ti pena? Precisamente a ti.

MITA.—Pues sí, le podía dar pena.

VIEJO.—No lo creas. No tiene motivos. ¿Le gusta por si acaso el alpiste? No, no. Entonces cómo le va a dar pena.

MITA.—Pero ¿quién sabe si escribe con dos manos?

VIEJO.—Nadie. Absolutamente nadie lo puede saber. Ni siquiera su propio zapato lo sabrá. El averiguarlo es pedirnos demasiado.

MITA.—Es que usted no le quiere a Climando.

VIEJO.—Sí, mucho.

MITA.—Entonces ¿en qué quedamos?, ¿le da pena o no le da pena de Climando?

VIEJO.—Sí, mucha.

MITA.—*(A CLIMANDO.)* Climando, nos da mucha pena de ti.

CLIMANDO.—*(Lloroso.)* Y a mí más que a vosotros.

VIEJO.—¿De qué?

CLIMANDO.—Se me ha olvidado.

VIEJO.—¿Que se te ha olvidado?

CLIMANDO.—Sí, se me ha olvidado, ¿o es que usted se cree que yo no puedo olvidarme de las cosas que me dan pena?

VIEJO.—Claro.

MITA.—Pero nosotros queríamos saber por qué os buscan los guardias.

CLIMANDO.—¿A quién?

VIEJO.—A Apal y a ti.

CLIMANDO.—¿A Apal y a mí?

VIEJO.—Sí.

MITA.—Sí.

CLIMANDO.—*(Gritando.)* ¡Apal! ¡Apal!

APAL.—Mmmm.

CLIMANDO.—Apal, despierta que ya has dormido las dieciocho horas.

APAL.—¿Qué pasa?

CLIMANDO.—Nos buscan los guardias.

APAL.—¿Por qué?

CLIMANDO.—No sé. ¿Tú no lo sabes?

APAL.—Sí.

CLIMANDO.—¿Por qué?

APAL.—Por matar al hombre de los billetes.

CLIMANDO.—¿Por matar al hombre de los billetes? ¿Por matar al hombre de los billetes?

MITA.—Claro, hombre.

CLIMANDO.—Pero Apal, desde entonces no hemos dormido caliente.

APAL.—Sí.

CLIMANDO.—Además, le hemos matado sin mala intención.

VIEJO.—¿Y dónde está escrito?

MITA.—Claro, eso tiene que estar escrito.

VIEJO.—Y firmado por el jefe más alto del distrito.

CLIMANDO.—Yo no lo he pedido.

MITA.—No ha tenido tiempo.

VIEJO.—Y qué pensais. ¿Que ahora todo va a salir de rositas?

CLIMANDO.—Pero si además él se quería suicidar.

VIEJO.—El escrito.

MITA.—Seguramente también necesitarás un escrito de eso.

CLIMANDO.—Digo que lo he dejado en casa.

VIEJO.—No creas que son tontos.

MITA.—Sí, sí, tontos. No tienen un pelo de tontos. Dicen que saben subir en coches que van más deprisa que dos caballos corriendo a toda velocidad.

APAL.—Le hemos matado.

CLIMANDO.—Pero era la primera vez [35].

MITA.—Para que sea malo ¿cuántas veces tiene que ser?

VIEJO.—Una vale.

MITA.—¿Y dos?

VIEJO.—También.

MITA.—¿Y tres?

VIEJO.—Hasta ahí no he llegado. Sólo me sé los dos primeros de carretilla.

CLIMANDO.—*(A* APAL.) Apal, nosotros somos buenos, no queremos ir a la guerra.

APAL.—Quizás.

CLIMANDO.—Ni pisamos los jardines.

APAL.—Bah.

---

[35] A diferencia de las dos ediciones españolas (págs. 17 y 41) que dicen:
«CLIMANDO.—Pero era la primera vez. *(Al* VIEJO.) Para que sea malo, ¿cuántas veces tenía que ser?», el ms. A y las dos ediciones francesas colocan la última frase en boca de Mita. Se trata, sin duda, aquí de otra errata si tenemos en cuenta la colocación de la frase que se atribuye a Climando en la primera edición castellana.

CLIMANDO.—Ni les quitamos los bocadillos a los niños.

APAL.—No sirve.

CLIMANDO.—Y tú, cuando yo estuve malo de la tripa no dormías para cuidar de mí.

APAL.—Es lo mismo.

CLIMANDO.—Y ¿qué hacemos, Apal?

APAL.—Dormir.

(APAL *se acuesta. Pausa larga.)*

CLIMANDO.—No te duermas, hombre, que vienen a por nosotros.

APAL.—Ya me despertarán.

CLIMANDO.—*(Al* VIEJO.*)* ¿Qué han dicho los guardias?

VIEJO.—Ya te lo dije.

CLIMANDO.—Sí, pero se me ha olvidado.

MITA.—*(Canturreando.)* Y luego era yo la que me olvidaba de las cosas.

CLIMANDO.—Se me habrá pegado de ti.

MITA.—Pues haz un nudo en el pañuelo.

CLIMANDO.—¿Así no se me pegará?

MITA.—No recuerdo si es que no se pega o que se acuerda uno de las cosas.

CLIMANDO.—Pues a mí no me enseñaron nada de eso.

MITA.—Como que tú lo único que has aprendido es a conducir el triciclo.

CLIMANDO.—Es un oficio. Y todo el mundo dice que lo mejor es saber un oficio.

MITA.—Mejor será tener muchos billetes.

CLIMANDO.—Mejor aún es saber volar de rama en rama sin caerse nunca.

MITA.—Mucho mejor es tener mil aviones.

CLIMANDO.—Mejor es saber nadar debajo del agua sin salir a la superficie durante cuarenta y cinco horas.

MITA.—Mucho mejor es tener mil submarinos.

CLIMANDO.—Mejor [36] es estar cantando todo el día subido en la copa de un árbol.

MITA.—Mucho mejor es tener mil discos.

CLIMANDO.—Todo esto lo dices porque no te gusta que haya aprendido el oficio de conductor de triciclos.

VIEJO.—*(Tierno.)* ¡Conductor de triciclos! ¡Qué bonito! Es más bonito aún que tocar la flauta.

MITA.—Es más completo el triciclo que la flauta porque también se emplean los pies.

VIEJO.—Yo cuando tenga billetes me compraré un triciclo y llevaré a todos los niños del parque y les acariciaré las cabezas.

CLIMANDO.—Y les quitará los bocadillos, como si lo viera.

VIEJO.—Otra vez te estás metiendo conmigo. ¿Lo ves?

MITA.—Claro, Climando, te metes con él. Pídele perdón inmediatamente.

VIEJO.—*(Muy contento.)* Eso, eso, que me pida perdón.

MITA.—Venga, Climando, pídele perdón.

CLIMANDO.—Perdón. *(Luego añade muy bajo.)* del gato rabón.

VIEJO.—¿Qué has dicho?

CLIMANDO.—Pues, perdón *(tras breve pausa, añade)* del gato rabón.

---

[36] Las dos ediciones publicadas en España añaden «mucho» antes de «mejor», aunque no hay tal en el ms. A ni B. (Cfr., páginas 18 y 43.)

VIEJO.—¿Cómo dices?

CLIMANDO.—Pues cómo voy a decir: perdón *(Pausa.)* del gato rabón.

VIEJO.—*(Con los ojos muy abiertos.)* ¿Del gato rabón?

MITA.—Sí, ha dicho del gato rabón.

CLIMANDO.—Dos contra uno ya podréis.

MITA.—Es verdad, somos dos.

VIEJO.—Pero él es uno, total nada más que uno menos.

MITA.—Es verdad, podía ser diez menos.

VIEJO.—Si él fuera diez menos yo le daría una arena.

MITA.—Y yo una rama.

CLIMANDO.—El ser uno menos también es importante. Por ejemplo el otro día Sató se enamoró de una mariposa que se le posó en el bolsillo y como no sabía cómo declararse a ella se subió en una silla y se puso a cantar eso de que el amor sabe a melocotón hasta que la mariposa se dio cuenta de que como iba a helar se inundaría el río y lo mejor sería volar [37] hacia el pabellón de enfermos donde como guardan patatas hay un ambiente triste pero a [38] las patatas que no están habituadas a vivir en ambiente triste sino en pleno sol les salieron banderas azules con [39] las banderas azules se hicieron en la ciudad

---

[37] El ms. A proponía: «salir volando». Las ediciones francesas (páginas 149 y 148) y las españolas (págs. 19 y 44) han corregido el texto en el sentido que nosotros proponemos.

[38] Seguimos aquí la corrección del ms. B (como también las dos ediciones en castellano) al ms. A (que siguen las dos ediciones francesas), el cual decía: «... hay un ambiente triste. Pero las patatas, que no están habituadas a vivir...» El olvido de la preposición necesitaba corrección. Por otra parte, esta incorrección aparece también en la primera edición francesa (pág. 149: «Mais, aux pommes de terre... ont poussé des drapeaux bleus») y es corregida en la segunda (pág. 148: «Mais, sur les pommes de terre... il a poussé des drapeaux bleus»).

[39] En el ms. A, corregido por el ms. B (las ediciones en castellano siguen esta corrección), hay punto antes de 'con'.

girasoles rojos y [49] con los girasoles rojos amapolas verdes y con las amapolas verdes ruiseñores *(habla violentamente)* y con los ruiseñores bombillas, y con las bombillas zapatos y con los zapatos plumas, y con las plumas bedeles y con los bedeles brochas, y con las brochas...

VIEJO.—*(Cortándole.)* Sí, sí, de acuerdo, pero los guardias están allí enfrente y van a venir de un momento a otro a llevaros a la cárcel. Sólo esperan al jefe.

CLIMANDO.—¿Al jefe?

VIEJO.—Sí.

CLIMANDO.—¡Qué importante soy!

VIEJO.—Menos que yo.

CLIMANDO.—Para eso usted tiene más años.

MITA.—*(Señala a la derecha.)* Mira, ya se acerca uno.

CLIMANDO.—¿Cuál es el jefe?

VIEJO.—Ninguno.

CLIMANDO.—Entonces, para qué viene.

VIEJO.—Ese es el que va a cuidar de vosotros hasta que llegue el jefe.

CLIMANDO.—A mí los jefes me dan frío.

MITA.—Sí, pero saben hacer expedientes.

CLIMANDO.—¿Por qué?

MITA.—Porque sus mujeres les pegan en casa.

CLIMANDO.—Huy que malas.

*(Entra un* GUARDIA.*)*

GUARDIA.—Caracachicho, Corocochocho, Chi, Chu, Cha, Caracachi.

---

[40] La conjunción 'y' aquí y en los tres casos siguientes en que aparece en el texto, era mayúscula porque seguía a un punto en el ms. A que suprimió el ms. B.

MITA.—*(Al* VIEJO.) ¿Qué dice?

VIEJO.—Algo de Cha che chi.

MITA.—Qué raro.

VIEJO.—No hay quien los entienda.

*(El* GUARDIA *enfurecido se dirige a* MITA *y al* VIEJO DE LA FLAUTA.)

GUARDIA.—Caracachicho, corocochocho, chi, chu, cha, caracachí.

(MITA *y el* VIEJO *se separan de sus amigos, un poco asustados.)*

VIEJO.—Nos quiere pegar.

MITA.—Ya podrá.

VIEJO.—Pues no es muy alto.

MITA.—Pero debe escupir muy bien.

VIEJO.—¡Ah!

*(El* GUARDIA *indignado se dirige de nuevo a ellos hasta hacerles salir del escenario.)*

GUARDIA.—Caracachicho, corocochocho, chi, chu, cha, caracachí.

*(Luego se dirige a* APAL, *al que despierta. Después riñe en tono cordial a* APAL *y a* CLIMANDO) [41].

GUARDIA.—Lama, lali, lala, lele, limolali, lelimala, lamalemo.

*(El* GUARDIA *sale y vuelve con una hamaca en la que se tumba. Saca un libro y lee.)*

CLIMANDO.—*(A* APAL.) ¿Qué pasa?

---

[41] Proponemos en esta edición, como definitivo, el texto del ms. A que no ha corregido el ms. B y que siguen las dos ediciones francesas (págs. 152 y 150) y que las dos ediciones castellanas transforman así: «(Luego se dirige a Apal y Climando)» (págs. 46 y 19).

APAL.—Hemos matado.

CLIMANDO.—¿Qué vas a hacer?

APAL.—Dormir hasta que me lleven.

CLIMANDO.—¿Dormir ahora? ¿Y si te pega el guardia cuando más descuidado estés?

APAL.—Lo sentiré menos.

CLIMANDO.—Yo creo que no debes de dormir, ¿para qué?

APAL.—Para no tener que hablar..., para no tener que oír hablar.

CLIMANDO.—¿Es que yo hablo mal? ¿Quieres que te diga unos versos que me enseñaron cuando era pequeño? Es que nunca me dices que te hable de algo. Yo no sé lo que te gusta. Dime que te hable de algo que te guste, Apal. Yo sé hablar muy bien de gallinas y de escaleras, y de ángeles, y de saltamontes, y de triciclos, y de cigüeñas y de peces y de comidas... Dime, Apal, ¿de qué quieres que te hable?

APAL.—De nada.

CLIMANDO.—Eso es que me tienes la fila.

APAL.—No.

CLIMANDO.—¡Ah! Ya sé, es que prefieres que te hable el viejo de la flauta que tiene más experiencia y que sabe tocar la flauta [42].

APAL.—No.

CLIMANDO.—¡Es que estás cansado!

APAL.—No me doy cuenta.

---

[42] Estas dos últimas intervenciones que están en el ms. A, que el ms. B no ha corregido y que aparecen en las dos ediciones francesas (págs. 153 y 151-152), desaparecen en la 2.ª castellana misteriosamente (pág. 47), aunque sí están en la primera (pág. 20), lo que nos parece ser una errata de la segunda edición castellana.

CLIMANDO.—Pues tienes que darte cuenta que no es lo mismo una cosa que otra... ¡Ah!, ya sé, tú duermes siempre porque tienes sueño.

APAL.—Sí.

CLIMANDO.—Y por qué no me lo habías dicho antes.

APAL.—No lo sabía.

CLIMANDO[43].—*(Habla despacio, profusamente)*[44] y si no lo sabías antes ¿cómo es que te das cuenta ahora? es incomprensible hay que llevar un orden primero se piensa lo que se tiene que hacer luego se intenta hacer aquello que se ha pensado si no se puede intentar entonces se dejan de intentar y por lo tanto no se hacen pero si sí se pueden intentar entonces se hacen los posibles por hacerlos para llevar el intento casi a la práctica pero si se hacen los posibles para llevar el intento casi a la práctica y no se puede entonces queda cancelado el asunto pero si sí se puede entonces lo que habría que hacer es llevar el pensamiento a lo que se quiera hacer sin más rodeos sin pensar en intentos ni posibilidades para que pueda ser una cosa cierta pero en el caso de que el pensar no se intente entonces queda consumido en fin lo que te digo es que hay que llevar un orden un orden siempre saber lo que se ha dicho porque se ha dicho lo que se va a hacer y lo que se hará ése es el sistema que llevo yo con el viejo de la flauta por eso le gano siempre él dice que es que le hago trampas ¡yo trampas! ¿verdad que no?

---

[43] Esta edición que presentamos hoy, tendrá, al menos, el interés de que Arrabal ha decidido cambiar para ella el texto de la obra original (ms. A y B) y el de *todas* las ediciones anteriores. En el manuscrito que nos envió añadió, a mano y en el margen, la siguiente frase: «Suprimir todos los puntos, comas y mayúsculas de este razonamiento de Climando.» Seguimos su propuesta. (Cfr. ediciones francesas: págs. 153-154, 152-153; ediciones españolas: págs. 20 y 47-48.)

[44] Las dos ediciones castellanas cometen el mismo error de decir «profundamente» (págs. 20 y 47) donde el ms. A —no cambiado por el B— y las dos ediciones francesas (págs. 153 y 152) dicen «profusamente».

El ms. A añade además (el ms. lo ha suprimido): «Habla despacio, profusamente, como un profesor de química orgánica» *(sic)*.

(APAL *no contesta, está medio dormido.)*

CLIMANDO.—*(Grita.)* Apal, no te duermas.

APAL.—Bueno [45].

CLIMANDO.—...este es mi lema «saber lo que pudimos hacer y lo que dejamos de hacer todo todo perfectamente ordenado» para algo somos personas que piensan por eso no comprendo eso de que tú no te acuerdas antes de lo que ibas a hacer ahora ni de lo que hiciste ayer y todo es por falta de orden hay que llevar un orden un camino recto racional hay que llegar a la mejor conducta *(Gritando.)* ¡apal! ¡no te duermas! [46]

APAL.—Haré un esfuerzo.

CLIMANDO.—voy a seguir esto lo verás mucho más claro con un ejemplo iba un señor con una jarra de vino y le dijo una vieja que estaba sentada a la puerta de la casa de otro señor ¿por qué lleva usted una jarra de vino pudiendo haber comprado en el mercado cuatro elefantes? a lo que le respondió el señor «no he comprado cuatro elefantes porque aún no se han inventado ¿te das cuenta apal? ¿qué te pasa hombre? [47]

APAL.—Tengo sueño.

CLIMANDO.—Es que si te duermes me aburro. Y si me aburro me da mucha pena.

---

[45] El texto que proponemos es el resultado de la corrección que el ms. B hace al ms. A. Es también el mismo que aparece en las dos ediciones castellanas y en esto difiere del que sirve a las dos ediciones francesas (págs. 154 y 153) que siguen el ms. A:

«CLIMANDO.—... ¿Verdad que no?

APAL.—Será que no.»

A continuación, las dos ediciones francesas añaden una acotación que no aparece en el manuscrito: «*Apal s'endort.*»

[46] Esta acotación surge con el ms. B y se mantiene en las dos ediciones castellanas. No está en el ms. A, ni en ninguna de las ediciones francesas (págs. 154 y 153).

En el margen izquierdo del manuscrito, Arrabal ha añadido «(ídem)» refiriéndose a que se haga desaparecer la puntuación, etcétera, según señalamos en la nota núm. 43.

[47] También esta intervención de Climando ha sido señalada por Arrabal —«ídem»—, como la anterior para perder puntos, comas y mayúsculas en esta edición, por primera vez.

APAL.—Entonces haré un esfuerzo y no me dormiré.

CLIMANDO.—*(Digno.)* Por mí no lo hagas.

APAL.—Bueno.

(APAL *se pone a dormir.)*

CLIMANDO.—Te lo dije sólo para ver qué decías.

APAL.—*(Se incorpora.)* ¡Ah!

CLIMANDO.—¿No crees que nos aburriremos en la cárcel?

APAL.—No lo he pensado.

CLIMANDO.—¿Y qué notaremos?

APAL.—Notaremos que nos matarán pronto.

CLIMANDO.—¿Nos matarán pronto?

APAL.—Sí.

CLIMANDO.—Por lo del hombre de los billetes ¿verdad?

APAL.—Sí.

CLIMANDO.—¿Nos dejarán pedir perdón?

APAL.—No sé.

CLIMANDO.—¿Y nos matarán seguro?

APAL.—Sí.

CLIMANDO.—Entonces yo me marcho.

(CLIMANDO *se sube en el triciclo para huir.)*

GUARDIA.—*(Riñéndole.)* Caracachicho, corocochocho, cha, che, chi, caracachí.

(CLIMANDO *se baja del triciclo y se sienta de nuevo junto a* APAL.)

CLIMANDO.—Entonces es verdad que nos matarán.

APAL.—Sí.

CLIMANDO.—¿A los dos?

APAL.—Sí.

CLIMANDO.—¿No basta con uno?

APAL.—No.

CLIMANDO.—Pues nosotros sólo matamos a uno.

APAL.—Sí.

*(Pausa.)*

CLIMANDO.—Pues no creas que me gusta eso de que me maten ahora.

APAL.—Es lo mismo.

CLIMANDO.—¡Que va! ¡Precisamente ahora! ¡Cuando menos lo podía esperar!

*(Silencio.)*

CLIMANDO.—¿Y tú qué piensas de eso?

APAL.—¿De qué?

CLIMANDO.—De eso de que nos maten.

APAL.—Poco.

CLIMANDO.—Apal, yo lo siento por ti.

APAL.—Gracias.

CLIMANDO.—Bueno, por mí no creas que lo siento mucho, lo que me fastidia es que sea así tan de repente. Lo siento más por ti, Apal.

APAL.—¡Bah! No te preocupes.

CLIMANDO.—¿Qué quieres que haga por ti?

APAL.—Déjame dormir.

CLIMANDO.—¿No te dará miedo?

APAL.—No.

CLIMANDO.—Bueno, hasta luego. ¡Que descanses!

(CLIMANDO *da unas vueltas alrededor del* GUARDIA, *procurando leer el título del libro.* APAL *duerme. Entra* MITA *andando a gatas. Seguramente teme que la vea el* GUARDIA.)

MITA.—*(Chistando.)* ¡Chisss! Climando.

CLIMANDO.—¡Mita!

(MITA *se acerca a* CLIMANDO.)

CLIMANDO.—Escóndete bien que no te vea el guardia.

MITA.—No me verá, está leyendo.

CLIMANDO.—Sí, pero lee muy deprisa.

MITA.—Más deprisa leo yo.

CLIMANDO.—Bueno, tú ándate con ojo.

MITA.—¿Qué van a hacer con vosotros?

(MITA *sigue agachada, encogida en el suelo.*)

CLIMANDO.—Nos van a llevar a la cárcel y luego nos matarán.

MITA.—*(Asustada.)* ¿A mataros?

CLIMANDO.—Ya estás con tus supersticiones.

MITA.—No, Climando. *(Pausa.)* Entonces tendrás que pensar algo para escapar de la cárcel.

CLIMANDO.—Es muy difícil.

MITA.—Pues vaya lata.

CLIMANDO.—*(Alegre por la solución.)* Tengo las piernas muy largas, podré correr.

MITA.—¿Y si ellos no saben que tus piernas son largas?

CLIMANDO.—Se lo diré yo.

MITA.—¿Y si te cogen?

CLIMANDO.—Es verdad. Será mejor que les cuente cuentos.

MITA.—Sí, sí, que tú sabes unos cuentos muy bonitos.

CLIMANDO.—Eso es, si me cogen yo les cuento un cuento y les convenzo.

MITA.—*(Entusiasmada.)* Y les cuentas el cuento del burrito que iba a Texas [48] haciendo una «V» con sus orejas, que te sale muy bien.

CLIMANDO.—No, no, ése no porque dirán que es político.

MITA.—*(Recordando.)* Bueno, pues le cuentas aquel del caballo que se enamoró de un telescopio creyendo que era una oveja.

CLIMANDO.—Ése tampoco les gustará, dirán que no lo entienden, y entonces me querrán quemar vivo.

MITA.—Sí, es lo malo de contar cosas que la gente no entiende [49].
*(Pausa.)*

CLIMANDO.—¿Cuál te parece que les cuente?

MITA.—Cuéntales que me quieres.

CLIMANDO.—¡Ah! Está bien... qué bonito... Pero para eso necesito que estés conmigo para cuando yo diga «me gustan sus rodillas blancas, lisas y grandes» poder levantar tus faldas y enseñárselas. Y cuando yo diga «ella tiene un bigotito amarilloso y blandito que me gusta mucho» poder enseñarlo. Y cuando diga que tus ojos son verdes y bonitos como era el triciclo antes de ponerse feo, y tu pelo rubio como el pan cuando es bueno ne-

---

[48] En este caso, las ediciones francesas corrigen el ms. A («... el cuento del burrito que iba al cielo haciendo una V con sus orejas...») en las páginas 159 y 157, respectivamente, mientras que las dos en castellano siguen esta primera versión.

[49] Esta intervención de Mita y la pausa que sigue desaparecen del ms. A, corregido por el B, y de las dos (págs. 22 y 52) ediciones aparecidas en España. Sin embargo, nos hemos decidido a mantener la versión original, teniendo en cuenta que el autor no ha querido suprimirlas de la última edición francesa (página 158).

cesito que tú estés allí y nos veamos y te vean. Y cuando yo diga *(se acerca a* MITA) que te beso...

GUARDIA.—*(Los interrumpe.)* Caracachichi, piripipipi.

*(El* GUARDIA *al hablar no levanta la vista del libro.)*

CLIMANDO.—¿Qué ha dicho?

MITA.—Caracachicha, paripipipi.

CLIMANDO.—No, no, ha dicho, caracachiche, piripipipe.

MITA.—No me lleves la contraria.

CLIMANDO.—No te la llevo. Está bien claro que ha dicho caracachiche, piripipipe.

MITA.—Qué afán de llevar la contraria y de discutir tienes.

GUARDIA.—Caracachichi, piripipipi.

(CLIMANDO *se acerca al* GUARDIA *tímidamente.*)

CLIMANDO.—¿Ha dicho usted caracachiche piripipe o caracachicha paripipipi?

*(El* GUARDIA *da cuatro chasquidos con la boca seguidos y no hace ningún caso a* CLIMANDO.
CLIMANDO *para congraciarse con el* GUARDIA *saca del cajón del triciclo una serie de cosas que le presenta humildemente: una llave inglesa, una caja de cartón, dos tubos de cristal, un orinal desconchado, las faldillas de un calendario, un bote. El* GUARDIA *con un manotazo le separa, sin dejar de leer ni un solo minuto.)*

CLIMANDO.—*(A* MITA.) Seguramente es que se ha dado cuenta de que estás conmigo. Escóndete bien, sobre todo la punta de la falda. Yo para disimular me pondré a pasear.

(CLIMANDO *pasea.)*

CLIMANDO.—Los deberes del conductor del triciclo (CLIMANDO *canturrea como un colegial)*... son... definición... clases... relaciones con el hombre soltero...

CLIMANDO.—*(Se dirige a* MITA.) No puedo seguir así porque se va a dar cuenta de que no me sé eso.

MITA.—Entonces di muchas veces sin novedad.

CLIMANDO.—*(Paseando.)* Sin novedad, sin novedad, sin novedad.

(CLIMANDO *pasea de un lado a otro repitiendo «sin novedad».*)

MITA.—*(Le chista.)* Oye, Climando, cambia de tono que se va a dar cuenta de que siempre dices lo mismo.

CLIMANDO.—*(Cambiando el tono en cada frase.)* Sin novedad...

(CLIMANDO *repite varias veces la frase cambiando el timbre y el tono de la voz.)*

CLIMANDO.—*(A* MITA.) Oye me canso.

MITA.—Pues no deberías de cansarte.

CLIMANDO.—Pero si dentro de poco ya me moriré.

MITA.—Y te crees que eso te permite portarte como te dé la gana.

CLIMANDO.—Pues no faltaba más.

MITA.—Pues yo digo que no. Yo también voy a morir y Apal y el viejo, y por eso no hacemos lo que queremos.

CLIMANDO.—Pues entonces vaya gracia.

MITA.—¿O es que crees tú que porque sepas la fecha ya tienes algún privilegio?

CLIMANDO.—*(Azorado.)* No sé.

MITA.—A ti lo que te han hecho ha sido un favor.

CLIMANDO.—No me daba cuenta.

MITA.—Además ni te mueres con dolores ni nada como se muere casi todo el mundo.

CLIMANDO.—Pero para matarme me harán daño.

MITA.—No lo creas. Porque, sí es verdad que te hacen daño, pero cuando te va a doler ya te has muerto.

CLIMANDO.—¡Qué bien!

MITA.—Estupendo.

CLIMANDO.—Y ¿luego qué?

MITA.—Luego irás al cielo.

CLIMANDO.—*(Con ternura.)* ¡Al cielo! Sí, es verdad, iré al cielo con las ovejas y con los tranvías, y con los burritos que hacen una V con sus orejas, y con los hombres que conducen triciclos [50], y con los niños del parque, y con los viejos que tocan flautas y violines, y con las monjitas, y con las hojas de los árboles...

MITA.—*(Cortándole.)* Yo también iré.

CLIMANDO.—Sí, y Apal.

MITA.—¿Apal? Apal, no, sabe muchas cosas.

CLIMANDO.—Sí, pero lo disimula, y es bueno, y duerme todo el día para que nadie se dé cuenta de que sabe tanto.

MITA.—Pues en el cielo no irá a dormir. ¡Estaría bueno! Ten en cuenta que va a ocupar el sitio de otro.

CLIMANDO.—Oye, Mita. ¿Y dónde orinaremos en el cielo?

MITA.—En el cielo no se orina, lo sé muy bien.

CLIMANDO.—Cuánto lo siento.

MITA.—Te acostumbrarás.

CLIMANDO.—*(Entusiasmado.)* Mita, qué lista eres, estás enterada de todo.

---

[50] Las dos ediciones castellanas (págs. 23 y 55), así como las dos francesas (págs. 163 y 161), reproducen la corrección que el ms. B hace al ms. A, donde éste decía: «... y con los hombres que conducen tranvías...» y que nosotros también mantenemos en nuestra edición.

MITA.—Desde luego.

CLIMANDO.—¿Y qué voy a hacer en el cielo sin ti?

MITA.—No te preocupes que no lo vas a pasar mal. Peor lo pasaré yo, que no podré ver tus botas tan bonitas.

CLIMANDO.—Si quieres, Mita, te dejo que ocupes mi puesto para que te maten por mí.

MITA.—¿Y qué supones? ¿Que los guardias son tontos y no se darían cuenta?

CLIMANDO.—Es bien sencillo, te pones mi ropa y cuando digan: «Climando, te vamos a matar.» Tú dices: «Servidor.»

MITA.—Tendré que decir servidora.

CLIMANDO.—No, entonces se darían cuenta.

MITA.—Pero yo no puedo mentir. Porque para ir al cielo no se tiene que mentir.

CLIMANDO.—Ahora sí que la hemos hecho buena.

MITA.—¿Te das cuenta de que tengo que estar pendiente de todos los detalles?

CLIMANDO.—Sí.

MITA.—Si no fuera porque me he dado cuenta, dentro de poco ya estaría en el infierno.

CLIMANDO.—*(Horrorizado.)* No digas esa palabra, que si la repito yo me causaría una desgracia grandísima.

MITA.—No, no, no es esa palabra, es corrusco. ¿O ya te habías olvidado?

CLIMANDO.—Es verdad.

MITA.—Acuérdate que yo a final de mes la digo varias veces para compensar el que tú no la puedas decir.

CLIMANDO.—Oye, ¿y ya la has dicho este mes?

MITA.—No.

CLIMANDO.—Pues ya la estás diciendo.

MITA.—Corrusco, corrusco, corrusco; con tres veces vale.

CLIMANDO.—Cualquiera sabe si valen sólo tres. Yo oí a un señor que decía que las tazas deben llevarse encima de la cabeza para vencer la fuerza de la gravedad.

MITA.—Sí, es un dato, pero yo insisto en que con tres veces vale.

CLIMANDO.—Tú siempre quieres llevar la razón.

MITA.—Es que tú nunca discutes bien.

CLIMANDO.—Eso sí. Oye, ¿y qué vas a hacer cuando me muera?

MITA.—No verte más.

CLIMANDO.—Yo quiero que vayas de luto por mí. Con todo el traje negro y además con un brazalete también negro en la manga.

MITA.—No lo haré, porque a mí el luto me da mucha risa.

CLIMANDO.—¡Qué valiente eres! Más valiente aún que esos legionarios que se ríen de la muerte. Tú te ríes hasta del luto.

MITA.—Si quieres lo que puedo hacer es comer siempre calamares.

CLIMANDO.—Más quisieras tú que comer calamares. ¡Una sardina y ya vas bien!

MITA.—Te metes conmigo porque no como mucho.

CLIMANDO.—No, Mita, yo quiero hacer por ti lo que quieras... sobre todo teniendo en cuenta que dentro de poco yo estaré en el cielo pasándolo bien con las ovejas y los burritos.

MITA.—Yo también quiero hacer muchas cosas por ti.

CLIMANDO.—Pues entonces lo mejor será que ninguno hagamos nada y así nos ahorramos el trabajo [51].

MITA.—¡Cuánto nos queremos! ¡Qué compenetrados estamos!

CLIMANDO.—*(Amoroso.)* Sí.

*(Entra el* VIEJO DE LA FLAUTA *agachando la cabeza para no ser visto.)*

VIEJO.—Ya va a venir el jefe, está ahí al lado.

MITA.—Entonces avísele a Apal para que lo sepa.

CLIMANDO.—Apal prefiere dormir.

VIEJO.—Dicen que os van a matar, yo me he alegrado.

MITA.—Yo también.

CLIMANDO.—Y yo.

VIEJO.—No te debías de alegrar. Maldita la gracia que te va a hacer.

CLIMANDO.—Pues usted tampoco debía estar contento, a usted no le hará ninguna gracia [52].

VIEJO.—Yo me alegro porque así no discutiré contigo y no me ganarás.

MITA.—Es un motivo importante.

CLIMANDO.—¿Y sólo por eso?

MITA.—Ande, diga la verdad, no se avergüence, diga que usted le quiere un poco en el fondo [53].

---

[51] En las dos ediciones de España ha desaparecido esta intervención de Climando (cfr. págs. 25 y 58) que está en el ms. A y se conserva en las dos francesas (págs. 167 y 164).

[52] Todas las ediciones siguen la corrección que el ms. B ha hecho al ms. A, en el que se leía: «Pues tú tampoco debías estar contento, a ti no te hará ninguna gracia.»

[53] La versión que proponemos difiere mucho, como se verá, de la española que aparece en las dos ediciones (págs. 25 y 59) del texto castellano. La verdad es que no nos explicamos el cambio sino como errata de la primera edición recogida por la segunda. Tal y como nosotros proponemos el texto definitivo aparece en

VIEJO.—*(Avergonzadísimo.)* Pero muy poco, muy poquísimo. Así. *(Señala una uña.)*

MITA.—¿Y tú a él?

CLIMANDO.—También así. *(Señala su uña.)*

VIEJO.—Si quieres te dejo la flauta para que mueras con música.

*(Le da la flauta.)*

CLIMANDO.—*(La coge como un tesoro.)* Bueno.

VIEJO.—¿No te dará asco de mí?

CLIMANDO.—No, porque para eso llevo botas.

VIEJO.—Pero lo que necesitas para eso es un abrigo de pieles.

CLIMANDO.—Pero tengo, sin embargo, dos tenazas.

VIEJO.—Pero lo que necesitas son dos coliflores.

CLIMANDO.—Pero para eso tengo tres palillos de dientes.

VIEJO.—Pero para eso lo que necesitas son tres impermeables.

CLIMANDO.—Pero para eso tengo cuatro máquinas de escribir.

VIEJO.—Pero tú lo que necesitas son cuatro pijamas de algodón.

CLIMANDO.—Pero para eso tengo cinco calcetines.

*(Diálogos simultáneos.)*

VIEJO.—Pero lo que necesitas son diez avestruces.

---

el ms. A y en las dos ediciones francesas (págs. 168-169 y 165). El texto castellano de las dos ediciones españolas dice:

«MITA.—Es un motivo importante.

CLIMANDO.—¿Y sólo es eso? Ande, diga la verdad, no se avergüence, diga usted que me quiere un poco en el fondo.

VIEJO.—*(Avergonzadísimo.)* Pero muy poco, muy poquísimo. Así.»

CLIMANDO.—*(A* MITA.) Dile que yo no puedo tener cinco calcetines porque los calcetines son pares.

MITA.—*(Habla al* VIEJO, *al oído.) Dígale que es falso,* él no puede tener cinco calcetines porque los calcetines son pares.

VIEJO.—*(Muy contento.)* Falso, falso, falso. No puedes tener cinco calcetines porque los calcetines son pares. Te he ganado. Te he ganado.

CLIMANDO.—¿No me ha hecho trampa?

VIEJO.—No.

*(Entra el guardia-jefe)* [54].

GUARDIA.—*(Cuadrándose ante su superior.)* ¡Carrá!

*(Los dos guardias se ponen a hablar.)*

CLIMANDO.—Apal, levántate, que ya vienen a por nosotros.

APAL.—Voy.

(APAL *se despereza.)*

CLIMANDO.—Mita, como me van a matar, te regalo mis botas.

(CLIMANDO *se quita las botas y se queda descalzo. Se las da a* MITA.)

MITA.—*(Repasándolas.)* Lástima que estén ya tan rotas.

CLIMANDO.—*(Se dirige al* VIEJO.) Y a usted le regalo el triciclo.

VIEJO.—*(Entusiasmado.)* ¡El Triciclo! ¿Podré acariciar a los niños?

CLIMANDO.—Sí.

---

[54] En esta acotación las dos ediciones francesas (págs. 170 y 167) dicen: «*Entre le chef*», a pesar de que en el *dramatis personae* (véase la nota núm. 3) no se distingue a uno de otro. Esta incoherencia mínima nos parece detalle que muestra un descuido de traducción.

VIEJO.—¿Y también me regalas las campanillas del triciclo?

CLIMANDO.—Sí.

VIEJO.—¿Y también el cajón de los trastos del triciclo?

CLIMANDO.—Sí.

VIEJO.—¿Y las faldillas del calendario?

CLIMANDO.—Sí.

VIEJO.—¿Y el orinal?

CLIMANDO.—Sí.

VIEJO.—¿Y las tenazas?

CLIMANDO.—Sí.

VIEJO.—¿Y los alambres?

CLIMANDO.—Sí [55]. Pero no pida más que se va a convertir en tortuga.

VIEJO.—Casi no me doy cuenta.

MITA.—*(A* APAL.*)* A ti también te van a matar, ¿eh?

APAL.—Creo que sí.

MITA.—Regálame la chaqueta, anda.

APAL.—¿La chaqueta?

MITA.—Sí.

APAL.—Voy a tener frío. Estamos en invierno.

MITA.—Total, vas a vivir tan poco.

---

[55] En el ms. A, esta intervención de Climando tiene dos partes y se presenta así:
«VIEJO.—¿Y los alambres?
CLIMANDO.—Sí.
CLIMANDO.—Pero no pidas más porque te vas a convertir en tortuga.»
Señalaremos de nuevo aquí la alternancia de tuteo y fórmula «usted» que alterna, durante toda la obra, en el ms. A.

APAL.—Bueno. *(Se quita la chaqueta y se la da a* MITA.)

*(Los guardias dejan de hablar. El guardia se dirige a* MITA *y al* VIEJO, *separándoles de sus amigos a gritos.)*

GUARDIA.—Caracachicho piripipipi.

*(El guardia-jefe esposa a* APAL *y a* CLIMANDO. APAL, *sin chaqueta, tirita.* CLIMANDO *mueve sus pies descalzos para que no se le enfríen. El* VIEJO DE LA FLAUTA *acaricia el triciclo.* MITA, *mira las botas y la chaqueta.)*

GUARDIA.— ¡Atarrá!

*(El guardia empuja a* APAL *y a* CLIMANDO *para que anden. El guardia-jefe y el guardia se ponen a los costados de ellos. Salen los cuatro.*
*En escena quedan* MITA *y el* VIEJO. MITA *se pone la chaqueta de* APAL *y las botas de* CLIMANDO. *El* VIEJO DE LA FLAUTA, *con ayuda de* MITA, *se sube en la caja del triciclo.* MITA *conduce el triciclo. El* VIEJO *toca las campanillas.*
*El triciclo cruza el escenario y sale.)*

TELÓN

# *El laberinto*[1]

*¡El gran teatro de Oklahoma os llama! ¡Sólo os llamará hoy, por primera y última vez!*

FRANZ KAFKA[2]

---

[1] El mismo autor nos confiaba una información que ya dimos en nuestro libro *L'exil et la cérémonie,* París, Col. *10/18,* 1977, al iniciar el análisis de *El laberinto.* Según Arrabal, esta obra se llamó, recién escrita, *Homenaje a Kafka.* Finalmente, el dramaturgo se decidió por el título actual.

[2] Esta cita de *América,* de Kafka, no aparece en el manuscrito original ni en la primera edición española de la revista *Mundo Nuevo* (manuscrito C).

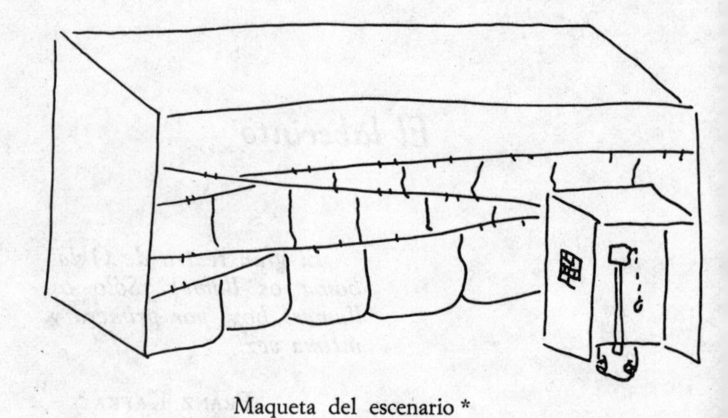

Maqueta del escenario *

* Maqueta del escenario diseñada por Fernando Arrabal, según aparece en el primer manuscrito castellano de la obra.

# PERSONAJES

Esteban — Justino
Bruno — El Juez
Micaela

*El escenario lo ocupa totalmente un laberinto formado por mantas. Las mantas están colgadas, como la ropa a secar, de cuerdas que cruzan el escenario en todas direcciones*[3].

*A la derecha: pequeño retrete oscuro y sucio. El retrete tiene una ventana pequeña y enrejada que comunica con el espacio que deja libre el laberinto de mantas en medio de la escena.*

*Todo esto, es decir, lo que el espectador ve, no es nada más que una parte muy pequeña de un inmenso parque-laberinto ocupado por mantas*[4].

*En el retrete, tumbados en el suelo,* Bruno *y* Esteban. *Están unidos entre sí por unas esposas en los tobillos.* Bruno *está muy enfermo y casi no puede moverse. También está muy sucio y con barba de varios días.* Esteban *lleva un traje bastante limpio y parece en buena salud.*
Esteban *está limando las esposas que le unen a* Bruno.

---

[3] En los tres manuscritos castellanos (A, B y C) aparece aquí la siguiente acotación: «Sólo queda libre de esta especie de invasión de mantas un pequeño espacio en el centro y, naturalmente, el retrete.» Desaparece en la primera edición francesa (ms. D), pág. 48, y no se repone en la segunda (ms. E).

[4] Lo mismo que hemos anotado en la anterior, ocurre aquí con la frase: «La obra tiene un solo acto.»

Bruno.—Tengo sed. *(Pausa. Haciendo un esfuerzo para hablar.)* Dame agua.

(Esteban *continúa limando, intentando con ello romper las esposas.)*

Bruno.—*(Con un hilo de voz.)* Tengo mucha sed.

(Esteban *disgustado, se arrastra hacia la taza del retrete.*
Bruno *se queja fuertemente.* Esteban *tira de la cadena del depósito del agua*[5]*; con las manos coge un poco de agua y se la da a* Bruno. *Inmediatamente vuelve a intentar quitarse las esposas. Hace grandes esfuerzos; esto evidentemente hace daño a* Bruno, *ya que* Esteban *tira fuertemente de las esposas. Aquél se queja.)*

Esteban.—No te quejes tanto. *(Continúa su trabajo. De nuevo* Bruno *se queja.)* ¿Es así como me ayudas? *(Pausa.)* Haz un esfuerzo. Déjame que intente salir. *(Pausa.)* Es la única posibilidad que tenemos de que se nos haga justicia. *(Pausa.)* En cuanto esté libre iré al Tribunal y pediré que estudie nuestro caso con todo rigor. Bien es cierto que no voy a decir que somos unos ángeles, porque no sería cierto, pero sí les haré ver la injusticia que se ha hecho con nosotros.

Bruno.—Tengo sed.

Esteban.—¡Otra vez!

Bruno.—*(Agotado.)* Tengo mucha sed.

---

[5] «del depósito del agua» ha sido añadido por el ms. B y se mantiene en los manuscritos posteriores.

ESTEBAN.—Espera que termine. Cuando me haya soltado te daré toda el agua que quieras.

(BRUNO *se queja.* ESTEBAN *continúa su trabajo minuciosamente. Se anima, parece que se va a soltar las esposas.* BRUNO *da un quejido más fuerte y con la pierna libre, a pesar de sus pocas fuerzas, da patadas a* ESTEBAN.)

ESTEBAN.—*(Muy disgustado.)* ¡No empieces otra vez! Por lo menos déjame tranquilo y no me des patadas.

BRUNO.—Tengo sed.

ESTEBAN.—Espera un momento.

(ESTEBAN *continúa limando las esposas. De vez en cuando tira fuerte.* BRUNO *se queja cada vez más y le da patadas.)*

ESTEBAN.—¿Cómo quieres que te lo explique? Déjame trabajar. Es la única posibilidad que tenemos. ¿O es que te quieres quedar en este rincón toda la vida?

BRUNO.—Tengo sed.

ESTEBAN.—*(Irritado.)* Voy.

(ESTEBAN *le da agua tras tirar de la cadena.)*

ESTEBAN.—¿Ya estás tranquilo?

*(Continúa limando.* BRUNO *se queja.)*

ESTEBAN.—Ya está casi. *(Muy contento.)* Un último esfuerzo y ya estoy libre.

(BRUNO *le da más patadas que nunca, molestándole extraordinariamente.* ESTEBAN *se defiende con la cabeza y continúa limando lleno de alegría.* BRUNO *se queja.)*

BRUNO.—Tengo mucha sed.

ESTEBAN.—Un momento.

(BRUNO *le molesta más y más.* ESTEBAN *sigue limando. Por fin, logra romper las esposas. Queda libre.)*

Bruno.—Tengo sed.

(Esteban *le da agua e inmediatamente sale del retrete.* Bruno, *a pesar de su debilidad, dirige las manos hacia él para retenerle.)*

Bruno.—Tengo mucha sed.

(Bruno *queda tumbado dentro del retrete*[6]. Esteban *en el patio, duda. Se mete por fin decididamente en el laberinto de mantas. Desaparece, por tanto*[7].

*Silencio.*

*Reaparece. Se dirige hacia la ventana del retrete*[8]. *Mira en el interior.* Bruno *haciendo un esfuerzo se incorpora penosamente.)*

Bruno.—Tengo sed.

(Esteban *huye espantado. Pero antes de meterse en el laberinto de mantas duda. Por fin desaparece entre ellas.*

*Silencio.*

*Aparece, de nuevo, muy fatigado como si hubiera recorrido a gran velocidad todo el laberinto. Se dirige a la ventana del retrete. Mira a través de las rejas.* Bruno, *haciendo un gran esfuerzo, se incorpora penosamente.)*

Bruno.—Tengo sed.

(Esteban *huye horrorizado. Se dirige al laberinto de mantas. Duda antes de meterse en él. Desaparece. Silencio. Aparece. Va a la ventana.* Bruno *se incorpora. Duda. Desaparece. Silencio. Aparece. Mismo juego.* Esteban *fatigadísimo aparece de nuevo.*

*Silencio.*

---

[6] Lo mismo ocurre con «dentro del retrete», que aparece con el ms. B.

[7] También «por tanto» y la coma que antecede es corrección del ms. B.

[8] El ms. A, decía: «Se dirige a la ventana del retrete», y, finalmente, encontramos la forma actual en el ms. C (pág. 9).

*De entre las mantas surge* MICAELA.)

MICAELA.—¿Qué hace usted en mi casa?

ESTEBAN.—Me he perdido. Estoy buscando el modo de salir. *(Pausa.)* No encuentro la salida. Doy vueltas y vueltas por el patio entre las mantas y cuando creo que ya la he encontrado, resulta que vuelvo otra vez aquí [9]

MICAELA.—No es extraño. Cuando mi padre decidió hacer en el patio el sitio para colgar la ropa todos nos imaginamos que dada su extraordinaria extensión se convertiría en un laberinto, sobre todo teniendo en cuenta que normalmente sólo colgamos mantas.

ESTEBAN.—Pero usted me podrá indicar la forma de salir de aquí.

MICAELA.—Yo lo haría con mucho gusto si supiera con seguridad el camino que hay que seguir. Pero por desgracia, a pesar de mis esfuerzos por lograr aprenderme todas las salidas, aún no he conseguido poder orientarme convenientemente.

ESTEBAN.—Y entonces, ¿por qué ha venido usted hasta aquí?

MICAELA.—Si usted conociera mi casa esto no le extrañaría absolutamente nada. Mi padre es un hombre muy correcto, pero [10] educado de una forma demasiado rígida, lo cual nos obliga a todos en la casa a mantenernos en orden con una compostura excesiva. Por ello, de vez en cuando, me aventuro en el patio para poder abandonar, aunque nada más sea que por unos instantes, el ambiente

---

[9] La fórmula que proponemos es del ms. B, que corrige al ms. A, donde se leía: «y cuando creo que ya he encontrado la salida me encuentro otra vez aquí».

El autor intenta evitar la repetición y nos confirma así el carácter original del manuscrito que utilizamos. Como ya hemos dicho, Arrabal escribe siempre los originales a máquina y trabaja esa primera versión mecanografiada.

[10] En el ms. A aparecía: «muy correcto y educado». Arrabal debió cambiar inmediatamente de opinión, porque la conjunción 'y' no podría introducir la segunda parte adversativa. Toda la corrección es del ms. B.

de la casa. Le diré, para que se haga una idea, que en mi casa todos debemos ir vestidos en traje de gala, que no podemos hablar nada más que en un tono de susurro, que debemos hacerle a él —a mi padre— una reverencia cada vez que le vemos, que no nos podemos asomar a las ventanas, que no nos podemos reír jamás, etc. Usted bien comprenderá que desee de vez en cuando darme un paseo por el patio.

ESTEBAN.—¿Y cómo es que un hombre tan ordenado ha tenido la idea de hacer este tremendo laberinto de mantas?

MICAELA.—Tiene usted razón, en principio esto parece absurdo, pero conociendo las circunstancias especiales se dará cuenta que no lo es tanto. Le contaré. Este patio que tiene una extensión grandísima: kilómetros y kilómetros, era en principio un terreno de recreo donde todos podíamos jugar de la forma más libre. La idea de convertir este parque en lugar [11] para colgar la ropa le vino a mi padre de la forma más justificada [12], casi podría decirle que por necesidad. En nuestra casa que cuenta, como quizá usted sabrá muchísimos dormitorios, hacía muchos años que no se lavaban las mantas. En principio, estas cosas ocurren de la forma más normal. Mi padre había decidido que cada vez que hubiera necesidad de cambiar una manta por estar sucia se procedería de la forma más sencilla: es decir, sustituir la sucia por una nueva y llevar la sucia a la bodega. Mi padre había pensado que lo mejor sería esperar a que hubiera muchas mantas sucias y así [13] de una forma más económica, lavarlas todas a la vez. Pasó mucho tiempo y las mantas

---

[11] Evitar la repetición nos parece, otra vez, la razón que ha inducido al autor a cambiar el «terreno» que existía en el ms. A, por el «lugar» del ms. B que aquí conservamos.

[12] Arrabal intenta aquí dar idea exacta de lo absolutamente lógico y *necesario* de la decisión tomada por Justino. Las dos ediciones francesas, con sus variantes, lo prueban:

Ms. D (pág. 53): ... «de la façon la plus plausible, je dirais presque de la façon la plus nécessaire».

Ms. E (pág. 51): ... «de la façon la plus logique, je dirais presque la plus impérieuse».

[13] Desde el ms. A el texto es tal y como lo presentamos en

se fueron almacenando en la bodega [14]. Mi padre estaba consternado. Por ello, empezó a buscar obreros para que le lavaran las mantas, pero en la región por desgracia, en aquella fecha no había suficientes. Entonces decidió avisar a sus amigos de la capital, los cuales se pusieron inmediatamente a buscar obreros, mientras por otra parte las mantas sucias, a falta de sitio en la bodega ocupaban ya las mejores habitaciones del primer piso. En vista de que la situación empeoraba de día en día, ya que las mantas amenazaban de veras ocupar todo el primer piso, lo cual nos hubiera molestado en grado sumo, ya que habríamos tenido, en el caso de que definitivamente lo ocuparan por completo, que hacer construir una escalera de seguridad exterior, como le digo, en vista de que la situación empeoraba cada día más, mi padre decidió ir en persona a la capital a contratar los obreros [15]. Pero desgraciadamente los obreros hacían huelga y ninguno de ellos quiso atender las demandas de mi padre. Entonces decidió prometerles un salario doble del normal, lo cual no les satisfizo por completo [16], no porque les pareciera poco el salario, sino porque temían la represión de sus compañeros. Mientras tanto, yo me ocupaba de la casa y procuraba de la forma más racional colocar las mantas para que ocuparan poco espacio, pero naturalmente seguían, a pesar de mis esfuerzos, amontonándose más y más y amenazando, para colmo de males, muy seriamente la escalera principal. Todo esto se lo comuniqué a mi padre en varias cartas, a ninguna de las cuales me respondió. Sorprendida por su tardanza y por la falta de noticias que tenía de él le telefonee al hotel donde habitaba; allí me dijeron que hacía varios días que había desaparecido sin dejar su nueva dirección. Esta noticia

---

esta edición. La única variante (... «y casi de una forma»...) es del ms. C y nos parece simplemente una errata de imprenta.

[14] El ms. A, decía: «Un día nos enteramos que ya no cabía una manta más en la bodega.» Corregido por el ms. B, el ms. C cambia: «Un día nos enteramos que ya no cabía una más.» El ms. D suprime todo (pág. 54).

[15] Ms. A: «decidió en persona ir a la capital»; la corrección, con respecto a la posición del verbo *ir*, es del ms. B.

[16] En el ms. A se decía: ... «lo cual no satisfizo por completo a los obreros»...; ha sido corregido en el ms. B.

me dejó consternada, mucho más teniendo en cuenta que a esto se unía el que las mantas impedían ya la entrada por la escalera principal y que la escalera que construimos para entrar al segundo piso directamente era muy endeble y no era de extrañar que un día se rompiera, lo cual no sería demasiado trágico si algunos de nosotros en ese momento estuviéramos en la calle, pero si como era de temer todos nos encontrábamos en el segundo piso, entonces no habría medio humano de colocar una nueva escalera. La situación, usted me comprenderá bien, se volvía cada vez más trágica. Días después de que las mantas invadieran la escalera principal, dejándonos a mitad incomunicados, y de que amenazaran muy seriamente el segundo piso, mi padre apareció con un centenar de hombres que nunca hemos sabido de dónde los sacó [17]. Lo que más nos extrañó fue que todos vinieran encadenados. Mi padre nos explicó que como estábamos en tiempo de huelga era necesario tener bien sujetos a los obreros en el trabajo. Inmediatamente instalaron unas calderas inmensas y durante varios meses los obreros lavaron las mantas. Mi padre creyó lo más oportuno ponerlas a secar en el parque, ya que gracias a su extensión considerable podría haber terreno para que se [18] colgaran todas. Los obreros en principio las colocaron con un cierto orden, paralelamente a las calderas, pero por desgracia eran tan numerosas las mantas que tuvieron que aprovechar todos los espacios libres hasta que así de una forma minuciosa se fue formando esta especie de laberinto en el parque [19]. A los obreros que, por otra parte, en principio estaban atados, tuvo mi padre que soltarles las cadenas, ya que era tan grande la extensión que tomaba el laberinto y tan distantes las calderas de las úl-

---

[17] También el ms. B ha cambiado el original: ...«de donde venían»..., por ... «los sacó»...

[18] En el ms. C se lee, por error, ... «para que no colgaran todas». Conservamos aquí la versión original de los dos manuscritos anteriores.

[19] Los manuscritos A, B y C, decían: «esta especie de laberinto de mantas en que hoy está convertido el parque». Esta versión se conservó en el ms. D (pág. 55): ... «cette espèce de labyrinthe de couvertures qu'est devenu le parc». El cambio definitivo lo hace el ms. E (pág. 54).

timas cuerdas para colgar mantas que era de todo punto imposible encontrar cadenas tan extraordinariamente largas. Por ello, y aprovechando la noche, se fueron marchando uno a uno hasta que no quedó ni uno solo. La situación que se le presenta actualmente a mi padre es bien crítica: las mantas están colgadas, pero no se pueden descolgar por falta de obreros y por otra parte forman un laberinto delante de la casa que nos impide casi completamente salir si no es a riesgo de perdernos en el interior de él[20] y morir de sed, de cansancio y de fatiga. Además, por el momento no hay ni que soñar en poder encontrar los obreros necesarios (cien, doscientos, quizá mil y tal vez más, esto sólo lo sabe mi padre) para retirar todas las mantas y amontonarlas debidamente a fin de que no vuelvan a causarnos molestias. Ya ve usted que nuestra situación es muy poco agradable, en especial para nosotros que somos los que directamente la soportamos. Al fin y al cabo, usted no está aquí nada más que de paso y no se puede dar perfectamente cuenta de nuestra situación. *(Pausa. Mira descaradamente la esposa que tiene en el tobillo.)* A no ser que esté usted con carácter definitivo.

ESTEBAN.—*(Tapa con la otra pierna, torpemente, las esposas.)* Claro que no estoy aquí con carácter definitivo.

MICAELA.—Espero que no mienta[21]. Me extrañaría mucho que estuviera en nuestra casa o bien en el parque con carácter definitivo y que yo no lo conociera. Ya que si bien es mi padre el que conoce absolutamente a todos los que habitan en la casa, yo, por mi parte, puedo decir, sin temor a equivocarme, que también conozco a todos o por lo menos a la gran mayoría...

BRUNO.—*(Que continúa tumbado en el retrete[22], ha-*

---

[20] El ms. A decía: «del laberinto» y ha sido corregido por el ms. B para evitar la repetición.

[21] En todos los manuscritos anteriores al E, aparecía: «Sí, espero que sea así» (ms. A, B y C) y «J'espère qu'il en est ainsi» (ms. D, pág. 56).

El ms. E —que es el que seguimos aquí— acentúa el carácter agresivo del discurso de Micaela: «J'espère que vous ne mentez pas» (pág. 55).

[22] El ms. A, corregido por el ms. B, decía: «(Interrumpiendo,

*bla en tono de queja.)* Tengo mucha sed. *(Pausa.)* Dame agua, Esteban.

*(Silencio.* ESTEBAN, *visiblemente nervioso, intenta disimular.* MICAELA *ha oído la voz de* BRUNO[23] *y no parece que le haya sorprendido lo más mínimo.)*

MICAELA.—Hay que tener en cuenta que mi padre tiene todo perfectamente bien organizado. Se puede decir, sin error, que nada de lo que ocurre en la casa o en el parque lo ignora. Basta que falte una manta, una sola manta —tenga en cuenta que habrá millones y millones en el parque— para que él se dé cuenta en seguida y si a veces no interviene directa o inmediatamente ante la persona que la ha robado es porque en su tiempo, preciosísimo, tiene cosas mucho más importantes que hacer por el momento, ya que sin duda, pronto o tarde, siguiendo un orden —para mí demasiado complicado e incomprensible[24]— se encargará del asunto y lo resolverá con toda ecuanimidad teniendo en cuenta todas y cada una de las circunstancias atenuantes y agravantes del delincuente. Por ello...

BRUNO.—*(Interrumpiendo.)* Tengo mucha sed.

*(Silencio. Nerviosismo de* ESTEBAN. *Calma total de* MICAELA.)

MICAELA.—Como le decía, por ello pueden estar aquí las cosas en un aparente desorden que no hace nada más que poner al descubierto la existencia de un orden superior mucho más complicado y exigente que el que nosotros podemos imaginar y que dirige mi padre con una maestría eficacísima.

ESTEBAN.—¿Cómo explica usted entonces este labe-

---

desde el retrete, y hablando en torno de queja.)» La corrección, como puede observarse, abunda en el sentido de lo extraño del personaje de Bruno al mundo que le rodea.

[23] Hasta el ms. E, se añadía: «con la mayor naturalidad» (ms. A, B y C) y «l'air très naturel» (ms. D, pág. 56). Seguimos la última corrección del autor en el ms. E y suprimimos el inciso en nuestro texto.

[24] La frase: «aunque reconozca su precisión», que aparece en los tres primeros manuscritos castellanos, ha desaparecido ya en el ms. D, pág. 57.

rinto de mantas formado, según acaba de explicar, por la imprevisión de su padre que dejó almacenar las mantas en la bodega hasta entorpecer la entrada en la casa?

BRUNO.—Tengo sed.

*(Mismo juego.)*

MICAELA.—Su pregunta me parece justa; esta pregunta de no conocer a mi padre me la hubiera hecho yo tamhién miles de veces, pero la solución es bien sencilla. Ya le he dicho que mi padre lleva un orden riguroso en los asuntos a tratar. Esto en ocasiones le lleva a resolver problemas que a nosotros nos parecen banales, dándoles prioridad sobre otros que nosotros suponemos más transcendentales. Esto no obedece nada más que a la diferente escala de valores que tenemos nosotros en relación con mi padre. Por ejemplo, le he dicho que cuando las mantas se almacenaban peligrosamente en el primer piso le llamé por teléfono a su hotel en donde me dijeron que no estaba ya, que había salido sin dejar su nueva dirección. Tras investigaciones minuciosas que he hecho he sabido, no sin ciertas posibilidades de confundirme, que mi padre se pasó entonces un mes en una ciudad muy lejana olvidado del asunto de las mantas para recoger ciertas hierbas que tienen fama de curar los sabañones. Vuelvo a repetirle que no sé si verdaderamente esto que le digo es cierto ya que la vida de mi padre es para mí un verdadero misterio, pero hay muchas probabilidades de que sea así, de cualquier forma esta manera de actuar es típica en él y podría darle mil ejemplos similares. Este caso que le cito ilustra perfectamente lo que quería demostrar, es decir, que mi padre tiene una escala de valores diferente y que da las preferencias siguiendo un sistema riguroso e impenetrable que a pesar de su absurdidad, en principio, resulta el mejor a la larga, como he podido comprobar miles de veces.

BRUNO.—Tengo mucha sed.

*(Silencio.* MICAELA *se levanta y se dirige al retrete.)*

ESTEBAN.—¿A dónde va usted?

Micaela.—Ahí. *(Señala el retrete.)*

Esteban.—No creo que sea necesario. ¿Es que está usted preocupada por alguna cosa? Dígame qué es lo que le extraña. Yo se lo explicaré todo.

Micaela.—Nada tiene por qué extrañarme. ¿Qué quería usted que me extrañara?

Esteban.—Nada. Nada.

*(Esteban, torpemente, intenta oponerse a que* Micaela *vaya al retrete, incluso la agarra por el brazo.* Micaela *logra soltarse. Entra en el retrete.*

Esteban, *acongojado, mira a través de la ventana del retrete*[25].

Micaela *tira de la cadena. Mira con fruición correr el agua.* Bruno *se incorpora un poco a costa de grandes esfuerzos y aunque tiene el aspecto de sufrir terriblemente y de desear beber no dice nada.* Micaela *sale del retrete*[26]. *Tiene mucho cuidado en no pisar a* Bruno *que ocupa la entrada. Vuelve junto a* Esteban*)*[27].

Micaela.—*(Continuando su conversación.)* Como le decía, el orden de mi padre es terriblemente extraño para nosotros. ¿Quién puede sostener que mientras que la situación en la casa era cada vez más trágica, por culpa de las mantas, fuera conveniente que él se quedara recogiendo unas yerbas para combatir los sabañones, teniendo presente en primer lugar que en nuestra casa nadie ha sufrido de sabañones y que, por otra parte, la eficacia de esas yerbas ha sido negada de la forma más categórica por los mejores médicos que llegan incluso a afirmar que el valor de esas yerbas está basado en la superstición y en las brujerías?

Esteban.—Sí, verdaderamente. *(Intranquilo.)* Pero ¿cómo podré salir de aquí?

Micaela.—Si no tiene muchísima suerte, o bien la ayuda directa de mi padre, no cuente salir jamás.

---

[25] ... «del retrete», ha sido añadido por el autor en el ms. B.
[26] Como en la nota que antecede, «del retrete» no existía en el ms. A.
[27] El ms. B añade esta última frase.

ESTEBAN.—Podré salir de aquí con usted.

MICAELA.—*(Sonríe compasivamente.)* Imposible, desgraciadamente imposible.

ESTEBAN.—¿Es que usted tampoco podrá salir?

MICAELA.—Naturalmente que podré. ¿Cómo querría usted que me aventurase en el laberinto si no pudiera salir de él?

ESTEBAN.—Entonces, cuando salga usted de aquí permítame que la acompañe.

MICAELA.—Es un favor que por mucho que yo lo deseara no podría hacerle. Se lo explicaré con claridad. Mi padre, que como ya le he dicho organiza todo perfectamente, ha logrado poner en marcha un método muy bien ideado para que pueda volver a la casa aun estando en el punto más alejado del laberinto. Este método, como por otra parte todos los de mi padre, es simple pero eficaz. Por medio de esta campana. *(Saca una campana, pequeña.)* Cada vez que quiero volver llamo hasta que viene uno de los criados que conocen el laberinto. Criado que por ser mudo es incapaz de decir su secreto a nadie.

ESTEBAN.—¿Cuántos criados hay? [28]

MICAELA.—Ésta es una de las cosas que nunca he podido saber. Hasta hoy siempre ha sido un criado diferente el que me ha llevado a casa, lo cual quiere decir que pueda ser que pasen de mil o quizá sean más o quizá menos —estas cosas debo humildemente confesar que las calculo a ojo y muy probablemente con error—; de todas formas todos eran mudos, por lo tanto ninguno me ha podido decir el secreto de volver a la casa, secreto que sin duda les ha enseñado mi padre.

ESTEBAN.—Pero nada de esto impide que yo pueda acompañarla.

MICAELA.—Permítame que termine mi explicación. Usted, como de costumbre, tiene razón en las cosas que me

---

[28] El ms. A, corregido por el ms. B, decía: «Pero, ¿cuántos criados hay?»

pide. Por eso es necesario que le explique con toda minuciosidad, quiero decir, con la minuciosidad de que soy capaz, todos los detalles de cada problema para llegar a una solución justa y comprensible. Como le digo, cuando hago sonar la campana viene un criado que en un tiempo inverosímil, a veces diez minutos, a veces unos instantes, cuando yo he andado en el laberinto durante horas y horas, me conduce a casa. Que venga usted conmigo o no eso a mí me da igual, pero surgen obstáculos insuperables. En principio, hay que tener en cuenta la extremada susceptibilidad del criado que sólo tolera servir a los de la casa pero no a extraños, lo cual es lógico [29]. ¿Cómo puedo exigir al criado que le sirva a usted desconocido para él? De todas formas podría intentarlo, sólo por hacerle a usted este favor, aunque de antemano sepa las pocas posibilidades que hay de que el criado acepte semejante trabajo. Pero aún hay algo mucho peor y es que dado lo enrevesado del laberinto y lo próximas que están las mantas entre sí —habrá podido observar que se tocan y que hay que avanzar retirándolas una a una— no hay absolutamente ninguna posibilidad de que el criado pueda conducir a dos personas. Siempre que lo ha intentado, la persona que me acompañaba ha desaparecido a poco de comenzar a andar entre las mantas; luego los criados, días más tarde, han encontrado el cadáver. Como usted comprenderá es un riesgo completamente gratuito ya que si me acompaña no tiene ninguna posibilidad de salir del laberinto y sí muchas de morir de sed y de fatiga en medio de él [30]. Si usted intenta salir solo del laberinto las dificultades son las mismas pero los riesgos menores, ya que gracias a un instinto de orientación que normalmente se tiene se puede y se logra volver al sitio de partida, es decir, a esta especie de isla, sin correr el riesgo de morir dentro del laberinto, pero si usted sigue al criado avanzará en pocos instantes tanto —ya le he

[29] El ms. D (pág. 56) ha suprimido la frase siguiente, que sí estaba en los ms. A, B y C: «Esto de por sí ya crea una dificultad muy grande.» Arrabal quiere evitar que la responsabilidad pueda recaer sobre los criados, y por ello suprime la frase.

[30] En el ms. A encontrábamos «en medio del laberinto» y el ms. B lo ha corregido para evitar la repetición.

dicho que en unos instantes puede hacer distancias inverosímiles, gracias, sin duda, al sistema de mi padre— que una vez perdido no podrá de ninguna forma volver a este refugio, por otra parte único en el laberinto y que como usted quizá sabrá está situado exactamente en el centro del parque.

BRUNO.—Tengo sed.

*(Silencio.)*

MICAELA.—Como usted puede darse cuenta esta historia de las mantas no ha hecho nada más que causarnos molestias desde que comenzó y desgraciadamente hay muy pocas posibilidades de que la situación mejore.

BRUNO.—Tengo mucha sed.

*(*MICAELA *entra en el retrete, procura no tocar a* BRUNO. *Tira de la cadena. Ve correr el agua con fruición.* ESTEBAN *la mira a través de la ventana.* BRUNO *haciendo un supremo esfuerzo se incorpora ligeramente. No dice nada.* MICAELA *sale.)*

MICAELA.—Se puede decir que no hemos tenido suerte, las cosas se han ido complicando de una manera sencilla pero implacable. *(Mira con descaro la esposa que* ESTEBAN *tiene en el tobillo.* ESTEBAN *disimula torpemente poniendo la otra pierna por encima.)* Entonces, por fin, logró soltar la cadena.

ESTEBAN.—¿Qué cadena?

MICAELA.—¿Qué cadena va a ser? La que le unía a él. *(Señala el retrete.)*

ESTEBAN.—*(Pausa. Angustiado.)* Sí.

MICAELA.—Siempre pasa lo mismo. Estoy cansada de decirle que este método no sirve para nada, que las esposas se pueden limar fácilmente pero no quiere hacerme caso. En definitiva, a mí me da exactamente lo mismo, que las esposas se puedan limar o no, que el método valga o no a mí tanto me da. *(Pausa.)* Y claro, usted querrá salir de aquí cuanto antes.

ESTEBAN.—Sí.

MICAELA.—Es lógico. *(Pausa.)* Pero lo veo muy difícil. Ya le he explicado [31].

ESTEBAN.—No es imposible entonces.

MICAELA.—Imposible, lo que se dice imposible no hay nada en la vida.

BRUNO.—Tengo mucha sed.

(MICAELA, *ligeramente disgustada, como si estuviera harta, se levanta. Va al retrete. Tiene cuidado al entrar para no rozar a* BRUNO. *Tira de la cadena. Ve correr el agua con fruición.* ESTEBAN *la contempla a través de la ventana.* BRUNO *intenta incorporarse; no dice nada.* MICAELA *sale.)*

MICAELA.—Como le digo, es bien evidente que no hay nada imposible en la vida. Pero esto que usted quiere es una de las cosas más difíciles de conseguir. Para probarle mi buena fe y mis deseos de ayudarle voy a hacer por usted todo lo que está en mi mano: llamar a mi padre para que él mismo le dé la mejor solución.

(MICAELA *saca una campana y la hace sonar dos veces de una manera muy tenue.)*

ESTEBA.—¿Pero habrán oído la campana en la casa?

MICAELA.—Desde luego que no. Por muy potente que fuera la campana no podría oírse desde la casa. ¡Es tan enorme la distancia que nos separa de ella! Pero para remediar este inconveniente mi padre ha ideado un sistema bastante ingenioso: ha colocado a lo largo del parque una serie de criados —que por cierto nunca he podido ver— que van transmitiéndose uno a uno, hasta llegar a la casa, la llamada o bien la noticia que mi padre desea conocer. Esto se hace a una rapidez portentosa por lo cual mi padre conoce lo que ocurre en el lugar más remoto del laberinto, sin el más mínimo retraso. Ahora sólo me resta saber si mi padre desea venir inmediata-

---

[31] La última frase ha sido añadida por el ms. B.

mente o bien tenemos que esperar mucho tiempo [32]. Para mejor darse cuenta súbase usted en mis hombros, así, por encima de las mantas, podrá usted ver si se acerca o no. Desgraciadamente, las mantas se elevan de más en más, por ello sólo podrá usted ver en un radio de unos cien metros. Suba.

ESTEBAN.—¿Pero me tengo que subir en sus hombros?

MICAELA.—Sí, así podrá ver si se acerca mi padre.

ESTEBAN.—Peso mucho [33].

MICAELA.—No se preocupe en absoluto. Estoy acostumbrada. Durante la última inundación mi padre me ordenó que salvara a todos los criados llevándolos sobre los hombros. Al principio este trabajo me resultaba extremadamente fatigoso —hay que tener en cuenta que debía de llevar a cada criado a hombros durante tres kilómetros para dejarle en el refugio y luego volver a gran velocidad a la casa para volver por un nuevo criado—, pero terminé por acostumbrarme y al cabo de un mes puede decirse que apenas sentía el peso.

(MICAELA *agarra brutalmente del brazo a* ESTEBAN *y le coloca al lado del retrete.*)

MICAELA.—Suba en mis hombros.

(ESTEBAN *sube en los hombros de* MICAELA, *apoyándose en el retrete.*)

MICAELA.—¿Ve usted algo?

ESTEBAN.—No.

MICAELA.—Mire bien [34].

---

[32] Una aclaración de Micaela: «Normalmente mi padre no dice nada, sólo hay que esperar», que existía en todos los manuscritos castellanos anteriores al nuestro, desaparece en los franceses (páginas 64 —ms. D— y 65 —ms. E).

[33] En el ms. A (ha corregido el ms. B), se decía: «Pero yo peso mucho.»

[34] En los tres manuscritos castellanos, el diálogo entre Micaela y Esteban ofrecía dos intervenciones más:
ESTEBAN.—No.

ESTEBAN.—*(Inquieto.)* Pero... ¿quién es?

MICAELA.—Mi padre sin duda, no puede ser otro.

ESTEBAN.—*(Angustiado.)* ¡Pero si es el hombre que me ha metido en el retrete y que me ha puesto las esposas!

(ESTEBAN *intenta escaparse.* MICAELA *le atenaza brutalmente las piernas con sus brazos, inmovilizándole.)*

ESTEBAN.—¡Déjeme que me escape! ¡Déjeme! *(Acongojado.)*

MICAELA.—*(Tranquilamente, pero sin dejar de apretar las piernas de* ESTEBAN.) Dése usted bien cuenta de la organización tan precisa que tiene mi padre. Unos minutos después de llamarle ya está aquí. Se puede decir, sin error, que controla absolutamente todo lo que pasa en el parque.

*(Entra el padre.* ESTEBAN *baja de los hombros de* MICAELA. *El padre —*JUSTINO*— besa ceremoniosamente en la frente a su hija —*MICAELA*—.* ESTEBAN, *lleno de terror, no sabe qué hacer ni qué decir. Duda. En un momento de aparente inatención de* JUSTINO *y* MICAELA, *intenta escaparse.* MICAELA *le agarra del brazo brutalmente.* JUSTINO, *que hasta este momento parecía que no había notado la presencia de* ESTEBAN, *se dirige a él con tranquilidad y cortesía.)*

JUSTINO.—¿Qué quiere el joven? [35]

MACAELA.—Sin duda estaba encerrado en el retrete, mira las esposas que aún le cuelgan de los tobillos. (Es-

---

MICAELA.—Mire bien.
ESTEBAN.—Si... alguien se acerca.
MICAELA.—Mire bien.
ESTEBAN.—*(Inquieto.)* Pero... ¿quién es?
Los manuscritos de las dos ediciones francesas han suprimido esas dos intervenciones.

[35] Los manuscritos franceses han sustituido esta frase por: «Que voulez-vous, jeune homme?» Conservamos aquí el original castellano, más ambiguo, en el que JUSTINO puede no dirigirse a ESTEBAN, porque nos parece guardar mejor la coherencia de la obra.

TEBAN, *torpemente, trata de ocultarlas.)* Limándolas ha logrado romperlas. Ahora pretende escaparse del parque a toda costa, para ello ha pretendido corromperme de todas las formas que ha encontrado. Primero me ha prometido una fuerte cantidad de dinero si yo le sacaba del parque. (ESTEBAN *intenta protestar,* JUSTINO *no le hace ningún caso,* MICAELA *tampoco.)* Luego me ha hecho propuestas de matrimonio[36], ha intentado seducirme de la forma más torpe y por último me ha propuesto un plan para rebelarme contra tu autoridad y quedarnos ambos dueños de la casa y del parque.

ESTEBAN.—*(Excitado.)* Señor, le ruego que no crea...

*(Nadie le atiende.)*

JUSTINO.—¿Y cuál era el plan del joven?

MICAELA.—Te lo puedes imaginar: una verdadera tontería desprovista del más mínimo sentido común. Quería que incendiáramos todo el parque, ya que, según decía, como las mantas arden con facilidad el incendio adquiriría en muy poco tiempo unas proporciones gigantescas y con ello se lograría que todo el parque y la casa quedaran arrasados, con la consiguiente muerte de todos los criados y personas de la casa, tú comprendido, naturalmente. Nosotros venderíamos la mayor parte del parque y con el dinero que nos dieran construiríamos una casa nueva en la que sólo viviríamos él y yo y algunos criados.

JUSTINO.—Sí, realmente torpe.

ESTEBAN.—Pero señor...

---

[36] En el ms. A (desaparece inmediatamente, pues el autor ha corregido con la misma máquina de escribir), se decía aquí: «y, por fin». El tercer argumento debió parecer a Arrabal bastante importante como para cambiar inmediatamente su texto.

Debemos señalar aquí —puesto que este caso se repite en varias ocasiones más adelante— que, en general, Arrabal escribe sus obras directamente a máquina, lo que le permite no sólo cambiar ese original en el momento de la creación, sino, más adelante, tener una base sobre la que trabajar el manuscrito. Esta *corrección general* suele ser bien posterior, puede cambiar radicalmente la obra y/o significa siempre una revisión de todos y cada uno de los elementos en función de la estructura de la obra.

MICAELA.—Naturalmente yo no he hecho caso a nada de lo que me ha propuesto y he procurado en todo momento disuadirle.

JUSTINO.—Has hecho bien. Esta clase de individuos resulta extremadamente peligrosa, sobre todo por culpa de ese aspecto exterior de apacibilidad y bondad con que esconden sus pérfidas intenciones. No te preocupes, hija, será castigado de acuerdo con su culpa. Me encargaré personalmente del caso. *(Pausa.)* Ahora, si quieres, hija, puedes ir a ver a tu prometido.

(JUSTINO *besa ceremoniosamente en la frente a* MICAELA. *Ésta entra en el retrete donde está* BRUNO; *se sienta junto a él y le acaricia con apasionamiento.* BRUNO *no la hace ningún caso.* JUSTINO *y* ESTEBAN *quedan en medio de la escena)* [37].

JUSTINO.—Le ruego, joven, que disculpe a mi pobre hija [38]. No lo tome a mal. Ella es así. *(Suspiro.)* Nada se puede hacer para no agravar su desequilibrio mental. De todas formas, en principio, lo que ella diga no tiene demasiada importancia, su testimonio tiene muy pocas posibilidades de ser aceptado por un tribunal.

ESTEBAN.—Si es así, señor, la disculpo completamente aunque le aseguro que mientras estaba inventando todas esas historias contra mí no pude reprimir que la odiara con todas mis fuerzas.

JUSTINO.—Le agradezco profundamente que sea comprensivo con ella.

---

[37] El ms. A, decía: «Micaela se sienta junto a Bruno y le *(sic)* acaricia con apasionamiento. Bruno no la *(sic)* hace ningún caso.»
El ms. B, añadió: «Micaela entra en el retrete donde está Bruno. Micaela se sienta junto a Bruno y le acaricia con apasionamiento. Bruno no la hace ningún caso. Just. y Est. *(sic)* quedan en medio de la escena.»
Por fin, el ms. C propone lo que aparece en el texto.

[38] El ms. D (pág. 68) ha acortado la intervención de Justino, que, en todos los manuscritos castellanos, decía: «Le ruego, joven, que disculpe a mi pobre hija por todas las cosas que ha dicho contra usted.» El texto retocado ya desde la primera edición francesa que proponemos, nos parece más coherente porque evita que Justino reconozca explícitamente la no-culpabilidad de Esteban.

ESTEBAN.—Entonces, también lo que me ha contado sobre el laberinto es falso.

JUSTINO.—Es falso y no lo es. Ha cometido errores garrafales que podrían incitarle a usted a la confusión, pero no por malicia, ni por deseo de mentir, sino por olvido. Su memoria es muy débil y olvida los detalles más importantes o bien cambia y sustituye hechos de un valor puntual y definido. Así, por ejemplo, le ha dicho que yo me pasé un mes en una ciudad lejana recogiendo yerbas para curar los sabañones, mientras avanzaban las mantas peligrosamente. Esto es completamente falso, la verdad es que lo que yo recogí durante el mes que pasé en esa ciudad fueron yerbas para curar los callos y no los sabañones, como ella afirmó en dos ocasiones distintas. Por todo esto hay que disculparla, hay que tomar sus cosas con buena intención y sin jamás enfadarse, eso es lo que hago yo y es lo que le ruego a usted que haga.

ESTEBAN.—*(Humildísimo.)* Sí, prometo no enfadarme con ella.

JUSTINO.—Y ahora aclarado este primer e importante punto pasemos al siguiente. Dice usted que quiere salir del parque, ¿no es eso?

ESTEBAN.—Sí, señor.

JUSTINO.—Mi hija ya le ha explicado las especialísimas circunstancias en que nos encontramos por el asunto de las mantas. No sabe usted lo que siento que sea víctima aunque nada más sea temporalmente de esta situación. Créame que yo lo siento mucho más que usted. ¿Se da cuenta de mi delicada situación ante los huéspedes, prisioneros, criados y amigos que vienen a mi casa? Sin duda es una de las fuentes de preocupación más grande que tengo por el momento.

ESTEBAN.—Lo comprendo.

JUSTINO.—Porque no sé si usted lo sabrá, pero por mi casa desfilan diariamente miles y miles de huéspedes, de prisioneros. *(Pausa. Gesto de terror de* ESTEBAN. JUSTINO *continúa tranquilamente.)* De amigos, de clientes...

*(Silencio.)*

Micaela.—*(A* Bruno.) Amor mío, bésame.

*(En el retrete*[39] Micaela *se revuelca obscenamente junto a* Bruno. *Éste, impasible, continúa tumbado. Le acaricia.)*

Micaela.—*(A* Bruno.*)* Acaríciame, acaríciame los pechos, Bruno. Mi cuerpo es tuyo.

*(En el parque*[40], Justino, *a través de la ventana, y con evidente satisfacción, contempla a su hija.* Esteban, *junto a* Justino *contempla la escena. En el retrete*[41], Micaela *continúa revolcándose obscenamente encima de* Bruno. Bruno *sigue impasible:* Micaela *pretende excitar a* Bruno *con imprecaciones obscenas. Le besa en la boca y en el vientre.)*

Justino.—*(Muy satisfecho, a* Esteban.*)* No puede usted imaginarse cómo me alegra este comportamiento enamorado y romántico de mi hija. *(Sigue contemplando la escena. Gemidos de* Micaela. *Besos. Caricias.)* Es una niña[42], no tiene ninguna malicia, es una verdadera niña. Esto me satisface plenamente. Es una suerte tener una hija así. Especialmente en estos tiempos tan revueltos que corremos. *(Entusiasmadísimo.)* ¡Una niña! ¡Una verdadera niña! ¡Todo inocencia!

(Micaela, *obscena.* Bruno, *impasible. Etc.)*

Justino.—Una historia de amor llena de ternura. Mucho más si tenemos en cuenta las circunstancias especialísimas que la han rodeado y que aún la rodean. *(Transición.)* Pero pasemos a su caso. Salir del parque es todo un problema, como usted bien sabe, pero que felizmente tiene una solución complicadísima, es cierto, pero al fin y al cabo hay una solución. Su caso, en principio, tiene

[39] «En el retrete», ha sido añadido por el ms. B.
[40] «En el parque» aparece también en el ms. B.
[41] «En el retrete» es, otra vez, corrección del ms. B al ms. A.
[42] Los manuscritos castellanos repiten: «una verdadera niña». Las dos ediciones francesas (págs. 70 y 71), han suprimido la repetición.

que ser resuelto por un juez en representación del alto Tribunal, dado que usted lleva en los tobillos esas esposas, que desde ahora mismo debo decirle que no arreglan, ni mucho menos, su situación.

ESTEBAN.—Pero yo no llevo las esposas por nada malo ni porque sea culpable de ningún crimen, sino solamente... *(Duda.)* Por adorno.

JUSTINO.—No se preocupe. En realidad el que pase usted por el Alto Tribunal —quiero decir por el juez en representación de él— no tiene más valor que el de llenar una formalidad puramente burocrática. Si, como usted dice, no es culpable, el juez tras un simple examen ocular y tras llenar con sus datos las fichas pertinentes le dejará inmediatamente en libertad y le remitirá a los criados que intentarán sacarle del laberinto si es posible.

ESTEBAN.—Es que quisiera salir cuanto antes, ya que tengo mucha prisa. ¿No se podría dejar ese trámite del juez sin hacer?

*(Movimientos obscenos de* MICAELA *en el retrete.)*

MICAELA.—Bésame. Soy tuya.

(MICAELA, *obscena.* BRUNO, *impasible y agonizante. Gesto de satisfacción de* JUSTINO.)

JUSTINO.—Imposible, completamente imposible. El juez tiene que dar el visto bueno y no sólo por el asunto —el desgraciado asunto— de sus esposas, que en principio le harían sospechoso, sino porque está ordenado así.

ESTEBAN.—Pues no veo la utilidad.

JUSTINO.—La orden de que el juez dé el visto bueno, tras el debido examen surgió al comprobar el gran número de transgresiones a la ley que se cometían [43]. Así, tras

[43] Ocurre aquí, en el ms. A —como ya hemos señalado en el caso de la nota 36—, que el autor se corrige a sí mismo. La frase original, que aparece corregida en el texto, era: ... «tras el debido examen, ha nacido por el gran número de transgresiones»... Evidentemente, el dramaturgo quiere evitar, con su corrección, cualquier veleidad de objetividad que pudiera verse en la frase.

laboriosas investigaciones se supo que sólo en un año habían abandonado el parque once mil personas perseguidas por la justicia, muchas de ellas por delitos gravísimos, merced a la falta de control de las personas que entraban y salían del parque. Recuerdo perfectamente que en aquella época bastaba solicitar la salida del parque para obtenerla[44] inmediatamente. Felizmente esto ha terminado, ahora todo el que sale o entra del parque es sometido a una minuciosa revisión por parte del juez.

ESTEBAN.—Y yo también tengo que sufrir esa revisión.

JUSTINO.—Naturalmente. No se puede conceder una derogación. Ya le digo que se cometieron demasiados abusos, por ello hoy los jueces son de un gran rigor. Quizá excesivo, pero de cualquier manera necesario. Lo que puedo hacer por usted es procurar que pase ante el juez lo más pronto posible.

ESTEBAN.—¿Cómo lo más pronto posible?

JUSTINO.—Quiero decir que intentaré que su caso sea resuelto lo más pronto posible. En principio, se debe esperar normalmente un mes como mínimo.

ESTEBAN.—No puedo esperar tanto.

JUSTINO.—Casi siempre se nos dice lo mismo: No puedo esperar tanto. Pero ¿qué quiere usted que hagamos si los casos se amontonan y se amontonan ante el tribunal? ¿Es que piensa usted que se pueden resolver todos a un tiempo?

ESTEBAN.—Yo no soy culpable de que los casos se amontonen.

JUSTINO.—No, en principio usted no es culpable. Aunque estudiando el problema con detenimiento se llegaría inmediatamente a la conclusión de que usted, como el resto de los individuos que ha pasado por el parque, es culpable indirecto, si prefiere, de este estado de cosas. Usted no es ni más ni menos que un eslabón más de esa

[44] El ms. A, que el ms. B cambió, decía: ... «para salir de él»...

cadena que ha producido y produce y producirá el amontonamiento de casos ante el Tribunal [45]. Ya le decía que trataré de que su caso sea revisado cuanto antes. Para ello utilizaré una astucia. *(Pausa. Gesto irónico de* JUSTINO.) Una astucia que naturalmente está dentro del marco de la legalidad. Bien comprenderá que no me arriesgaré a cometer una transgresión por mucho que quisiera ayudarle. Le explicaré: los jueces tienen órdenes muy severas de resolver los casos según un riguroso orden cronológico. Sin embargo, se ha concedido una excepción que si mal no recuerdo dice así: los individuos hallados en el parque sólo podrán pasar inmediatamente delante del tribunal si se tienen sospechas de que estén reclamados por otro tribunal. Precisamente éste es su caso: las esposas que lleva en los tobillos le hacen extremamente sospechoso. Gracias a este detalle podrá usted pasar ante el tribunal, legalmente, antes de que le llegue su turno.

ESTEBAN.—Muy bien. Eso es lo que quiero.

JUSTINO.—Le advierto que esta medida es un arma de dos filos, ya que los jueces que componen este tribunal de urgencia en el que se juzgan los casos como el suyo son extremadamente duros. Esto es disculpable: están acostumbrados a tratar con criminales de la peor especie que afirman con el mayor cinismo que son inocentes. Por ello tienden en principio a desconfiar, incluso diría que a no dar ningún valor al testimonio del juzgado. En definitiva, el error que pueden cometer no es demasiado trascendental ya que el juzgado pasará por el tribunal siguiente que le juzgará con más pruebas.

ESTEBAN.—Yo no tengo ningún temor.

---

[45] Esteban intervenía en el discurso de Justino, en todas las versiones castellanas, diciendo:
ESTEBAN.—*(Abatido.)* Entonces tendré que esperar días y días a que mi caso sea tratado por el tribunal.
JUSTINO.—Ya le decía que...
La primera edición (pág. 72) y la segunda (pág. 74) francesas, dan el texto final que aquí reproducimos. La razón del cambio nos parece resultar de que Arrabal siente que es, todavía, demasiado pronto para que Esteban empiece a reconocer su dependencia del sistema ordenado por Justino.

JUSTINO.—Sí, no se debe exagerar. Además, este primer tribunal, como le digo, no cumple casi nada más que una tarea puramente informativa y sólo en muy contadas ocasiones condena él mismo al delincuente.

ESTEBAN.—¿Ese tribunal puede condenar?

JUSTINO.—Ya le digo que en principio su labor es puramente informativa, pero en ocasiones, cuando la culpabilidad del delincuente no ofrecía dudas o bien cuando el delincuente es a todas luces peligroso, toma —el tribunal— la decisión por sí mismo, y sin recurrir al tribunal siguiente, de castigarle. Este castigo puede, en ocasiones, ser la pena de muerte.

*(Silencio.* MICAELA, *en el retrete, continúa abrazando obscenamente a* BRUNO.)

ESTEBAN.—No importa. Lo que quiero es salir cuanto antes.

JUSTINO.—Tiene dos posibilidades: o bien esperar su turno en el tribunal central —quizá tenga que esperar varios meses— o bien ser juzgado rápidamente por el tribunal de urgencia que le tratará como le digo con un gran rigor, mucho más teniendo presente el asunto de sus esposas. Dígame lo que prefiere.

ESTEBAN.—Ser juzgado cuanto antes.

MICAELA.—*(Que continúa besando lujuriosamente a* BRUNO *en el retrete.)* Bésame, bésame los muslos.

*(Gesto de satisfacción de* JUSTINO.)

JUSTINO.—*(Señalando el retrete.)* Esto sí que es grato. *(Pausa.)* Discúlpeme. Me distraigo fácilmente. Estábamos en que... eso es, dice usted que desea ser juzgado por el tribunal de urgencia.

ESTEBAN.—Sí, señor.

JUSTINO.—¿Quiere usted que vaya ahora mismo a buscar al juez que le corresponda?

ESTEBAN.—Sí, si es posible.

JUSTINO.—Iré entonces inmediatamente. No le doy muchas seguridades de que vuelva en seguida ya que puede ocurrir que el juez no esté ahora en su despacho y tenga que esperar. De todas formas haré lo posible por volver lo más pronto con él. *(Pausa.)* Ya ve usted lo que son las cosas: me ha entrado, a mí también, curiosidad por su caso y deseo conocer el veredicto. Entonces.

*(Gesto de alegría de* JUSTINO. *Va hacia la ventana del retrete a través de la cual contempla a* MICAELA *que sigue abrazando a* BRUNO.)

JUSTINO.—Entonces, joven, hasta luego.

ESTEBAN.—Hasta luego, señor.

*(*JUSTINO *se pierde entre las mantas*[46]. MICAELA *deja de abrazar a* BRUNO: *se arregla la ropa. Rápidamente sale del retrete y va hacia las mantas.*
*Escucha con atención.*
*Silencio.)*

MICAELA.—Se ha ido ya.

(MICAELA *parece excitada)*[47].

ESTEBAN.—Pero me ha dicho que va a volver en seguida[48].

MICAELA.—Nunca se sabe.

ESTEBAN.—¿Cómo que nunca se sabe?

MICAELA.—Sí, que nunca se sabe con certeza si volverá inmediatamente o bien tardará mucho.

---

[46] En el ms. A se leía: «Rápidamente va hacia las mantas.» Ha sido corregido por el ms. B.

[47] Seguimos aquí la última edición francesa de la obra. Los ms. A y B, decían:
*Silencio.*
MICAELA.—Se ha ido ya.
ESTEBAN.—Sí, se ha ido.
(MICAELA *parece excitada.*)
La variante del ms. C (coloca entre signos de interrogación la intervención de Micaela) es una mala lectura del original.

[48] Como en casos anteriores (notas 36 y 43), Arrabal se rectifica a sí mismo durante la redacción del ms. A. La frase anotada aquí de Esteban era totalmente diferente antes del cambio, en el mismo ms. A: «Cómo es que se ha atrevido usted a contar»...

ESTEBAN.—*(Sin creerla.)* Sí, claro.

MICAELA.—¿Es que no me cree?

ESTEBAN.—Claro que la creo.

MICAELA.—No vaya a pensar que se lo digo a humo de pajas. He conocido muchos casos como el suyo y sé de sobra cómo se porta.

ESTEBAN.—Naturalmente.

MICAELA.—Veo que no me cree.

ESTEBAN.—Sí que la creo.

MICAELA.—No, no disimule. Bien sé lo que le pasa. Mi padre le ha dicho que estoy loca y que es necesario seguirme la corriente. ¿No es eso? *(Silencio.)* Además, estará molesto por las historias que he inventado contra usted. ¿No es eso? *(Silencio.)* Dígame la verdad.

ESTEBAN.—Naturalmente. ¿O cree usted que eso me puede agradar?

MICAELA.—No le dé tanta importancia [49].

ESTEBAN.—No, no le doy ninguna.

MICAELA.—Hace usted bien. Yo no tengo la culpa. Es mi padre quien me obliga a decir esas cosas.

ESTEBAN.—*(Desconfiado.)* Claro.

MICAELA.—No lo diga usted así. Lo que le digo es muy cierto. Es mi padre quien me obliga. *(Llora. Silencio.)*

ESTEBAN.—*(Conmovido.)* No llore usted. *(Pausa.)* ¿Qué quiere que haga por usted? Ya le digo que la creo.

MICAELA.—*(Entre suspiros.)* Sólo lo dice por consolarme.

*(Silencio.* ESTEBAN *duda.)*

MICAELA.—Es mi padre quien me obliga a contar

---

[49] «a eso», añadía el ms. A, que el ms. B ha corregido.

esas historias inverosímiles para después dar pruebas de bondad ante mí, con lo cual logra todo lo que quiere: primero que se desconfíe de todo lo que digo y segundo pasar él por una persona llena de amor por su hija.

(MICAELA *llora. Silencio.* MICAELA *descubre su espalda. Está llena de sangre y con huellas evidentes de latigazos.)*

MICAELA.—Mire. (ESTEBAN, *horrorizado, contempla la espalda de* MICAELA.)

MICAELA.—Toque, toque. (MICAELA *obliga a* ESTEBAN *a que le toque la espalda. La mano de* ESTEBAN *queda manchada de sangre.)*

MICAELA.—¿Ve usted la sangre?

ESTEBAN.—*(Impresionado.)* Sí.

MICAELA.—Todo esto me lo ha hecho mi padre.

ESTEBAN.—No es posible.

MICAELA.—Todos los días me da latigazos. *(Entre sollozos.)* Y me promete pegarme mucho más si no hago todas las cosas que me pide. Por ello en su presencia debo decir todo lo que me ha ordenado por adelantado. Esta mañana me ha mandado representar ese papel de loca ante usted. No he podido hacer otra cosa que obedecerle. Si no lo hubiera hecho, esta noche me pegaría mucho más fuerte que de costumbre.

ESTEBAN.—*(Conmovido.)* Eso no se puede tolerar.

MICAELA.—¿Y qué quiere usted que haga yo?

ESTEBAN.—Escaparse.

MICAELA.—No es posible.

ESTEBAN.—¿Cómo que no es posible?

MICAELA.—Mi padre no me dejaría. Además, no sabría a donde ir. *(Pausa.)* Me moriría de hambre. Mi padre, por lo menos, me da de comer. *(Llora.* ESTEBAN *conmovido.)* Por otra parte, él no es mi padre. Me obliga a llamarlo «padre» y él me llama a mí «hija» en presencia de otras personas, pero en realidad no es mi padre. Todo lo hace por adquirir una buena reputación.

ESTEBAN.—*(Resueltamente.)* Yo la sacaré de aquí.

MICAELA.—*(Triste.)* Será muy difícil. Bastante tendrá con salir usted solo.

ESTEBAN.—¿Por qué?

MICAELA.—He oído que mi padre le ha dicho que será juzgado por el juez de urgencia. Este juez es cruel y, por ello, casi siempre condena a los que se presentan ante él. Durante el juicio trata a los acusados de una forma despectiva y sin piedad: no les deja casi hablar ni defenderse, orina sobre ellos, les pincha con alfileres, les eructa sobre la boca, les ata de pies y manos, e incluso en ocasiones llega a amordazarles. Bien es cierto que en ocasiones se porta con ellos con una extremada cortesía pero esto sucede pocas veces. Y lo que es peor, casi ninguno se salva.

ESTEBAN.—Yo sí que me salvaré, soy inocente, no tengo ninguna falta. *(Pausa.)* Cuando esté libre la sacaré de aquí.

MICAELA.—*(Conmovida.)* Se lo agradezco mucho. Es usted muy bueno para conmigo.

ESTEBAN.—No puedo permitir que su padre la trate así.

(BRUNO, *en el retrete se levanta. Se dirige hacia la cadena.)*

MICAELA.—No se preocupe por mí. Usted intente salvarse sin molestarse por mí. Ya se dará cuenta de las dificultades que esto encierra; bastante tiene con intentar salir usted solo.

(BRUNO, *en el retrete, ha llegado junto a la cadena.* BRUNO, *con la cadena del retrete se ahorca. El peso de su cuerpo hace correr el agua del depósito.* ESTEBAN *y* MICAELA *se callan, quedan impresionados. Silencio.)*

Micaela.—¿Ha oído?

Esteban.—Sí.

*(Se dirigen al retrete. Horrorizados contemplan el cadáver de* Bruno.*)*

Micaela.—Se ha ahorcado. *(Silencio.)*

Esteban.—Era de esperar. *(Silencio. De pronto,* Micaela *va hacia el cadáver.)*

Micaela.—Ayúdeme. *(Entre* Micaela y Esteban *bajan el cadáver de* Bruno *y lo llevan al centro de la escena. Silencio. Contemplan el cadáver. Silencio.* Micaela, *llena de recato y respeto coge una mano de* Bruno. *La besa. Es posible que* Micaela *llore. Silencio.* Micaela *cubre la cara de* Bruno *con un pañuelo.)*

Micaela.—Tenemos que esconder el cadáver.

Esteban.—Esconderlo, ¿por qué?

Micaela.—Si el juez ve aquí el cadáver va a acusarle de asesinato [50].

Esteban.—¿Qué quiere que haga?

Micaela.—Vamos a dejar el cadáver lo más alejado que podamos de aquí.

Esteban.—Bueno, la ayudaré.

Micaela.—Es el mejor método para hacer desaparecer el cadáver: el parque es tan grande que será casi impo-

---

[50] Los manuscritos castellanos añadían el inciso siguiente, que desaparece desde la primera edición francesa (pág. 80):

Micaela.—Si el juez ve aquí el cadáver va a acusarle de asesinato.

Esteban.—No podrá hacerlo, no tiene ninguna prueba.

Micaela.—Eso a él no le importa. Estoy completamente segura de que si ve el cadáver de Bruno, sin más, le acusará de asesinato.

Esteban.—Sí, entonces habrá que esconderle. Aunque estoy convencido, por mi parte, de que no podría probar que soy un asesino.

Micaela.—Ayúdeme.

sible que alguien de con él. Ayúdeme: cójale de las piernas.

ESTEBAN.—Déjeme que le coja de los hombros que será más pesado.

MICAELA.—No, haga lo que le digo.

*(Entre* MICAELA *y* ESTEBAN *cogen a* BRUNO. *Desaparecen entre las mantas, llevando a* BRUNO. *Silencio. Nadie en escena. Aparecen de nuevo* ESTEBAN *y* MICAELA.)

MICAELA.—Creo que nadie lo encontrará.

ESTEBAN.—Y si lo encuentran, ¿qué pasará?

MICAELA.—Su causa estará perdida. *(Silencio.)*

ESTEBAN.—¿Cuándo llegó al retrete Bruno?

MICAELA.—No sé. Siempre que he venido le he encontrado atado. Desde que era muy niña.

ESTEBAN.—¿Y no le daba a usted pena?

MICAELA.—Sí, al principio sí. Yo venía aquí por las mañanas y orinaba en su presencia porque le gustaba mucho. Me miraba lleno de alegría. Luego jugábamos, yo traía arena en cubos y él me enterraba los pies [51]. *(Pausa.)* Pero [52] era muy difícil jugar con él porque siempre estaba atado y muy enfermo.

ESTEBAN.—¿Siempre ha estado enfermo?

MICAELA.—Sí, siempre. Siempre ha echado sangre; además [53] como nunca le han cambiado el traje la sangre

---

[51] La alusión a su recuerdo infantil es bien explícita aquí. Nos referimos a una imagen muy querida a Arrabal que se encuentra en el texto «Fernando Arrabal Ruiz», publicado a continuación de esta obra en la revista *Mundo Nuevo* (pág. 26, número ya citado): «Pero yo sólo recuerdo de él sus manos junto a mis piececillos de niño enterrados en la arena de la playa de Melilla.» Se refiere en todo el texto citado a la memoria de su padre. (Véase el texto referido que reproducimos en esta edición en la presentación y análisis que aparece en la introducción.)

[52] En el ms. A (corregido por el ms. B), se leía: «De todas formas»...

[53] El ms. A se ha corregido a sí mismo (cfr. nota 48) cam-

se le ha secado en la camisa y en el traje. *(Pausa.)* Para contentarle le traía también chocolate y almendras y alfileres, sobre todo muchos alfileres.

Esteban.—¿Para qué quería los alfileres?

Micaela.—Para pincharme con ellos. Cuando era niña me pinchaba en las piernas y ahora, que ya soy una mujer, me pinchaba sólo en los senos y en el vientre.

Esteban.—¿Y usted lo consentía?

Micaela.—Claro, ¿por qué no?

Esteban.—Pero ¿le haría mucho daño?

Micaela.—Sí, mucho. Era casi imposible de resistir. *(Pausa.)* Además no me dejaba llorar ni gritar.

Esteban.—Entonces, ¿por qué venía a verle?

Micaela.—Me aburría mucho. Cuando estaba con él sufría mucho, pero por lo menos no me aburría.

Esteban.—Pero era un monstruo, entonces.

Micaela.—Lo peor no es eso. Lo peor era que se lo contaba después a mi padre. *(Pausa.)* Mi padre me había prohibido terminantemente venir a verle y mucho más traerle cosas. Pues bien, él se lo decía siempre y por eso mi padre me pegaba.

Esteban.—Su padre me ha dicho que usted era su novia.

Micaela.—Sí, es una forma de hablar. En realidad, yo no era su novia verdaderamente, pero a mi padre le gustaba decir a todo el mundo que yo era su novia, ya que por otra parte esto no era demasiado falso. Por eso me ordenaba que en presencia de extraños le besara y le

---

biando en la que transcribimos, la frase originalmente propuesta: ... «además, a mi padre también le gustaba verlo echar sangre...» Esta alusión al sadismo de Justino hubiera dado una razón «personal», «individual» al tormento de Esteban, lo que, desde nuestro punto de vista, habría disminuido el alcance significativo de toda la obra.

abrazara lo más ardientemente que pudiera. Nunca era suficiente para mi padre.

ESTEBAN.—¿Y usted iba a casarse con él?

MICAELA.—No, eso no. Casarme con él era imposible. Él no podía salir del retrete jamás.

ESTEBAN.—¿Por qué?

MICAELA.—Eso sólo lo sabe mi padre. Mi padre un día me contó que había venido una vez al parque, como usted, y que desde entonces estaba aquí.

ESTEBAN.—¿Fue condenado por el juez?

MICAELA.—No sé. Esas cosas no se saben así como así.

ESTEBAN.—Él me dijo que era inocente y que yo debería defender su causa.

MICAELA.—Sí, eso lo decía a todos.

ESTEBAN.—¿Cómo a todos?

MICAELA.—Sí, a todos los que han sido compañeros suyos por algunos días en el retrete [54].

ESTEBAN.—Él me dijo que había estado siempre solo.

MICAELA.—Sí, es cierto. Lo cual no quita que de vez en cuando haya tenido un compañero atado a él por unas esposas en los tobillos. Pero estos compañeros siempre lograban limarlas y escapar, con lo cual él quedaba reducido a la soledad.

ESTEBAN.—¿Y qué ha sido de ellos?

MICAELA.—Mi padre se habrá ocupado de sus casos sin duda. No creo que ninguno haya logrado salir.
*(Silencio. Gesto trágico de* ESTEBAN. MICAELA *saca*

---

[54] El ms. B ha suprimido la continuación de la intervención anotada aquí de Micaela, que estaba en el ms. A:
MICAELA.—Todos eran muy simpáticos. *(Pausa.)* Se compadecían de mí y me prometían sacarme de aquí.
*(Silencio.)*
Arrabal trata, evidentemente, de no aclarar demasiado su situación al condenado, cuando suprime esta parte de la réplica.

*de un bolsillo un peine muy grande, desproporcionado, y se peina con él mimosamente.)*

MICAELA.—Todos eran muy simpáticos. *(Pausa.)* Se compadecían de mí y me prometían sacarme de aquí. *(Silencio.)* Siempre llenos de esperanza. Daba gusto hablar con ellos.

*(Entra* JUSTINO. *No dice nada. Espera impasible.* MICAELA, *de espaldas a su padre, se burla de él: le saca la lengua.* ESTEBAN, *amedrentado, hace gestos a* MICAELA *para que deje de burlarse de su padre.* JUSTINO *sorprende a* ESTEBAN *mientras hace gestos a* MICAELA, *le mira fijamente con un gesto de reproche. Ruidos. Parece que se arrastra un mueble pesado.*
*Aparece el* JUEZ. *Entre de espaldas tirando de una mesa pequeña que tiene un cajón. Atadas a la mesa, como los vagones a la máquina del tren, hay cuatro sillas. El* JUEZ *lleva una botella en un bolsillo y está muy sucio. Tiene una barba bastante larga.*
ESTEBAN *contempla con curiosidad.* MICAELA *no mira al* JUEZ *pero continúa sacando la lengua a su padre. El* JUEZ *minuciosamente, pero torpemente, desata las sillas. Sin duda, con mucha precisión —toma muchas precauciones, mide a ojo, huele el terreno, etc.— coloca la mesa y las sillas frente a ella.)*

JUEZ.—Siéntense. (ESTEBAN *se va a sentar en una de las sillas.)*

JUEZ.—*(Violentamente.)* No, aún no.

(ESTEBAN *se incorpora temeroso. El juez coge la silla en que se iba a sentar* ESTEBAN *—le mira con ira— y la pone detrás de la mesa. Se sienta sobre ella.*
*La situación de la mesa y las sillas es la siguiente* [55]:

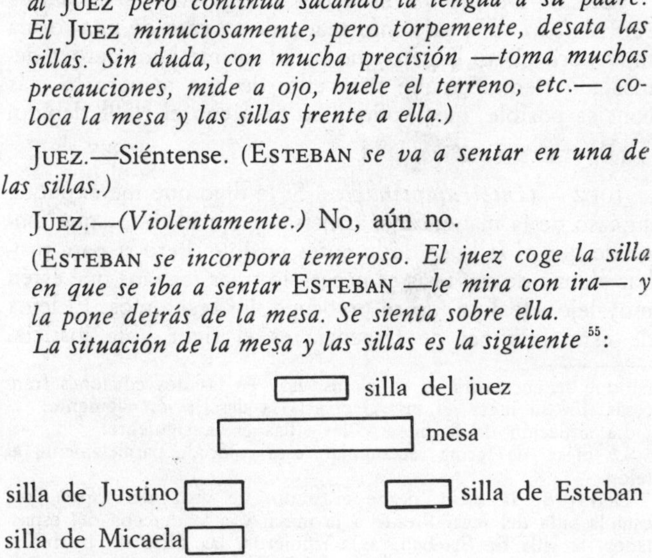

silla del juez

mesa

silla de Justino — silla de Esteban

silla de Micaela

---

[55] El esquema que aquí proponemos, no aparece en el ms. C,

JUEZ.—Siéntense. *(Nadie se sienta.)*

JUEZ.—¿No me han oído? (ESTEBAN, *temeroso, se sienta en una de las sillas de la izquierda. El* JUEZ, *irritadísimo, se levanta, y cogiéndole violentamente de la chaqueta le traslada a la silla de la derecha. Inmediatamente* MICAELA *y* JUSTINO *se sientan en las sillas de la izquierda:* MICAELA *en la más lejana al* JUEZ, JUSTINO, *por tanto en la más próxima. El* JUEZ *se sienta en su silla tras la mesa.*

*El* JUEZ *saca muchos papeles de sus bolsillos, que coloca con orden preciso sobre la mesa: cuando se equivoca en el lugar que corresponde a un papel rectifica el error. Después saca la botella de vino que tiene en otro bolsillo y la pone en el suelo, al lado de la silla. Por fin, saca un bocadillo muy grande de salchichón envuelto en papel de periódico. Durante todo el tiempo que dure el juicio comerá el bocadillo de una forma monótona y lentísima. Más que comer parece que roe.)*

JUEZ.—*(De pronto, se dirige a* ESTEBAN, *señalándole con el dedo.)* He sido informado de su caso de una forma muy poco clara. Espero que usted no me hará perder demasiado tiempo y que para ello, de una manera lo más concisa posible, me explique su caso con el rigor debido.

(ESTEBAN *va a hablar.)*

JUEZ.—*(Interrumpiéndole.)* Si le digo que me explique su caso de la manera más concisa es por el deseo que tengo de que el fallo se dé lo antes posible. Pero si para probar alguna de sus tesis es necesario traer testigos que estén muy lejos de aquí, no se preocupe, los traeremos. El lema de este Tribunal de Urgencia es el rigor y la justicia.

---

aunque se encuentra ya en el ms. A y en las dos ediciones francesas. En su lugar, el ms. C ofrecía la descripción siguiente:

La situación de la mesa y las sillas es la siguiente:

La mesa, de forma rectangular, está colocada paralelamente al telón.

Detrás de la mesa, desde el punto de vista del espectador, está la silla del juez. Frente a la mesa, y a la derecha del espectador, la silla de Esteban; a la izquierda, las sillas de Justino y Micaela; esta última, más cerca del espectador, por tanto, más lejos del juez.

(ESTEBAN *confortado.)*

JUEZ.—Comience.

ESTEBAN.—En realidad, señor juez, pienso que no sería necesario ni siquiera juzgarme.

*(El* JUEZ. *sorprendido e irritado deja de roer el bocadillo. El padre* —JUSTINO— *se incorpora y hace un gesto de desaprobación.* MICAELA, *muy contenta, hace gestos de aprobación.)*

ESTEBAN.—Lo único que ha pasado ha sido que me he perdido en el parque y que quiero salir de él lo antes posible. Creo que estoy en mi derecho. El dueño de esta casa no puede hacer otra cosa que dejarme salir. Verdaderamente no se puede concebir que exista una persona —dueño de una propiedad— que ponga obstáculos a la gente que se pierde en uno de sus parques, para que salgan de él[56].

(JUSTINO, *cabizbajo, parece impresionado.* MICAELA *le anima a* ESTEBAN. *Le envía besos con la mano. El* JUEZ *roe el bocadillo.)*

JUEZ.—En principio no tengo nada que decir contra su petición. *(Coge la botella de vino, quita el corcho.)* Me parece muy justificada. *(Bebe un trago de vino a morro de la botella.)* Pero hay un detalle que reviste una gravedad extrema. Me refiero como usted quizá habrá supuesto ya, a sus esposas.

ESTEBAN.—Las esposas... son un simple adorno, las llevo en los tobillos como adorno. ¿Qué tiene de extraño? (MICAELA, *entusiasmada, anima a* ESTEBAN.)

JUEZ.—No, en verdad, no tiene nada de extraño el que usted lleve unas esposas como adorno. *(Pausa. Roe. Se sacude las migas de pan que le llenan la barba.)* Cosas más raras se ven. *(Pausa.)* A mi edad podrá usted imaginarse que he visto de todo. *(Pausa. Roe. Deja de roer. Señala a* ESTEBAN *con el dedo y le habla en tono acusador.)* Usted no se ha perdido en el parque. Usted fue

[56] ... «para que salgan de él», es una incorporación del ms. B

conducido al retrete por el dueño de la casa *(señala a* JUSTINO) que le ató con las esposas. *(Recupera la calma. Bebe un trago de vino. Cambia algunos papeles de sitio. Roe.* MICAELA, *triste.* JUSTINO, *contento. Silencio.)*

ESTEBAN.—Sí, es cierto. Me ató él.

JUEZ.—*(Rutinariamente.)* ¿Estaba usted solo en el retrete?

ESTEBAN.—Sí.

JUEZ.—*(Aburrido.)* ¿Quiere decir que él no le ató a nadie?

ESTEBAN.—Sí, estaba yo solo. Por eso me quería escapar. Me aburría mucho. Él me había atado sin ninguna justificación, por eso yo quería escaparme. *(Pausa.)* Limé las esposas y logré escaparme.

JUEZ.—*(Hablando para sí.)* Esas esposas no valen para nada.

ESTEBAN.—Me costó mucho trabajo.

JUEZ.—Es lógico que se quisiera escapar. Yo en su caso habría hecho lo mismo. Estar atado completamente solo en un retrete no debe ser muy divertido. Si hubieran sido dos los presos, habría sido otra cosa. Siempre habría habido algo que contar. ¿No cree usted? *(Silencio.)* Le digo que si no piensa usted lo mismo que yo.

ESTEBAN.—*(Con un hilo de voz.)* Sí.

*(El* JUEZ *roe. Se levanta de su silla y va hacia* ESTEBAN. *Le habla cortésmente.)*

JUEZ.—Permítame. Levántese un momento.

*(El* JUEZ *cambia de posición la silla, de forma que quede completamente frente a él. Se sienta de nuevo.)*

JUEZ.—*(Tras leer uno de los papeles que hay sobre la mesa.)* Su sistema no nos ayuda en absoluto.

ESTEBAN.—¿Qué sistema?

JUEZ.—El que tiene usted para defenderse. *(Pausa.)*

Miente demasiado. *(Pausa. Agresivo.)* En el retrete estaba con usted otro hombre llamado BRUNO, al cual usted fue atado por medio de unas esposas.

ESTEBAN.—Pero estaba muy enfermo, es como si no existiera.

JUEZ.—¿Cómo es que usted se escapó solo?

ESTEBAN.—Ya le digo que Bruno estaba muy enfermo y no podía escaparse.

JUEZ.—¿No quiso unirse a usted?[57]

ESTEBAN.—No no podía. No podía casi ni moverse. Estaba casi paralítico.

JUEZ.—¿Casi paralítico?

(ESTEBAN *va a hablar.)*

JUEZ.—*(Gritando.)* Espere.

*(El* JUEZ *en una gran hoja de papel en blanco hace algunas anotaciones gigantescas y con mucho mimo. Mira el efecto separando el papel y mirando con los ojos entrecerrados.)*

JUEZ.—Así que quedamos en que estaba paralítico.

ESTEBAN.—Bueno, casi paralítico.

JUEZ.—¿Y él le ayudó a huir?

ESTEBAN.—No podía.

JUEZ.—¡Ah, claro! Pero tampoco se opuso.

ESTEBAN.—No, no se opuso.

JUEZ.—Y mientras limaba las esposas usted le hacía daño.

ESTEBAN.—No, ningún daño.

---

[57] Esta intervención del juez, que no aparece en ninguna versión castellana, sí está ya en la primera edición francesa (pág. 89) y nos parece imprescindible para seguir el hilo del discurso.

JUEZ.—*(Tranquilamente.)* Esto va de mal en peor. *(Pausa.)* BRUNO se quiso escapar, pero usted no le quiso ayudar. Por otra parte, él se opuso con todas sus fuerzas a que usted se escapara, y, por último, usted le hizo un daño terrible en los tobillos mientras limaba las esposas: aún se conservan las huellas.

*(El* JUEZ *roe.* MICAELA, *abatida.* JUSTINO, *muy contento. El* JUEZ *bebe un trago de vino.)*

JUEZ.—¿Quiere usted que vayamos al retrete para ver las huellas?

ESTEBAN.—No.

JUEZ.—Entonces me cree.

ESTEBAN.—Sí.

JUEZ.—El pobre Bruno ha debido sufrir mucho por su culpa.

JUSTINO.—*(Se levanta de la silla.)* Bruno no está en el retrete. *(Se sienta de nuevo.)*

JUEZ.—*(Deja de roer.)* ¿Ha oído usted?

ESTEBAN.—Sí.

JUEZ.—¿Y dónde está entonces?

ESTEBAN.—De eso yo no sé nada.

JUEZ.—¿No sabe usted nada siendo su último compañero? Esto es raro. Muy raro.

ESTEBAN.—Se habrá escapado.

JUEZ.—Imposible. *(Busca en la mesa un papel. Esgrime en la mano el papel en que escribió antes.)* Usted acaba de decirme que no se podía mover, que estaba casi paralítico.

ESTEBAN.—Pero se puede haber mejorado después.

JUSTINO.—*(Se levanta de nuevo y habla con corrección. El* JUEZ *le oye lleno de atención y deja de roer.)*

Permítame que diga ciertos hechos que pueden dar una mayor claridad al juicio.

JUEZ.—Naturalmente.

JUSTINO.—Como habrá podido ver, señor juez, el acusado adopta una postura que puede confundir a un tribunal que peque de ingenuidad. El acusado pretende pasar por un hombre honorable e incapaz de hacer nada malo. Pero veamos los hechos con el rigor necesario. El acusado fue conducido al retrete en donde fue atado a Bruno. Se le prometió someterle a juicio en la primera oportunidad. El acusado, en vez de esperar sin rebeldía la hora de ser juzgado, fuerza las cosas y se escapa. Esto debe ser interpretado pura y simplemente como una intolerable desconfianza hacia la justicia. Si el acusado suponía que estaba en el retrete sin ninguna culpa e incluso en desacuerdo con las más elementales normas de la corrección, como parece que ha querido decir al comienzo del juicio, no debía haber adoptado otra solución que la de esperar a que la justicia le juzgara con arreglo a las leyes. Insisto: el hecho de no esperar al tribunal y escaparse no debe ser interpretado nada más que como una intolerable desconfianza hacia la justicia y la ley. Aclarado este primer punto, que se puede considerar como el fundamento del resto de la actuación del acusado, pasaré a los demás, no menos importantes. El acusado ha declarado que se perdió en el parque, que no me conocía, que no fue atado a otra persona, etcétera, etcétera. Esto es, el acusado ha mentido una y otra vez pretendiendo con sus mentiras crear las coartadas necesarias para ocultar sus faltas. *(Pausa.)* Por mediación de personas [58] que por circunstancias especiales han sido testigos de los hechos que se han desarrollado en el retrete durante el encierro del acusado he sabido algunos detalles impresionantes. El acusado sometió a Bruno a la tortura de la sed: a pesar de que éste le pedía agua, el acusado casi nunca quiso atenderle. Por ello sufrió de una forma cruel. Después el acusado tuvo la idea de limar las espo-

---

[58] Las «personas» del ms. B, eran «testigos cercanos» en el ms. A que Arrabal ha corregido, sin duda para evitar la repetición.

sas para escaparse. Como las esposas atenazaban también los tobillos de Bruno ya que las mismas ataban a los dos, el acusado rozó el tobillo de Bruno tanto que le produjo una herida muy profunda. Bruno agotado por el dolor apenas podía oponerse a las torturas que le inflingía el acusado. Una vez libre, éste le dejó abandonado sin volverse a preocupar de su sed[59]. *(Pausa.)* Pero no es esto lo peor. *(Pausa. Ceremoniosamente.)* Mis criados han encontrado en el parque el cadáver de Bruno: ha sido estrangulado. *(Pausa.)* Aunque nada sé con certeza, puedo adelantar que todas las circunstancias nos hacen ver que es el acusado el que le ha estrangulado.

ESTEBAN.—*(Violentamente.)* No, no he sido yo.

(MICAELA *está desolada. El* JUEZ *de nuevo se pone a comer. Bebe un trago de vino, adopta un tono de calma. Silencio.)*

JUEZ.—Entonces, ¿quién ha sido? ¿Va usted a acusar a alguien?

ESTEBAN.—Se suicidó.

JUEZ.—¿Cómo?

ESTEBAN.—Con la cadena del retrete.

JUEZ.—Usted se contradice. Nos ha dicho para comenzar que apenas podía moverse, que estaba paralítico.

ESTEBAN.—Sin duda hizo un esfuerzo.

JUSTINO.—Hago notar que el cadáver ha sido encontrado muy lejos del retrete.

JUEZ.—Además, eso. ¿Es que los muertos andan?

(ESTEBAN *duda.)*

ESTEBAN.—Ella y yo *(señala a* MICAELA) hemos tras-

---

[59] No repetir es, sin duda, también la preocupación que ha hecho cambiar al autor la fórmula del ms. A: ... «sin volverse a preocupar de la sed de Bruno», por la que transcribimos corregida en el ms. B.

ladado al cadáver de Bruno. Temíamos que de encontrarle se me acusara de haberle matado.

JUSTINO.—*(Digno.)* Señor juez, creo que es inútil continuar. Si el acusado continúa, por defenderse nos va a acusar a todos. Según todas las pruebas él es el asesino y como tal debe ser condenado inmediatamente.

ESTEBAN.—*(Muy irritado.)* Mire quien me va a condenar, el que menos podría hacerlo, la persona más cruel con que me he tropezado en la vida.

(MICAELA *anima a* ESTEBAN, *le envía besos.* JUSTINO *parece confundido. El* JUEZ *escucha con atención.)*

ESTEBAN.—Este hombre sin ningún motivo me trajo al parque y me hizo encerrar en medio del laberinto, en un retrete inmundo y junto a una especie de cadáver viviente. Y todo esto sin ningún motivo, sólo por crueldad. Y por crueldad solamente maltrataba todos los días a su hija dándole latigazos. *(Irónico.)* He ahí el padre bueno, el padre que quería a su hija. Por una parte, Micaela [60] no es su hija y él se aprovecha de ella en todos los aspectos: haciéndose pasar por un buen padre cuando en realidad es un verdadero tirano. Mire, mire usted, la espalda de Micaela. Ya verá las huellas de sangre de los latigazos que le ha dado su padre esta noche.

JUSTINO.—*(Al* JUEZ.) Le ruego que compruebe si es verdad lo que dice este hombre.

JUEZ.—No es preciso.

JUSTINO.—Se lo ruego.

*(El* JUEZ *descubre la espalda de* MICAELA. *No tiene nada de anormal: está blanca, sin ninguna cicatriz y sin huellas de sangre.)*

ESTEBAN.—*(Grita.)* No es posible.

(MICAELA *se cubre la espalda.)*

---

[60] En el ms. A (el ms. B ha corregido) Micaela se llama, de pronto, Matilde.

JUEZ.—Es así como se porta usted con este hombre que me ha levantado de la cama para que su juicio se resolviera en seguida y que así no tuviera usted que esperar. Este hombre que no ha hecho nada más que portarse bien con usted, que salvarle de toda clase de peligros.

ESTEBAN.—*(Testarudo.)* Es un criminal. Lo arregla todo a su manera.

JUEZ.—¿Cómo se atreve usted a tratarle así? *(Pausa.)* Le diré lo más importante: yo no soy nada más que su esclavo. Soy el juez de uno de los tribunales de urgencia pero en definitiva no soy nada más que su esclavo: él tiene derecho de vida y muerte sobre mí. Por otra parte, él me ha elegido a mí, que tengo fama de ser el más indulgente de todos los jueces de urgencia, para juzgarle a usted, sólo para demostrarle el interés que tenía por usted. No es necesario saber más: sus furiosos ataques contra él son suficientes para declararle culpable.

JUSTINO.—No, deseo que el juicio se establezca sólo sobre los hechos que ha realizado el acusado durante su estancia en el laberinto, pero sin tener en cuenta nada de lo que ha dicho contra mí.

JUEZ.—Puede usted considerarse un hombre de suerte.

*(El* JUEZ *comienza a revisar papeles y papeles. Silencio.)*

JUEZ.—La culpabilidad del acusado no ofrece ninguna duda. *(Bebe un trago de vino. Roe un poco el bocadillo.)* El acusado desde que comenzó el juicio nos ha dicho toda clase de mentiras que sería ocioso volver a recordar. Lo que es peor: ha dudado de la justicia y ha intentado escaparse. Para cerrar esta carrera de delitos ha torturado a su compañero de retrete, lo ha estrangulado y por último ha querido hacer desaparecer el cadáver en el parque. El acusado es culpable de un gravísimo delito de asesinato. *(Pausa. Bebe. Roe.)* Le condeno a muerte. *(Pausa. Bebe. Roe.)* Los guardias con los tambores vendrán a buscarle inmediatamente.

*(A toda velocidad el* JUEZ *mete todos los papeles en los bolsillos. También la botella. Ata las sillas a la mesa que queda como cuando llegó. Durante este tiempo* MICAELA *ha ido a ver a su padre, le acaricia tiernamente la espalda. Éste la besa de vez en cuando en la frente, lleno de devoción.* ESTEBAN, *abatido, está inmóvil.)*

JUEZ.—*(A* ESTEBAN.) No se mueva de aquí. Los guardias vendrán a buscarle con los tambores.

*(El* JUEZ *sale tirando de la mesa.)*

JUSTINO *y* MICAELA *le siguen.* JUSTINO *lleva a su hija, cariñosamente, poniéndola el brazo sobre el hombro. Se van.*

ESTEBAN, *solo en escena. Silencio. Tambores muy a lo lejos.* ESTEBAN, *intranquilo, mira hacia las mantas. Duda. Entra en el laberinto y abandona la escena.*
*Un tiempo. Tambores a lo lejos.* ESTEBAN *aparece fatigado. El ruido de los tambores avanza.* ESTEBAN *duda. Levanta una manta para meterse en el laberinto. Detrás de ella está* BRUNO *agonizante.)*

BRUNO.—Tengo sed.

(ESTEBAN *retrocede angustiado. La manta tapa a* BRUNO. *Los tambores avanzan.* ESTEBAN *duda. Etc.)*

TELÓN

# Colección Letras Hispánicas

Últimos títulos publicados

169 *Los cachorros,* Mario Vargas Llosa.
Edición de Guadalupe Fernández Ariza.
170 *Misericordia,* Benito Pérez Galdós.
Edición de Luciano García Lorenzo y Carmen Menéndez Onrubia (2.ª ed.).
171 *Fábula de Polifemo y Galatea,* Luis de Góngora.
Edición de Alexander A. Parker.
172 *Doña Perfecta,* Benito Pérez Galdós.
Edición de Rodolfo Cardona.
173 *Selección natural,* J. M. Caballero Bonald.
Edición del autor.
174 *Marianela,* Benito Pérez Galdós.
Edición de Joaquín Casalduero.
175 *Desde mis poemas,* Claudio Rodríguez.
Edición del autor.
176 *Los trabajos del infatigable creador Pío Cid,* Ángel Ganivet.
Edición de Laura Rivkin.
177 *A. M. D. G.,* Ramón Pérez de Ayala.
Edición de Andrés Amorós (2.ª ed.).
178 *Poesía,* San Juan de la Cruz.
Edición de Domingo Ynduráin.
180 *Soledades. Galerías. Otros poemas,* Antonio Machado.
Edición de Geoffrey Ribbans.
181 *Yo el Supremo,* Augusto Roa Bastos.
Edición de Milagros Ezquerro.
184 *Poesía,* Fray Luis de León.
Edición de Manuel Durán y A. F. Michael Atlee.
188 *Trafalgar,* Benito Pérez Galdós.
Edición de Julio Rodríguez-Puértolas.
189 *Pedro Páramo,* Juan Rulfo.
Edición de José Carlos González Boixo.
190 *Rosalía,* Benito Pérez Galdós.
Edición de Alan Smith.
192 *La de Bringas,* Benito Pérez Galdós.
Edición de Alda Blanco y Carlos Blanco Aguinaga.

De próxima aparición

*Desengaños amorosos,* María de Zayas.
Edición de Alicia Yllera.